IMONを創る

目次

＊本書は、雑誌『EYE・COM』（アスキー）に連載され、
1992年に単行本化されたいがらしみきお著『IMONを創る』を復刊したものです。
＊復刊にあたり、原書の本文・図像の明らかな誤りは訂正しました。

CONTENTS

第3部　I－MON3原則に迫る

CONTENTS

IMONを創る

まえがきマンガ

IMONは如何にしてワタシの前に現われたか

いがらしみきお

みなさん こんにちは いがらしみきお です
はじめに IMONの発生と起源について述べたいと思います
あれは忘れもしない三年前の東京の某ホテルでの一夜
HOTEL GRAND PALES
ワタシとワタシのマネージャーのKは某ソフトハウス社長との会談のあとホテルの一室に戻ってCNNを見ていたのだった
わっはっはっ このキャスターはクローネンバーグみたいな顔だな
ホントだ わはは
ばしばし
そのうち画面はいきなり韓国の国内ニュースに変わりわけのわからない字とわけのわからない言葉だらけになった
ちゅーよん はおみん りょっしく からみだく
我々はあまりにわけのわからない文字と言葉にボー然となったのだが
もしかしたらこのキャスターのおねえちゃんもわけのわからないままデタラメにニュースを読んでいるのではないかと思ったのだ
つとん すぬわん ごっすと つえすく

その番組のディレクターだって『うんうん』とかうなづいてるけどホントはわかったふりをしているだけなのではないか
それを見ている韓国の国民も今さら『何を言ってるんだ?』とか言うのは恥しいのでみんな黙っているだけなのではないだろうか
そしてそれは韓国だけの話ではないのかもしれない
そうかここの変数がおかしいのか
よ〜し
かちゃかちゃかちゃ
やったァうごいたぁ
と言うように我々はわかってもいないのにわかってるふりをしているだけなのではないか
それこそがEMONの出発点なのです

第1部　IMON創世紀

第1回　TRONより早く実現するかもしれないユーザー側のOSを考案

パソコンの購入は、脱〝便利主義〟への道

今日のパソコンの普及度にはめざましいものがある、のかどうかは知らないが、少なくともエイズの蔓延速度よりは速いはずであろう。

アナタの友人が、50万円出して、エイズを買ったという話はないだろうが、50万円出してパソコンを買ったという話なら、政治家の賄賂の話ほどにもめずらしくはない昨今だ。

ところで、その友人はそのパソコンをどう使っているのだろう。ワープロとして？　事務機として？　または通信機として？

まあ、以上のような使い方にアナタの使い方も当てはまるのならば、アナタはパソコンというものに対して、すでに、どういう評価を下しているのだろうか。

〝ツマラナイ〟とか、〝ハラが立つ〟とか、〝部屋の中に洗濯物を干せなくなった〟とかであろうか。まさか〝便利になった〟などではないでしょうね？

いやいや、〝便利になった〟というのならそれで結構なわけです。ワタシはべつにアナタに何かを売りつけようってんじゃないですから。しかし、〝便利になった〟というのは局地的なものであり、〝便利になった〟人ほど、パソコン導入によって、月平均での仕事の

量が増えた、ということになってはいないだろうか。という意見は、ツマラナイので言わないようにしておきたい。

なぜなら、それもまた〝便利主義〟に取り込まれてしまう意見だからだ。ワタシは、そろそろそういう〝便利主義〟からの脱却が必要だと思っている者です。しかも、マンガ家です。この前、結婚したばかりでもあります。今度家を買いました。麺類が好きです。

〝ハンダづけが趣味〟でない人が創りだすもの

日本のパソコンの黎明期のころ、ハンダづけが趣味の人々にとっては、パソコンを買うべき立派な動機があった。ソレは、〝どういうものかと思って〟という動機である。

この動機は、圧倒的に正しいのではないか。

しかし、企業というものは、いつまでたっても〝へへへ、どういうものだと思いますぅ？〟だけで売りつけているわけにはいかないところである。

そこで、〝便利〟というキャッチフレーズが、企業によって発明され、販売促進に貢献することになったわけだ。

このへんの図式というものも批判するつもりは毛頭ない。

それもまたパソコンというものの、シホンシュギ的解釈だからである。

問題は、この日本で、我々〝市井の人々〟のための解釈が未だかつてなされていないところにある。

あったのは、暗号のごときマニュアルであり、業界人による必

■ＴＲＯＮ vs. ＩＭＯＮ
いがらしみきおがかねてより注目していますところの、ＴＲＯＮで世界を席捲しつつある、あの坂村健先生に、先日お会いすることができました！
場所は、折りしも安田講堂改築中の東京大学。「時代はただやみくもに過去を作ろうとしている」と語ったのはエベジンパパ伯爵でしたが（そんなヤツいねぇよ）、安田も遠くなりつつある東大でＴＲＯＮの坂村先生とＩＭＯＮのいがらしみきおが会見するということは、なんという運命の巡り合わせ（笑）。パソコンの新時代の幕開けを予感させるではありませんか（笑）。あ、しませんか？（笑）
いずれにせよ、〝マシンのＯＳ、ＴＲＯＮ〟と〝人間のＯＳ、ＩＭＯＮ〟は、無事にお見合いをすませることができたのでした。内容については、やっぱりお見合いですからね、詮索するのは野暮ってもんです。そのうち本人からのろけが出るのを待ちましょう（笑）。

要以上に自虐的な独り言であったり、はなはだクローズドなものしかなかった。

いきおい、我々〝ハンダづけが趣味〟でない人間にとって、シホンシュギ的解釈に取り込まれてしまうのが人情というものであろう。

しかし、怒ってはいけない。告発してもいけない。我々は後からノコノコ出てきて、カネを出し、〝便利〟だの、〝便利じゃない〟だの言ってるだけの人間なのだ。

我々〝ハンダづけが趣味〟ではない者は、パソコンという分野で、まだ何事も作りえていない。

何かを作ったのは〝ハンダづけが趣味〟の人々だけなのだ。MS-DOSしかり、マッキントッシュしかり。今こそ、我々も何事かを作り出さねばならないのではないか。

〝ハンダづけが趣味〟の人々ばかりにまかせていないで、我々も何かをしなくてはいけない時代なのだ。

〝IMON〟は壮大なOSプロジェクトだ

さて、前置きがいつまでたっても終わらない。下手をすると、前置きが、以降、連載第28回目あたりまで続きそうである。しかし、それも〝イタズラなこと〟ではないのだ。

なぜなら、ワタシがこの連載でやろうと思っていることは、前置きだけで連載を28回ぐらいやっても無理はないというほど、壮大にして、尊大なる一大プロジェクトだからである。

タイトルにある〝IMON〟とは何か。

■IMON（イモン）

〝I（いつでも）M（もっと）O（おもしろく）N（ないとなァ）〟ということになります（笑）。IMONさえ会得すれば、もうパソコンなんかは恐れるに足りません。お互いにがんばって参りましょう（笑）。さて、じつは去る6月23日に仙台市で〝ベーシック総会〟という会合が催されたのですが、何と、身のほど知らずにもいがらしみきおは、この席上で講演をブチ上げてしまったんです（笑）。その〝IMON宣言〟とでも言うべき、愛と科学とハッタリとデタラメに満ちた講演内容は次回でご紹介させていただきたいと思います（笑）。

えー さっきトイレで 水とまちがえて シャボンを飲んで しまいまして…
話すと シャボン玉が 出ますが お許しください
おぉ〜 わ〜
すごいわ〜 シャボン玉〜

〝IMON〟とは**OS**である。

オペレーティング・システムなのである。

しかも、このOSはパソコンのではなく、パソコンを使うユーザーの側のOSなのだ。

つまり、パソコンに関わる、人間のほうのOSを創ろうということである。**マンマシン・インターフェース**ではなく、いわば〝マンマシン・インターフェース〟とでも言おうか、つまり、ワタシはそういうシロモノを提唱しようとしているのだ。

パソコンのOSというものはいくつもあり、いくつもある分だけ、その**互換性**のなさが近年の問題になっている。

その互換性のなさを解決すべく、**TRON**というプロジェクトが日本で提唱され、実現に向けて活動中であることは、ご存じの方も多いだろう。それはすばらしい試みである。

しかし、マシンだけの互換性でいいものだろうか。それを使うユーザーの側のOSも互換性をもたなければいけないのではないか。

〝オタク〟という言葉がある。そして〝クソゲー〟という言葉もある。または〝ビニ本ソフト〟という言葉も、ワタシが今ムリヤリ作った。

これらが存在してしまう原因はどこにあるのか。

これらの一番の原因こそが、**〝オタク〟**な人の、または**〝クソゲー〟**や**〝ビニ本ソフト〟**を作ったゲームデザイナーと、プログラマーの持つOSのローカルさにあると言っても、アナガチまちがいではないだろう。

IMONという、人間の側のOSとはどういうものなのか。

■OS
オペレーティング・システム。コンピューターの中で、情報の交通整理をするお巡りさんみたいなもの。

■マンマシン・インターフェース
鉄腕アトムとお茶の水博士の関係はベストです。そういうことです。

■互換性
スワッピングを趣味とされているご夫婦どうしは、〝互換性がある〟わけです。

■TRON
東大の坂村先生提唱による、新しいOS。スラングばっかりで話す閉鎖的なやつらに、〝新しい共通のコトバで話そうぜェ。な?〟という壮大な計画。

■オタク
パソコンの話しかしない変なヤツラ。孤高の人でもありますが、たいていはイヤなヤツが多いです。

■クソゲー
なんだこのゲームは! 金返せバガヤロ! 責任者出て来い! という意を込めた最悪の罵声。

■ビニ本ソフト
〝高い金払って、立ったのは腹だけ〟。

それは、これからのこの連載の展開を待っていただくしかない。

今のところ、ワタシにも明確な方法論があるわけではないので、試行錯誤していくしかないであろう。

マシンのほうのＯＳというものは、Ｃなどの言語により、**ソースプログラム**などというものが書かれる。では、ＩＭＯＮはどうか。

ＩＭＯＮもやはり書かれるのである。この場合の言語は、日本語によく似た**〝Ｉｄａ〟**という言語によって書かれることになる。

これは、今、ワタシが駆使し、みなさんが無意識のうちに**コンパイル**しつつ理解している、この言語がそうである。

つまり、この連載こそが、ＩＭＯＮのソースプログラムとなるのだ。

〝ＩＭＯＮ〟の根幹を成すのは（笑）だ

ＩＭＯＮには中心となる組織があり、すでに活動している。

〝Ｉ．Ｍ．Ｏ〟というワタシの事務所がそうである。

そして、この〝Ｉ．Ｍ．Ｏ〟の広報、またはシンクタンクとして**〝ＩＭＯｓ〟**というＢＢＳも運営されている。

ＩＭＯＮは、この〝Ｉ．Ｍ．Ｏ〟と〝ＩＭＯｓ〟の活動を中心に、模索され、実験され、決定され、訂正され、陳謝され、グニャグニャなものになっていくであろう。

それは、ワタシも〝Ｉ．Ｍ．Ｏ〟も、決して思い上がってはいないということの証拠であるし、やはり、何か売りつけようっていうわけでは決してないってば、ということでもある。

■ソースプログラム
なんらかのプログラム言語で書かれた、コンパイルする前のプログラムのことです。

■Ｉｄａ（アイダ）
アメリカ国防総省の開発したプログラム言語が〝Ａｄａ（エイダ）〟なんですが、恐れ多くもこれをパクったわけです（笑）。Ｉｄａとは、さらに言えば、〝いがらしの文体〟ですね（笑）。ＭＩＮＤ（マインド）という日本語プログラミング言語もありますが、ＭＩＮＤがコンピューターを動かすのに対して、Ｉｄａは人間を動かします。読むだけであなたの脳にプログラミングされますから手間がかからなくていいでしょ？　いや、怖がらなくても大丈夫ですって（笑）。

■コンパイル
機械用の言葉に一気に翻訳すること。

■Ｉ・Ｍ・Ｏ（アイ・エム・オー）
〝Igarashi Mikio Office〟の頭文字を取ってＩ・Ｍ・Ｏなわけです。１９８８年１月創設で、仙台市にあります。事務所について詳しく知りたい方は『ワタシ』（白泉社刊）という本を参照ください（笑）。Ｉ・Ｍ・Ｏはマンガのほかにも〝映画（笑）〟や〝音楽（笑）〟、〝パソコンゲームのデザイン（笑）〟、〝先物取引（爆笑）〟などあらゆるジャンルへのＩＭＯＮの魔の手を伸ばすべく日々奮闘しているわけです（笑）。

IMONの根幹を成すもののひとつに〝(笑)〟というものがある。

しかし、IMONをパロディーにするつもりは毛頭ない。

この〝ソースプログラム〟が結構マジメな程度に、IMONもマジメであるだろう。

また、IMONはマシンの統一さえも爆発的に実現してしまうかもしれない画期的プロジェクトでもある。

なぜなら、ユーザーが自分のOSとしてIMONを採用すれば、そのマシンがMSXであれ、クレイであれ、即、IMONマシンとして認定する用意があるからだ。

しかし、それはまだ先のことである。まずIMONは、提案し、試験し、証明し、否定し、日和り、ベロベロにならなければいけない。

次回からのそれらの作業には、読者のみなさんの協力と参加がぜひ必要である。**マルチタスク**に、インタラクティブに進めていきたいと思う。

☆

さて、とにかく、IMONの〝ソースプログラム〟は書かれた。

第1回目は、さしずめ、プログラムの最初にある〝**宣言文**〟ということになるであろう。

■IMOs(イモズ)
いがらしみきおが私財をなげうって設立したパソコン通信局の名称です。現在会員約50名。何をやっているのか、と言いますと、バカなことをやっているんですが(笑)、我々はそれをバカなこととは言わず〝IMONにのっとった高度に理知的な活動である〟と吹聴しています。たとえば〝電脳ライブ〟というのは、電脳ロックアーチストがパソコンの画面上に打ち出す〝愛がぁぁ、欲しいいい〟というような〝言葉だけによる熱狂ライブ〟なのです(笑)。ちょっとおわかりにならないかもしれませんが、そのほか〝電脳句会〟とか〝電脳寄席〟とかイロイロやってます(笑)。今後は、この連載において度々実験材料にされていくでしょうが、〝IMON and IMOs go hand〟で、日々精進致す所存であります(笑)。

■BBS
パソコン通信局ホストのことです。

■(笑)(かっこわらい)
対談なんかを読むと、よくこの表記を目にします(笑)。どういう意味かというと、おそらく〝笑ってゴマかしている〟ということなんでしょうね(笑)。いわば〝書き言葉の最終兵器〟ともいえます(笑)。これを句読点がわり湯水のごとく使ってしまおう、というのがIMONの謀略なんです(笑)。あらかじめ〝反則技〟を公認してしまったようなものですね(笑)。

■マルチタスク
〝コレをしながらアレもできる。〟

■宣言文
プログラムの冒頭にあるらしいです(笑)。

第2回　5年のキャリアをもつ、IMONプロジェクトの人工無脳とは？

東京IMOs出張所はアイコンネットの中!?

　この原稿を書いている時点では、まだまだ暑い日がつづいている。ネコのジュヌビエーブ・ペロペロ・ビジョルドちゃんは、ワタシの住居では一番風通しのいい場所であるトイレの前から動こうとしない。そんなところばかりにいて臭くならないといいが。

　さて、1回目の『IMONを創る』を読んだみなさんは、どういう感想をお持ちになっただろう。まぁ、これは初対面の人間が「こんにちはー」とか言ったあと、いきなり「私をどう思いましたか？」と聞くようなもので、まだまだ感想を求めるような段階ではないのであろうが。

　このアイコンの創刊に伴なって、アスキーさんからアイコンネットというBBSが開局されたので、そちらに、前回言及したワタシの事務所IMOのBBSである〝IMOs〟の出張所を設けさせていただくことになった。その出張所のほうに、『IMONを創る』についてのご意見、ご批判、ご提言、ご論争、ごプレゼントなどをお寄せいただければと思っている。

　それらへのレスポンスは、極力ワタシが担当したいと思っているが、果たしてどうなるか……。いや、その価値があるお言葉には、誌面で紹介させていただき、また発展させていくだろうことはお約

束できると思うので、みなさん、どうぞよろしくお願いします。

さぁさぁ、ジュヌビーちゃん、いい加減にトイレの前から離れなさい。

コンピューターは人工的な生き物であるのだ

さて、2回目である。ここでは当然、IMONの大前提となる理論をコジツケねばならない。その大前提となる理論とはなにか。それは〝コンピューターは生き物である〟という理論である。

そうか、コンピューターはジュヌビーちゃんと同じなのだ。ジュヌビーちゃんがトイレの前から動かないように、ワタシのコンピューターも机の上から動かない。などというのは理論ではない。単なる〝アハハ〟である。ここは科学的にいこう。

過日、第1回目の連載でもちょっと紹介したように、ワタシは〝BASIC総会〟というところで講演をしてきた。

講演直前に、トイレのシャボンを飲んでしまったいきさつについてはともかく、その壇上でも述べたのだが、世の中ではコンピューターというものに対して、**〝道具〟**という位置づけを、とりあえずしてしまっている勢力のほうが圧倒的である。

ワタシは今〝とりあえず〟と言った。まこと〝とりあえず〟なのである。その証拠に、我々はコンピューターに対して、まだまだ**得体の知れなさ**を拭えずにいる。

それは未だかつて誰も、コンピューターというものについて、**工学上**からではない解説をしてくれなかったからではないか。

■道具

道具とは何でしょう？

〝人の能力を補助するもの〟だと考えますと、たとえば自転車なんぞは足の機能の補助であるわけです。自動車になっても、やっぱり足ですよね。では飛行機はどうなんでしょうか？　これもやっぱり足なんですよね。しかし、ここまでくると、本来の足からは随分と遠くなっているでしょ？　この距離はそのまま その道具の〝自立性〟につながります。どんどん遠くなればどんどん自立していくってわけです。じゃあ、パソコンはどうなんでしょう。どのくらい遠いんでしょうね。

■得体の知れなさ

「あなたにとってパソコンとは何ですか？」というアンケートをIMOsで行ないました。その結果は以下のとおりです。

・ペットだと思う……1人（33・3パーセント）
・道具だと思う……1人（33・3パーセント）
・習慣だと思う……1人（33・3パーセント）

なるほど、ことほどかようにパソコンという存在は人によってとらえ方がマチマチなんですね。まさしくパソコンとは〝得体の知れないもの〟なんです（笑）。しかーし！（笑）、IMONはあえてここから出発します。得体が知れないから形をつけよう、というのではなく、得体が知れないからこそ面白いのでありまーす。多分（笑）。

調査のデータ数は3人。いがらし夫人、きくまる君というパソ通少年、CZ君というパソ通青年が協力してくれました（笑）。

■工学上

即ち〝0〟か〝1〟、ONかOFF、イエスかノーという、みもふたもない考え方（笑）。ときに〝ラム〟だの〝アドレス〟だの〝レジスター〟だのと天下太平なことをのたまう。

どうしてなかったのか、という最大の理由は、コンピューターが人工的なものであるということに求められる。

我々人類には、人工的なものを生き物として認めた歴史は未だかつてない。

せいぜいワタシの嫁のごとく、クルマに〝ニッキイ6号〟などという名前をつけるぐらいであろう。

生き物のように扱うのと、生き物として認めるのでは雲泥の差がある。しかし、その差は紙一重だ。

このままでは、来たるべき**バイオ技術**によって誕生する生き物を、我々は生き物として認知することはできないであろう。我々は**試験管ベビー**にさえ、特殊な感情を持つような生き物なのだ。

にもかかわらず、バイオ技術によって生産されたトマトならば、我々はそれほどのためらいもなくそれを食卓に並べるにちがいない。なぜならば、そのトマトはトマトに見えるからだ。そう見えること、これが先ほど述べた、雲泥の差なのに紙一重である理由のひとつである。

しかし、毛むくじゃらのパソコンとか、ウロコがビッシリのパソコンを作ればそれでいいというわけではあるまい。しかも、ディスプレーがマバタキのように時々開閉したりすれば完璧だ、というものではないだろう。〝そう見えるだけ〟で解決しないということは試験管ベビーの問題によって証明されている。

結局問題はループするのである。〝人工〟ということが問題なのだ。

■バイオ技術
生物をアレコレして〝ナウシカ〟に出てきた巨神兵なんか作りだすこと。
■試験管ベビー
試験管の中だけで作ったのならまだしも、たかだか人工受精でこの呼び名は勇み足じゃないでしょうか（笑）。

〝最終人工無脳イモノス〟の開発

ワタシがコンピューターというものに、汚れた手を出してしまった第二の理由は、俗にいう〝**人工無脳**〟というものに対して興味をもったからである。

以来、自ら拙いプログラムを組んで、人工無脳らしきものを作ってはゲハゲハ笑ってもみたし、今現在もその野望はゲハゲハと止みがたい。

病コウコウとした、取りあえずの結果として、ワタシの事務所IMOでは、『トーキングぼのぼの』という、拙著『ぼのぼの』のキャラクターによる人工無脳を開発してしまった。

これは〝人工無脳ひとすじ、たった5年〟という我々のキャリアを結集したものではあっても、とくに目新しい**アルゴリズム**を採用しているわけではないが、IMOの念願であるところの〝最終人工無脳**IMONOS**（イモノス）〟開発への、輝かしい第一歩であろう。

そして、このIMONOSこそ、その名のとおり、IMON-OSが実際にマシン上で稼働する様を目の当たりにできる最初で最後の**ソフトウェア**になるはずである。

いつになったらできるのかは、さておいといて……。

■人工無脳

パソコンの中に人格らしきものを作り、それと会話を楽しむソフト。〝人工知能〟に遠慮して、謙虚に〝人工無脳〟と総称してるそうです（笑）。一時は流行しましたが、〝女の子を口説く〟というタイプが主流になってしまい、今や下火もいいとこです（笑）。

人工無脳というものが、パソコン通信で広まったことからもわかるように、これは「おおっ、まるで本物の人のようだ」という感激に由来した楽しさなんですね（笑）。でもIMONは〝人間もどき〟を目的にはしていないんです（笑）。「おおっ、気が狂いそうだ（笑）」、これが目標です（笑）。『ラクター』という人工無脳の傑作がアメリカにはありますが、コンセプトはこれに似ています。いがらしみきおいわく「人間が作るものは人間のマネをするしかないなんてさびしいじゃないか」、これがIMONの目指す人工無脳です（笑）。

■アルゴリズム

「あーしてこーして、それでこーなったら、あーする」といったことです。つまり手順です（笑）。

■IMONOS（イモノス）

「IMONとは人間のためのOSである」ということが前回で語られました。そして、このIMONを体得した人間のことを〝IMONI-MON（イモニモン）〟と呼ぶことは今初めて語られました（笑）。表題のIMONOSとは、まさにこのIMONI-MONなのであります（笑）。IMONOSはIda（前回参照）によって人間と会話します。ここに生まれる関係もまたIMONなのです。そう、IMONOSの前では、人間も単なるアプリケーションソフトに過ぎないのであります（笑）。

■ソフトウェア

「これパソコン（笑）」、「え？　何するものなの？」という場合の〝何〟に当たるものです。

コンピューターを少しスキャンダラスに

ワタシはなにをそんなにムキになっているのだろう。たかが、人工無脳に。

ワタシはその原因についても考察してみた。

その段階で生まれたのが〝コンピューターは生き物である〟というIMONの大前提なのである。

そして、その大前提を追及していくにつれて〝人工〟なのか、〝神工〟なのかの意味づけは雲散霧消してしまうであろう。

いや、しなかったらカンベンしてくださいね(笑)。

とにかく、〝コンピューターは生き物である〟とワタシは言った。言ったからには、当然、次回からその証明を行なわねばならない。

その証明のデキにワタシは不安を覚えるものではあるが、ひとつだけ自信があるものがある。

〝コンピューターもこれで少しはスキャンダラスになれるかもしれない〟ということである。

第3回　コンピューターは生き物か？　アイデンティティーを与える

ＩＭＯＮはリアルタイム新婚旅行もしてしまう

この『ＩＭＯＮを創る』は、基本的に**リアルタイム**で進行させたいと思っている。

と言っても、ワタシにとってのリアルタイムであるのは当然のことである。読者のみなさんにとってのリアルタイムということになると、これはもう、たいへんだ。**ノストラダムス**になるしかないのだ。

でなければ、「えー、昨日はアレでしたね、あなたのいるところの前の道路を人がとおりましたよね……」とか、「あー、今日は関東方面で自転車に乗っていて転んだ人がちょっといましたが……」などという文章しか書けないであろう。

それでワタシのリアルタイムなのだが、今日から5日後の9月15日から22日まで、アメリカのコンピューター状況の調査のため、ロサンゼルスに行って来るのである。新婚旅行も兼ねて。

あははは。いや、なにも笑わなくてもいいが。いがらしさん、おめでとうございます。いえいえ、ありがとうございます。

まぁ、どういう収穫があったかは次回をお楽しみにということで。ご報告しますから……。

■リアルタイム
泉谷しげるのライブアルバムの事ではありません（笑）。そんな事を書いている今は11時33分なんですけど、あ、今34分になりました（笑）。

■ノストラダムス
変わり者のオッサンが言ったデタラメを後世の人が勝手に解釈してありがたがっているという、つまりは、これが〝予言〟ですね（笑）。

コンピューターは生き物？　反論にはプレゼント

さて、前回はネタふりだけで終わってしまった感もある、ＩＭＯＮの大前提理論〝コンピューターは生き物である〟ということについてだが、その前に、ワタシが考える〝生き物の定理〟というものを述べなければならない。

で、いきなり結論から言おう。また今回もネタふりだけで終わったりしないように。

ワタシが考えるに、生き物とはまるごと〝記憶〟である。手足の有無が生き物の前提ではないし、ましてや新婚旅行に行くか行かないかではない。

〝五感〟だという意見もあろうが、五感こそがまるごと記憶であることは、すでに自明のことである。我々は〝知らないものは知らない〟生き物なのだ。いや、生き物は、〝知らないものは知らない〟のだと言おう。記憶があるからこそ、それに対しての推察と決定がなされるわけである。我々の行動の中で、記憶によらないものがあろうか。そういう意味で、我々に**オリジナル**なものなどはない。すべては記憶なのである。あの〝愛〟というものさえも。

結局、〝生きているもの〟と〝生きていないもの〟を分かつのは、記憶によって活動しているかどうかによるであろう。

えー、この結論に異論はないですか？　これで話を進めていいですか？　もし「そうではない」という意見がおありの方は投書をいただくなり、アイコンネットの〝ＩＭＯｓ出張所〟に書き込むなり

■五感

視覚、聴覚、臭覚、味覚、触覚、を称して五感といいます。〝第六感〟などとも言いますが、そんなことを言い始めたら、じゃあ『ネ暗トピア』のコミックは全七巻じゃないか、などと話がどんどん飛躍してしまいますので、五感で手を打ちます。これらに序列をつけたものが左のグラフです。なるほど、グラフにするとよくわかるでしょ？（笑）

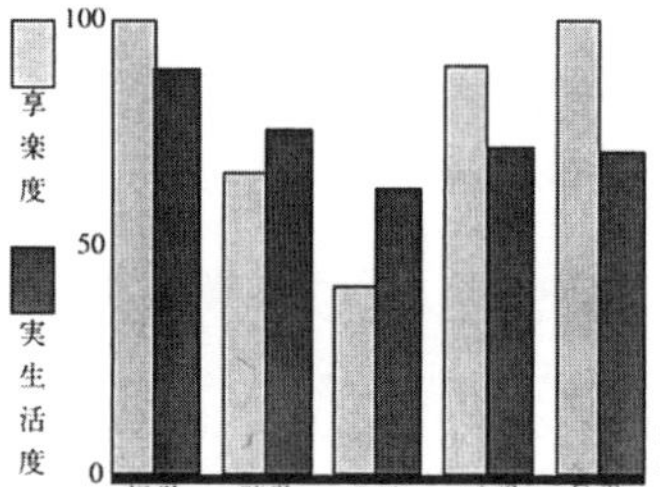

●クリエーター3原色

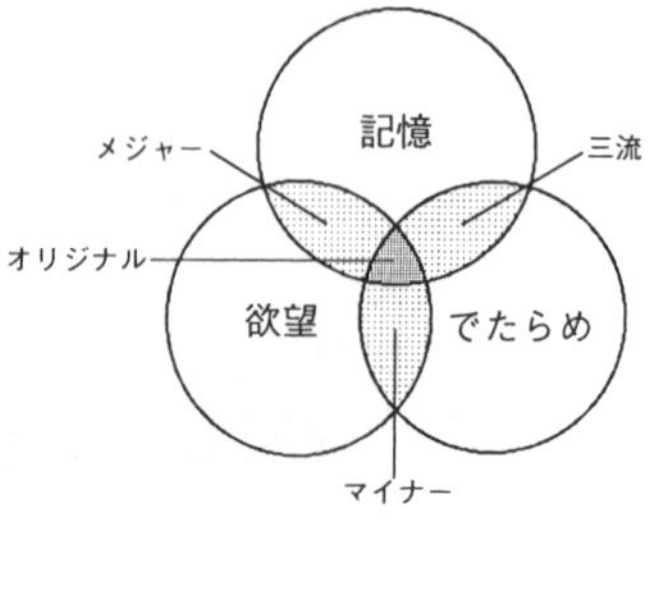

■オリジナル

「オリジナルという幻想は記号の飽和に過ぎない」と語ったのは柳生但馬でしたが（言ってないって）、そもそもオリジナルとは一体何なのでしょう。

いがらしみきおを団長とするＩＭＯエグゼクティブ・ラボラトリー（イモエグラ）（笑）は、この問題に真っ向から取り組んでまいりました。その結果が右のグラフであります。これこそが〝クリエーター3原色〟です。どうぞ〝記憶〟との相関関係にご注意ください。おお、こりゃまるで真理のようではありませんか（笑）。そう、このグラフを熟知することがＩＭＯＮへの第一歩なのです。多分（笑）。

していただきたいと思います。

しかし、食べ物を食べないとか、ウ〇コをしないとか、セックスができないとか、呼吸をしていないとか、寝返りもうてない、などという理由でもって「コンピューターは生き物ではない」と結論するのはやめてくださいね。

アナタは生命に対して〝傲慢〟か〝謙虚〟か？

人間が〝生命〟というものに対してとる態度は、えらく傲慢であるか、ずいぶん謙虚であるかしかないようだ。

〝傲慢〟の代表として戦争というものがあり、〝謙虚〟の代表としては遺伝子工学の倫理問題がある。そして、傲慢と謙虚の両方を代表しているのが〝一個の人命は地球より重し〟などというわけのわからない言葉であろうし、もし、〝傲慢〟と〝謙虚〟の中間に存在するあるものがあるとすれば、それはたぶん〝飲んだら乗るな、乗るなら飲むな〟だ、とか言ったりして。あはは。

いや、〝あはは〟じゃないけど、どうも人間が遺伝子工学について感じている不快感というものは、コンピューターに感じている不快感と相通じるものがあるようだ。ワタシは、今、コンピューターを生き物として認知できないのならば、来たるべき遺伝子工学によって誕生するであろう〝ブタ牛〟や〝かばライオン〟や〝わにキリン〟などを生き物ではなく見せ物としてしか扱えないのではないかと思うのである。我々は冷静にして寛容になるべきなのではないか、わにキリンやコンピューターに対して。

今度新しくI.M.Oの一員になったMacとわにキリン

しかし、かばライオンやわにキリンやコンピューターが生き物として認知されないとしても何ら問題はない、という意見もあるだろう。果たしてそうか。

コンピューターの知能を3〜5歳児から青年へ

現在のコンピューターの知能程度は、せいぜい〝**3〜5歳児**〟程度であると言われる。それが物語るものとして〝コンピューターは20歳の青年や34歳の中年にも、いずれはなるだろう〟ということがある。

ワタシは**アナロジー**の揚げ足をとっているわけではない。

現に科学者や技術者は、いわば〝青年コンピューター〟である**ニューロコンピューター**や、〝中年コンピューター〟である**バイオコンピューター**を作ろうとしているではないか。

〝3〜5歳児〟の時点で、生き物として認知されなかった者が、20歳や34歳の中年になったときに、どういうキャラクターを示すだろう。あぁ、あのかわいそうな**ミヤザキ君**のようにならなければいいが……。

我々にとって、今のコンピューターは、善悪ぐらいしか教育できない〝3〜5歳児〟であるだろう。

しかし、我々はその〝**善悪**〟さえ教育せずにいる。いや、それどころか、コンピューターにとって、何が善で、何が悪かさえわからないのが現状なのだ。

そういう現状であることを認識もせずに〝3〜5歳児〟の子に対

■3〜5歳児

3〜5歳児とコンピューターとを比べてみました（笑）。どうです！　やっぱりピッタシでしょ？　こうなってきますと、コンピューターに対しても〝マザーリング〟（母親が愛情豊かに子供に接する事）が必要になるという事がおわかりになったと思います（笑）。しかし、我々のコンピューターは、当然ながら人間の子供ではありません。ここを勘違いすると〝擬人化〟という安易な付き合いに陥ってしまうでしょう（笑）。つまり、マザーリングは必要ながら、人間とは性質の異なる、別個の存在だという認識、これが必要です（笑）。じゃあ、それは何なんだよぉ？　って言うんでしょ？　そんな事わかりませんよぉ（笑）。これから一緒に考えていきましょうよぉ（笑）。

■アナロジー

同じ形のフロッピーディスクだからMacのゲームがMSXでも遊べるんじゃないかと思ったんですよねぇ（笑）。でも、こないだパーソナルワープロにMacのゲームを入れたら動かなかったから今度も多分ダメでしょうねぇ（笑）。不便だなぁ（笑）。

●平成元年度人間出来高指数

項目	3〜5歳児	パソコン	スパコン
知能	10	11	27
倫理感	8	5	3
体力	41	43	32
創造力	58	27	5
食欲	33	35	240

（いがらしみきおを100とした場合・当社比）

して、コイツは便利だの、コイツは便利じゃないだの言っているだけなのである。

　さて、ＩＭＯＮがまずなすべきことは、現在は〝3～5歳児〟であるコンピューターに、それなりの**アイデンティティー**を与えることだ。コンピューターのアイデンティティーとはいかなるものであろう。現在ただひとつしか与えられていない〝便利なヤツ〟などというものだけではないことは確かであるが、新婚旅行を控えて、シゴトがラッシュしている今のワタシには考えもつかないことである。ですから、もう少し考えさせていただきたい。

　そして、アイデンティティーの前にも、やらなければいけないことがある。それは、今回結論だけを言った〝コンピューターは生き物〟であるという理論の証明だ。「え？　まだやるの？」などとは言わないでいただきたい。ＩＭＯＮとはそういう構造になっている。まず提案し、次に仮定し、そして証明するものなのである。

■ニューロコンピューター
　人の神経の仕組みをパクろうとしているコンピューター。
■バイオコンピューター
　ニューロコンピューターによって脳ミソの仕組みを解明したら、次はモロに脳ミソをパクっちゃえ、というコンピューター（笑）。
■ミヤザキ君
　子供のころ、親や学校からにかぎらず、便利だの便利じゃないだのと教育された人（笑）。
■善悪
　善悪の基準というのはほとんどの場合、神様が前提になっているようです。だからこそドストエフスキーやニーチェが出現し得たんでしょう？　サスケにおいても「光あるところに影がある」って言ってましたしね（笑）。

　そうなるとコンピューターに我々が与えている基準の何と貧困な事！（笑）いわく〝正確〟、いわく〝早い〟、いわく〝経費節減〟、いわく〝簡単〟、これじゃまるで牛丼じゃないですか（笑）。いや、べつに牛丼を軽蔑しているわけじゃないっすよ（笑）。ただ、これが我々の〝新しい生き物〟であるコンピューターに対する態度だとしたら、あまりに情けないではないですか。

「葛藤なくして善悪なし」と言ったのは早川雪洲でしたが（言ってないって）、今コンピューターはその〝葛藤〟すら出来ない状態にあるのです（笑）。ＩＭＯＮとは〝コンピューターとの葛藤〟でもあります。そして、その葛藤の中でコンピューターは善悪を身につけていく事でしょう。多分（笑）。
■アイデンティティー
　〝自己同一性〟とか〝主体性〟とか、つまり〝葛藤の根源的な動機〟でもある。多分（笑）。

第4回　アメリカのコンピューター事情（?）を探ってきた成果は？

グランドキャニオンのコンピューター事情

洋行帰りのいがらしです。〝新婚洋行〟から帰って来たいがらしです。

場所はロスだったので、前回に予告したとおり、アメリカのコンピューター事情を探るべく、**シリコンバレー**を視察しようとセスナに乗った。だがしかし、どこでどうまちがったのか、着いた先はグランドキャニオンだったのである。セスナのパイロットがインド人だったのが敗因かもしれない。いや、深い意味はないけれど。

着いてしまったものはしかたがないので、このままグランドキャニオンからアメリカのコンピューター事情を探ることにした。いや、大丈夫、大丈夫。ちゃんと、いくつかは探ってきましたからね。

まず、みなさんにも想像はつくと思うが、あの広大なグランドキャニオンのどこを見渡してもコンピューターなど1台も見つからない。これがひとつ。

それと、ワタシの乗ったセスナも当然コンピューターを搭載していたのだろうが、そのコンピューターのOSはなんだったのか？まさかMS-DOSではあるまい。通信機能に優れていると言われる**UNIX**だったりして。この冗談がひとつ。

その日の夜はハリウッドにいた。去年、ワタシのアシスタントが

■シリコンバレー
米国は上州、下郡の山懐に絶景の渓谷を望む構え壮大なる一大半導体産業地帯あり。

■UNIX
ユニックス。小型コンピューター用の主力オペレーティングシステム（OS）。OSについては第1回をご参照ください（笑）。

そこにあったパソコンにBASICを打ち込んだら動かなかったラジオシャックは、去年と同じ場所に同じようにあった。これもひとつ。

そして、翌日の帰国する朝のロサンゼルスタイムズには、マッキントッシュの新機種発表のニュースが載っていた。ひとつ。

こういったコラージュのほうが、アメリカのコンピューター事情がグローバルに理解できるだろう。できないか。あはは。

IMON作法に従った電脳バンド〝IGAI〟

さて、今回は〝コンピューターは生き物〟理論の証明であるが、その前に、IMONの普及と実践活動の一環として生まれた、IMOsの電脳バンド**〝IGAI〟**がこのたび、めでたくデビューアルバムを完成させたので、それについてちょっと述べたい。

〝IGAI〟は**IMON作法**にのっとって成り立っているバンドである。いわゆるマルチタスクとそのリアルタイム性、そして、IMONの中核を成す〝(笑)〟がここにある。

音楽的にも、『ミュージくん』で打ち込んだそのビートは、マッキントッシュで打ち込んだビートをはるかに凌駕し、ついには聴く者を〝(笑)〟せしめるにちがいない。

パンクが「ロックは死んだ」と宣言するために生まれたように、IGAIもまた宣言するだろう。「バンドブームは死んだ」と。

事実、IGAIのデビューアルバムのリリース翌日に、昨今の日本のバンドブームの象徴であるテレビ番組、『**イカ天**』のディレク

■IGAI（イガイ）
あらゆるジャンルは、それぞれの局地戦において、最終兵器が現われ、あとは限りなく拡散していきます（笑）。この最終兵器を、人工無脳ゲームにおける〝IMONOS（第3回参照）〟の立場にならい、〝〜におけるIMONOS〟と呼んでいます（笑）。IGAIは〝バンドブームにおけるIMONOS〟です（笑）。なぜか。IGAIは原則的にバンドではないからです（笑）。IGAIは〝概念〟です（笑）。お薦めいたします（笑）。

■IMON作法
グラフをご覧ください。これが〝IMON三原則〟であります。思えば〝(笑)〟のコンセプトも随分と進化しました（笑）。いずれ改めて〝(笑)〟を分析しなければならないときがやって来るかもしれません。とにかく、どうかこの原則をインプットしておいてください（笑）。で、蛇足ながら〝IMON認定オタク三原則〟というものも最近出来ました（笑）。
①服がダサイ、②女の話が出来ない、③パンクを聞いたことがない。まあまあまあ、穏便に（笑）。

●IMON三原則

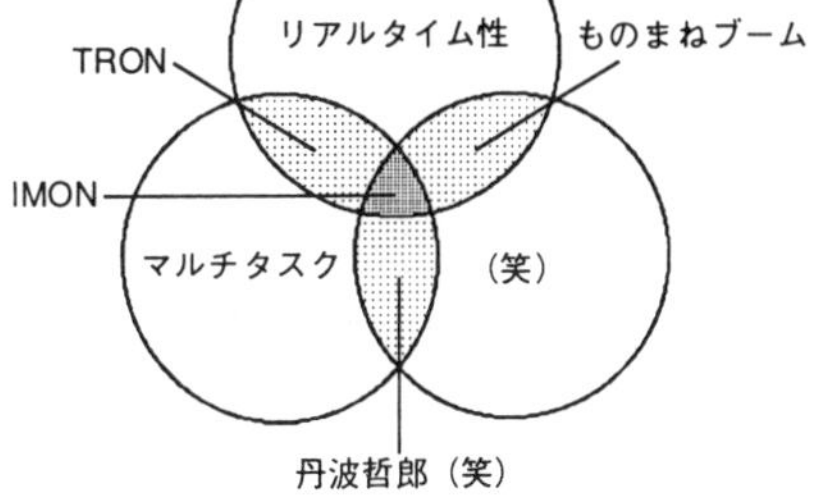

ターが、大麻所持の容疑で逮捕され、同番組のイメージは著しくダサイものになってしまった。

今どき大麻で逮捕されるぐらい恥ずかしいことはない。この事実が物語るものは〝偶然〟だけであろう。しかし、どんなムーブメントにも必要なのはその〝偶然〟なのだ。

とにかく、IMONの実践者としてのIGAIをお薦めしたい。ここにはIMON搭載人間であるIMONIMON（イモニモン）の姿を見出すことができるであろう。

生き物の自発的行動は記憶によるものである

今回も前置きが長くなってしまったが、それもこれもIMONがマシンのOSではなく、未だ前例のない、人間の側のOSだからである。

人間が生き物であるのなら、IMONもまた〝生き物〟であらねばならない。そしてコンピューターも。

さて、ワタシは前回、「生き物とはまるごと記憶である」と言った。つまり、〝記憶〟こそが生き物の絶対条件だと言ってもいい。

生き物が持つ、他の付随した機能などは単なる記憶の入出力装置なだけであって、故にそれらは〝生き物〟の定理とはならないであろう。

その証拠に、それら生き物の持つ入出力装置がコンピューターにも備わらなければ、コンピューターを〝生き物〟として認知できないという意見があってもなんら問題ではない。

■パンク
「ロックの屍から生まれたものがひとつだけある。それはコンピューターだ」と語ったのは、前田吟でしたでしょうか（言ってないって）。パンクムーブメントが「ロックは死んだ」と宣言したと同時に、コンピュータームーブメントがやって来ました。セックスピストルズのデビューが1976年、そしてアップル社の設立もまた1976年なのです。もちろんこれは〝偶然〟です。でも、本文にもあるとおり、どんなムーブメントにも必ず〝偶然〟は必要なのです。とにかく、この流れを見失ってはいけません。ロックがポップカルチャーの先端であった時期は過ぎたのです。じゃあ、次のポップカルチャーのトップランナーは何か!?　IMONでは当然コンピューターだとにらんでいるわけです（笑）。

■イカ天
「イカすバンド天国」というテレビ番組。『素人・勝ち抜き民謡歌合戦』のロック版。

なぜならば、それらは現在、または近い将来実現されるであろうからだ。

音声を認識し、しゃべるコンピューター、自ら移動するコンピューター、空を飛ぶコンピューター、コタツにあたるコンピューター、子作りに励むコンピューターなどは現在の技術でも可能であろうし、将来的には、有機的細胞を持つコンピューター、すべての情報を視覚と聴覚と触覚と味覚で入力するコンピューター、酒を飲んではグチを言いつつゲロを吐くコンピューター、深夜セブン・イレブンに出かけてカップ麺を買いがてら少年ジャンプを立ち読みし、プレゼント欲しさにアパートでアンケート記入するコンピューターなども可能であろう。

「それはそうプログラミングされているのであって、自発的に行動しているわけではない」という意見があるかもしれない。

しかし、いわゆる〝自発的行動〟というものを〝生き物〟の定義にするのならば、生き物などどこにもいないのだ。

なぜならば、人間も他の動物も、結局のところ〝記憶〟という〝プログラム〟によって行動しているのである。

もし、人間が記憶によらない〝自発的行動〟を示したとすれば、それは即刻病院行きという結果になるであろうし、しかも、そんなことは今のコンピューターにでもできることなのだ。**バグ**がそれである。

ワタシのＭａｃも購入して間もなく、〝自発的行動〟に出てハードディスクを読めなくしてしまい、〝病院行き〟になったことがある。

バグも結局、〝プログラム〟という記憶のアクシデントであるし、

■バグ
プログラムのミス。いがらしみきおは、かつて〝BUG（バグ）が出る〟という空前絶後のギャグ漫画を描いておりますが、冗談抜きで、この漫画は『IMONを創る』の最良の参考書になるでしょう。いや、ほんとすってばあ（笑）。

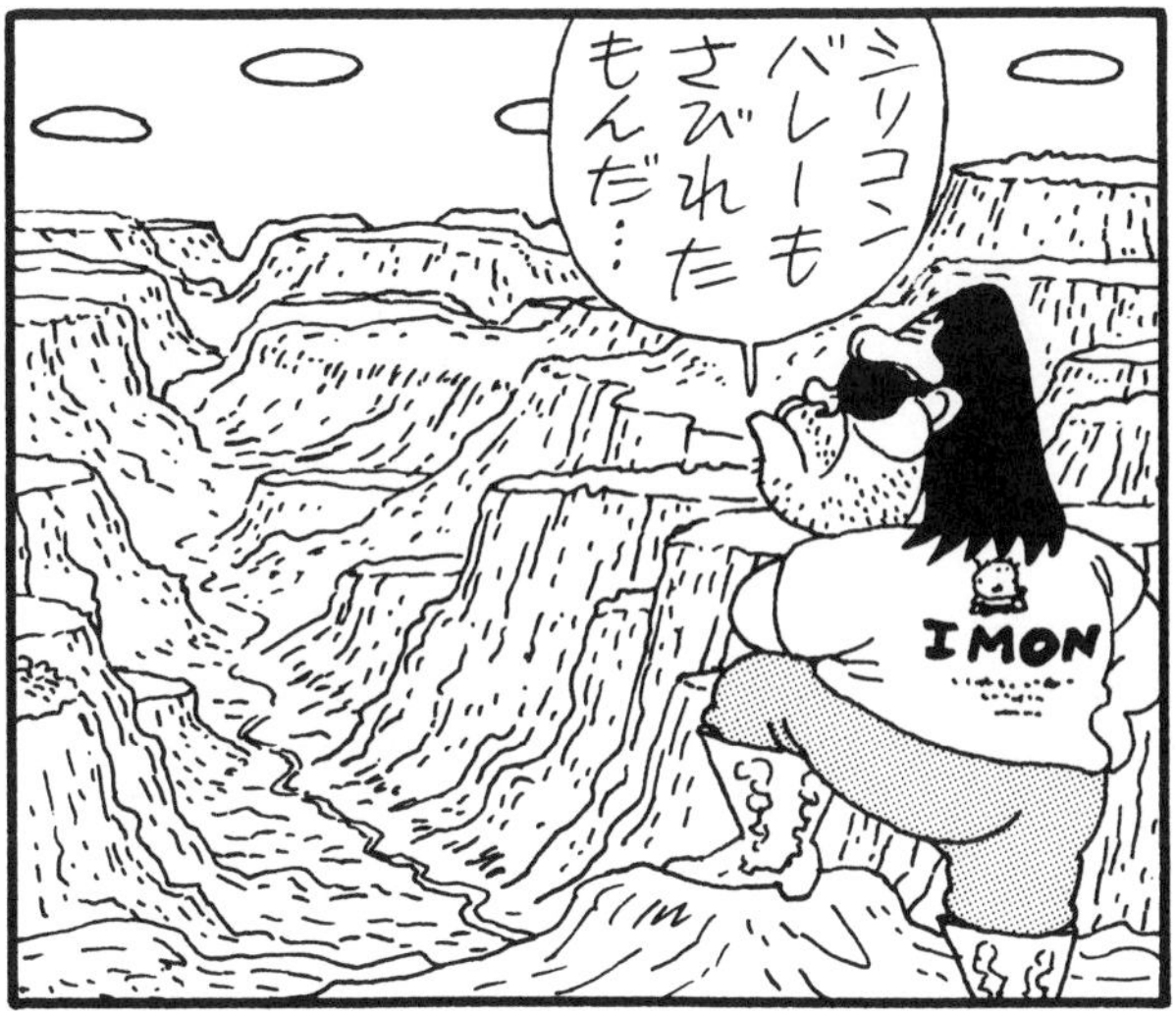

人間の〝自発的行動〟も、やはり記憶という〝プログラム〟によって発生したものであると言える。

だからこそ、ワタシは前回、「人間にオリジナルなものなどはない」と言ったのだ。

書き換えられない記憶ROM化のアナロジー

では人間は〝機械〟か。

ワタシは人間が機械であると言っているのではない。コンピューターが生き物であると言っているのである。

そして、このテーマに感傷的問題をさしはさむ者は、「団地住まいだからふるさとがない」などという愚痴をこぼしたがる人間でもあろう。

ふるさとに限らず、我々は生きている限り何ごとか喪失する。しかし、それは問題ではないのだ。

問題は、記憶という〝プログラム〟が書き換えられないことにこそある。

いわゆる**〝ROM化〟**である。

ROMとはコンピューターの〝リード・オンリー・メモリー〟のことであり、〝リード・オンリー・メンバー〟というパソコン通信の隠語でもある。

〝ROM〟といい、〝記憶〟といい、どうしてこれほどのアナロジーが人間とコンピューターの間では発生するのか。

ほかのアナロジーについては**別表**を参照していただくとして、次

■ROM（ロム）化
ROM（ロム）というのは〝リード・オンリー・メモリー〟、つまり〝読み出し専用のメモリー〟のこと。書き換えがきかないんですね。あらかじめインプットされていたものを、引っ張り出してくるだけ（笑）。さて、人間のROMについては、いろんな人がいろんな言い方をしています。たとえば、夢野久作の小説なんかがそうですね。また、現実の人間に目をやれば、〝いい意味でのROM化〟の代表としてあげられるのは、やっぱり長嶋茂雄でしょう（笑）。〝悪い意味でのROM化〟というと、これはもう、映画監督のジャン・リュック・ゴダールですね（笑）。〝どっちでもないただのROM化〟となれば、自民党をおいてほかにはありません（笑）。みなさん！　IMONは〝ROM化の見直し〟を公約いたします！（笑）

回はそのアナロジーの問題をきれいさっぱりと〝(笑)〟してみたい。

■別表

ここにあげた表は簡単に言えば、〝コンピューター〟と〝人間〟の類似の比較です。もちろん〝(笑)〟です。しかし、この羅列の中には、I－MONの重要な鍵が隠されております(笑)。いや、べつに、隠しているわけではないんですが(笑)。「このほかにもこういうのがあるじゃないか」とか、イロイロご自分なりに考えてみてください(笑)。よろしければアイコンネットのほうへ書き込んでいただいても結構です(笑)。とにかく、〝羅列のあとに定理あり(笑)〟ということわざにもありますとおり、次回以降のI－MONにご注目ください(笑)。

項目	コンピューター	人間
ROM	リード・オンリー・メモリー	リード・オンリー・メンバー(パソ通隠語)
CD-ROM	コンパクトディスクを使ったROM	チャット・ダウンロード・リードオンリーメンバー(これもパソ通の隠語)
入院	故障のため修理に出す	病気のためドック入り
記憶	記憶	記憶
バグ	プログラミングのミス	自発的行為
ループ	同じ処理を繰り返すこと	いわゆる苦悩している状態
リセット	記憶された状態をそれ以前に戻すこと	記憶喪失
言語	BASIC、Ada、Cなど	日本語、英語、仏語、中国語など
ビット	ONとOFF(2進数)の単位	脳における電流の強と弱
OS	オペレーティングシステム	感性

第5回　TRON住宅より早く完成した〝IMON住宅〟。その住み心地は？

IMONテーゼによる〝IMON住宅〟の認定

秋も深まってしまった現在である。みなさまいかがお過ごしでしょうか。大きなお世話でしょうか？

えー、前回はアメリカから帰って来たばかりだったというのに、今回は引っ越しをしてしまったのである。まったく忙しい。ワタシは日本で3812番目あたりに忙しい人間なのではないだろうか。で、その新居であるが、**光ファイバーケーブル**、**ホームオートメーション**を完備したハイテク住宅という……わけではない。**床暖房**はあるが。とりわけて変わった住宅ではないが、ワタシが住むわけであるので、これはすなわち〝IMON住宅〟ということになるであろう。残念ではあるが、話題の**〝TRON住宅〟**よりも〝IMON住宅〟のほうが早く完成してしまったようだ。

そういうわけで、〝IMON住宅〟の最大の特徴は床暖房にある。床暖房はいいよ、ホント。あとは、その住居に住む人間がIMON搭載人間の**IMON-IMON**であれば、ワタシはすぐさまその住居を〝IMON住宅〟として認定する用意がある。

そんなのはインチキだと言ってはいけない。なぜならば、コンピューターが制御する家もワタシが制御する家も基本的に同じなのだ。なぜか？　それは、コンピューターもワタシも〝生き物〟だ

■光ファイバーケーブル
電気じゃなく光でもって信号を送るモノらしい。

■ホームオートメーション
電話で風呂を沸かしたり、横着の極み（笑）。

■床暖房
床がポカポカと暖かいのには驚いた。韓国はオンドルによって床暖房の先駆者になってます（笑）。

から、というＩＭＯＮのテーゼによって証明されるであろう。

ＩＭＯＮは２０００年の予言と理論を目指す

前回は、人とコンピューターの間にあるアナロジーということで終わった。ここで誤解のないように言っておきたいが、このＩＭＯＮというものを、アナロジーの揚げ足とりの類であろうと考えている方がいるとしたら、それはまちがいである。ＩＭＯＮはアナロジーではない。〝(笑)〟ではあるが。

ワタシは、ＩＭＯＮがアナロジーではないことを証明すべく努力するだろうし、この連載が〝健全に〟終わるとき、その証明は完結することになるだろう。しかし、その証明を理解するには、残念ながらそれからまだ時間を必要とするかもしれない。ワタシの予想では、ＩＭＯＮの予言と理論が顕在化するのは**２０００年**代と見ている。ＴＲＯＮは'90年代を目指しているらしいが、ＩＭＯＮはさらに10年ほど先を目指してしまうことになる。

なぜならば、まずコンピューターのほうが、リアルタイム、マルチタスクを実現せねばならないからだ。そして人間のＯＳであるＩＭＯＮによって、人間のほうもリアルタイム、マルチタスク、〝(笑)〟を実現する。これがワタシの描いているビジョンだ。

では、どうしてコンピューターのほうが先なのか。それは第一にＴＲＯＮのほうが先発だから、といういい加減な理由。そして第二に、人間はいきなりリアルタイム、マルチタスクを体得できないだろうということ。つまり、我々はリアルタイムとマルチタスクの形

■ＴＲＯＮ住宅

ＴＲＯＮ（トロン）プロジェクトの一環。コンピューターを家庭の中へという概念を実践した住宅。まだ出来てないけど（笑）。

■ＩＭＯＮ－ＩＭＯＮ

イモニモン。以前にも言いましたが、これは〝ＩＭＯＮを搭載した人間〟という意味です。

■２０００年

これは〝コンピューター・バイオリズム〟です（笑）。〝正の主流〟、〝負の主流〟が、よくわかります（笑）。なんとなくＴＲＯＮに遠慮しているようなとこがまたカワイイですね（笑）。

さて、２０００年のＯＳはＩＭＯＮであるとして、じゃあ、そのあとはどうなっているんでしょうか？　もう、その後は滝になってドードーと流れているんでしょうね、きっと（笑）。

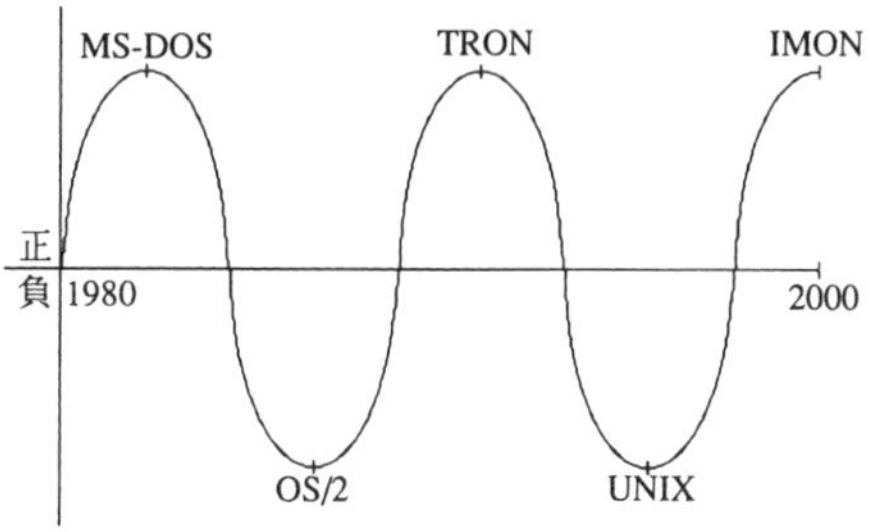

態をコンピューターから学ぶ必要があるのだ。その学ぶべき気持ちを疎外している最大のものが〝コンピューター道具論〟である。

　道具は人間を学んだ結果としてできたものであるから、それからまた人間がなにごとかを学べるかどうかはむずかしい。ワタシが「包丁から学んだ」と称してすべての知人を斬りつけはじめたり、「フライパンから学んだ」と言いつつ、それらの知人をいためはじめたらどうなるであろう。新聞ネタになるだけである。それは〝（笑）〟ではない。ＩＭＯＮが目指しているのは〝生き物〟の〝物〟化ではない。そしてその逆でもないのだ。

予言はイガラシ、証明は科学者と技術者

　もちろん、現在のコンピューターの環境を見る限り、ＩＭＯＮの〝コンピューター生き物論〟をすぐさま受け入れることはむずかしいかもしれない。

　ワタシが「ＩＭＯＮは２０００年代のＯＳだ」と言ったのはこのことでもある。なぜなら、そのころになれば例のバイオコンピューターたらいうものが開発可能の域に達しているかもしれないからだ。少なくとも、現在の科学者と技術者はそれを目指している。

　これはまさに、科学がＩＭＯＮの〝コンピューター生き物論〟を証明すべき方向に向かっていると言わざるをえないのではないか。

　バイオコンピューターの細胞にどの生き物の細胞を使うことになろうとも、それはすでに世間のコンピューターについての**定義を超える**ものになるだろう。試験管ベビーがマイナスの倫理で人間

■定義を超える
ご覧ください、このグラフを！〝ＩＭＯＮグラフ〟と言います（笑）。既製のグラフでは表現し得ない、ＩＭＯＮの本質的な事象を表現する為に、このグラフは開発されました（笑）。まさに英知の結集であります（笑）。〝Ｉ〟〝Ｍ〟〝Ｏ〟〝Ｎ〟という文字によって形作られています。ね？　なってるでしょ？（笑）
　さて、見方ですけど、この場合はですね、〝バイオコンピューター〟と〝試験管ベビー〟というミクロなシロモノが、〝倫理〟と〝コンピューター〟というマクロなシロモノをいかに引っ張っていくか、という点に注目してください。そしてＩＭＯＮ使用により、その価値観、定義は逆転するんだ、ということをご理解ください（笑）。

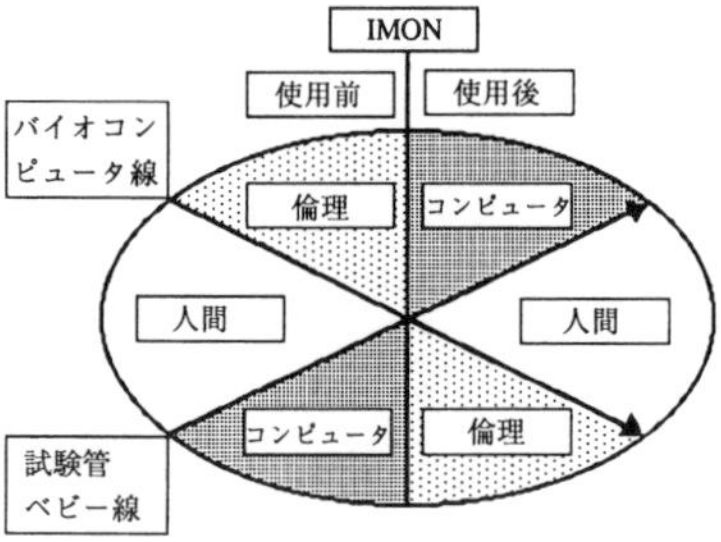

■能力
恐るべきＩＭＯＮグラフ！

なんと〝能力〟ということまでも解析出来てしまいました（笑）。こりゃ特許申請したほうがいいかなぁ（笑）。

　これを見ると〝コンピューター〟と〝人間〟の臨界点こそＩＭＯＮなのだということがよくわかります。そして、その流れとは無関係なところにいてしまう人々の悲劇（笑）もまた明確にされてしまったわけです。

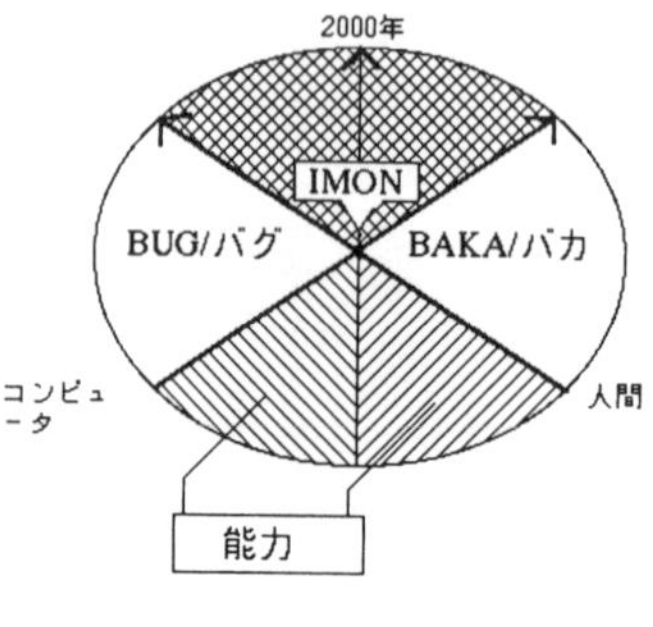

の定義を超えるのなら、バイオコンピューターはプラスの倫理でコンピューターの定義を超えるはずだ。

　これは有機的生き物である人間が、道具という無機的なものによってその能力を増大してきたように、コンピューターという無機的な生き物は、有機的なものによってその**能力**を増大させていく、という流れと大きくアナロジーしている。つまり、いつか両者は交錯するときが来るはずだ。その接近に世の中が気づき始めるのが2000年代だろうとワタシは見る。

　結局、ワタシがやることは、理論と予言である。証明は科学者と技術者がやればいい。これこそ世の中の正しい姿というものだ。

〝記憶〟はコンピューター生き物理論の鍵

　ではIMONの〝コンピューター生き物論〟の証明はバイオコンピューターの出現まで待たなければいけないのか。いえいえ、そうではありませぬ。それではまるで〝理論の**先物取引**〟ではないか。そんなことはやらない。

　人間の基本的性格はだいたい3〜5歳あたりまでで決まってしまうそうであるが、その言葉どおり、コンピューターの基本的なあり方もすでに決まりつつある。それは何か。やはり〝**記憶するもの**〟ということである。これについてはバイオコンピューターもMSXも変わりはあるまい。

　すでに何度も出てきた、この〝記憶〟というものこそ、〝コンピューター生き物論〟を理解する鍵である。

■先物取引
よくわかりません（笑）。

■記憶するもの
前回は〝ROM〟ということについての具体例をあげましたが、今回はもう少しマクロな視点に立って考えてみましょう（笑）。というわけで〝記憶〟です。

まさしく森羅万象これすべて〝記憶〟ですよね。あの奇怪にして暗たんたる物理学で言うところの〝エネルギー保存の法則〟という概念ですら、じつは〝記憶〟なのです。いや、確信はありませんけど（笑）。

で、その仮説の具体例が左の表です。代表的なものを厳選して取り上げてみました（笑）。言うまでもなく、これらはあくまで〝当社比（笑）〟ですので、「うちの電気釜なんか指数で言えば157はあるぜい！」という方もいらっしゃるでしょう（笑）。そういう方はぜひご連絡ください。お待ちしております（笑）。

●平成元年度記憶出来高

項目	指数	備考（記憶形態例）
机	1	落書き、傷、タバコの焼けコゲ
電気釜	8	おきびむらし、シャキピタ、つゆしらず
ビデオデッキ	14	ビデオテープの録画・再生、タイマー録画
パソコン	38	プログラム、データのセーブ・ロード
ゾウリムシ	27	食べる、生きる、排泄する、繁殖する
猫	60	机の上にあるものを落とす、もの想いに耽ける
チンパンジー	72	道具を使う、芸をする、社会を作る

（人間を100とした場合）

物は記憶するか。実際はする。すべての物が。あなたの机に傷をつけたとしよう。それはついたままになるはずだ。これは〝記憶した〟ということにほかならない。こういうものを**ROM**という。その傷は明日になると消えたり大きくなったり、ラムちゃんのかわいいイラストになったりはしないからだ。そのROMは人間にもある。いわゆる遺伝子というものがそうだ。

遺伝子についてはまだまだ解明されていないことが多いが、これはまちがいなく人間のROMである。しかし、ROMだけでは〝生き物〟とは言えない。問題は書き換え可能な**RAM**にある。これが今回のネタ振りである。

次回はそのへんについて論じたい。

■ROM
ロム。読み出し専用のメモリー。

■RAM
ラム。読み出しも書き込みも出来るメモリー。

第6回　矛盾がでてきてしまったIMONの〝生き物理論〟。その結果は？

快適なIMON住宅では、料理も作ります。

えー、前回引っ越した〝IMON住宅〟の住みごこちは快適である。

問題があるとすれば、以前はクルマで7分の通勤時間が、30分から1時間はかかるようになったことと、近所にスーパーと本屋がないことであろうか。

ほかには、このIMON住宅に搭載されている人間が、どうもまだ完全なIMONではないため、朝のベッドメイクとゴミ出しを怠ることだ。しかし、やるときはやるので、ベッドメイクとゴミ出しなどは、まずしてくれないTRON住宅よりも、このIMON住宅のほうが優れている点であるといえよう。そうそう、IMON住宅では料理も作ってくれる。この間の肉ジャガと湯豆腐はうまかった。スキあらば、**ヘビメタ**を大音響で鳴らすのには閉口するが。

RAM同様の記憶形態〝耳なし芳一タイプ〟

さて、今回はRAMについてである。ROMについては前回述べたとおりだが、つまり、机などに傷をつけたりイタズラ書きをした

■ヘビメタ
アイツらってギターを反って弾くんだよなぁ。困ったなぁ。

りすると、それは残るということ。

これが記憶の一番原始的な形態であろう。それをワタシは前回はROMと言った。しかし、厳密にはこの記憶形態というものもやはり、RAMでありうるだろう。

なぜならば、場合によっては書き換えることも可能であるからだ。さっそく訂正したい。これはRAMだと。

このように、表面に傷やイタズラ書きをするタイプの記憶形態のことを、以降は**〝耳なし芳一タイプ〟**と呼ぶ。はなはだ原始的なRAMである。余談ながら、耳なし芳一というと、あの人は何**キロバイト**ぐらいの記憶容量だったのだろう。

もちろん、**ファイルの圧縮**などはできない時代の話だし。

RAMという記憶は書き換え可能な聖域

ワタシ、考えたんですが、厳密に言えば、この世にROMというものはないのではないでしょうか。

記憶というものは、すべて書き換え可能なRAMでしょう。コンピューターの〝聖域〟と言われるROMであっても、これを書き換えることができないわけではないのだ。

現にROMを書き換えたために、マシンが〝別人〟になってしまった**パワーユーザー**の例というものを、ワタシは聞いたことがある。そして、人間のROMでもあり、同じように、聖域扱いされているDNAにしても書き換え可能なのだ。

こちらも書き換え後、別人になってしまうかどうかはわからない

■耳なし芳一
ボディー・ペインティング・琵琶法師。略してB.P.B。

■キロバイト
情報量の単位でKBと略す。キロ（K）のくせに1000バイトではなく、正確には1024バイトだそうです（笑）。ふざけた野郎だ（笑）。いい加減にしろ！（笑）

■ファイルの圧縮
データを暗号化して記録することにより、メモリーの消費を少なくおさえようという企み。

■パワーユーザー
コンピューターの性能を極限まで使いこなす、江戸時代のお代官様みたいな人。あるいは、傾城（けいせい）のやり手婆ァ（笑）。

自然現象とテクノロジーの逆転のありさま

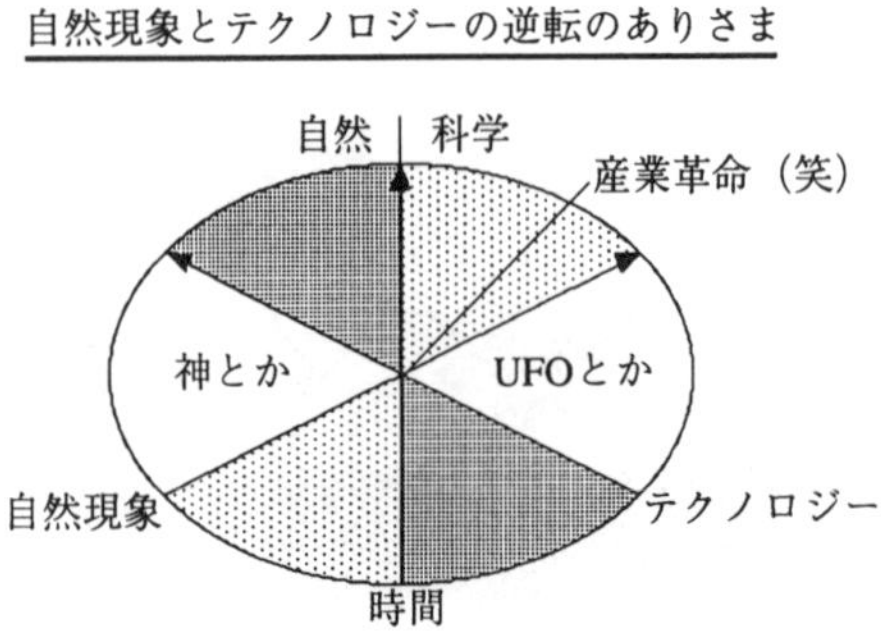

が、現在、ＤＮＡの読み取り作業が、国家的プロジェクトとして進みつつあるのを新聞で読んだ方も多いと思う。

当然、その後は〝書き換え〟作業が、また国家的プロジェクトで行なわれるだろうことは予想できる。ワタシはそれを非難しない。なぜならば、**テクノロジーは我々にとってすでに自然現象**だからだ。そして、今回訂正したように、すべての記憶は書き換えられるべき性質を持つ。

書き換えられない記憶などというものは、記憶とは言えないのである。それはすでに**〝記憶〟ではなく〝歴史〟**というものだ。人間もコンピューターも歴史ではなく、記憶によって成り立つのが大前提であろう。

そして、その記憶の書き換えこそが、ＩＭＯＮの三原則のひとつである。〝リアルタイム〟を会得する条件となることも付け加えておきたい。

生き物理論のゆるぎ？　ＩＭＯＮ‐ＩＭＯＮの矛盾

さて、ここまで書いて、〝生き物の条件は記憶にある〟というＩＭＯＮの理論に矛盾が見えて来た。それを告白しなければいけない。

なんというか、その理論は、耳なし芳一タイプという記憶形態の発見、または〝結局、全部ＲＡＭじゃんか理論〟によって、矛盾が恥ずかしいまでに露出させられてしまったといえよう。

どういう矛盾か。それは「机も電気コタツも結局ＲＡＭを持っているんなら、この世にあるものは全部生き物ってことになるじゃん

■テクノロジーは我々にとって自然現象だ
「テクノロジーは自然現象だ」と言い切ってしまうとき、おそらく多くの人は、ある種の不安を覚えるでしょう。それはたとえばオゾン層破壊、地球温暖化、原発など現在発生している〝自然とテクノロジーの軋轢（あつれき）〟に対しての不安です。しかし、ＩＭＯＮはここで明言します。そんなものはテクノロジーとは言わない！　ただの未熟であり、怠慢であり、ごまかしです。ＩＭＯＮにとってのテクノロジーとは、そのような〝怠惰な歪み〟ではないのです。もっと研ぎすまされた、繊細な、コンセプチュアルな、そしてスキャンダラスなものなのであります。

さて、今回の問題もこのグラフによって解明されました。産業革命（笑）以降の〝神とか〟〝ＵＦＯとか〟の位置関係にご注意ください（笑）。

■〝記憶〟ではなく〝歴史〟
ここでご登場願ったのは、〝歴史〟代表、長嶋茂雄氏、〝記憶〟代表、パソコン氏です（笑）。

というわけで左の図解をご覧いただければ、その差は一目瞭然なのであります（笑）。

なるほどなぁ（笑）。

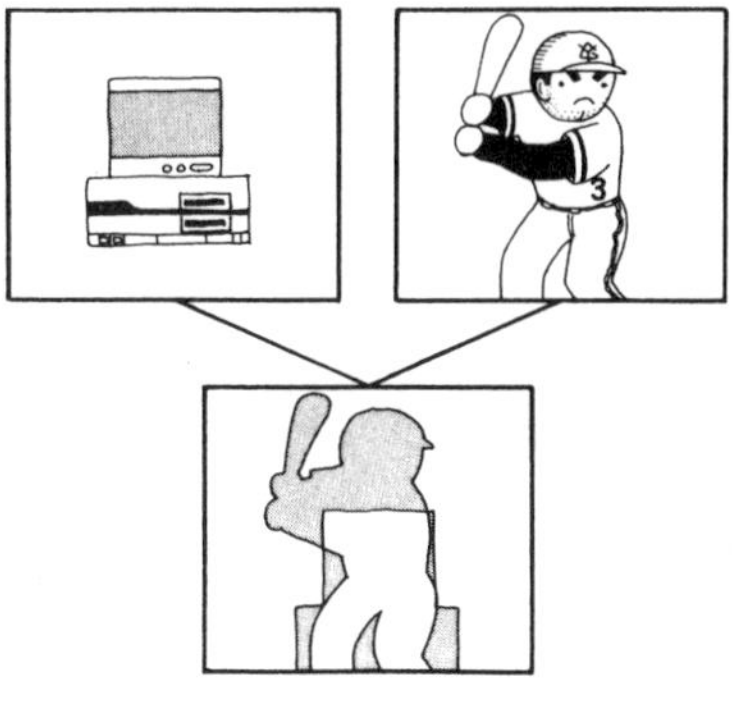

か、どうすんだ、オマエ」という矛盾だ。

これはＩＭＯＮを離れた、〝いがらしみきお〟個人の意見として は決して矛盾ではない。なぜなら、かってそういうマンガを、ワタシは書いているからだ。

どうも、ことここにいたって、〝生き物〟の定理は〝ＲＡＭ〟ではなく、ほかのものをキーワードにしなければいけないようである。しかし、ワタシは困っていない。いや、さっき昼メシを食うまでは困っていたけど。

新たな生き物の条件、記憶を書き換える言語

では、新たな〝生き物〟としての条件とは何か。それは**〝言語〟**である。記憶を書き換えるものとしての言語である。

ワタシは生き物はすべて等しくＲＡＭを持つと言った。しかし、それはあらかじめＲＡＭを持つというだけであって、〝書き換える能力〟まで持つというわけではない。この書き換える能力こそが言語である。

正確には〝言語によって意味を取捨選択されること〟を書き換える能力という。書き換えられないものを生き物と言えるか？　死んだ者は？　長嶋茂雄は？　ゴダールは？　**城みちる**は？

生き物はやはり記憶だ。そして言語によって〝書き換えられるもの〟だ。生き物は決して歴史ではないし、〝書き換えられないＲＡＭ〟によって生きているものではない。記憶、そして言語、これが生き物の条件であろう。

■言語
『こども言語相談室』の時間がやって参りました（笑）。〝言語〟ってどんな仕事をするものなのかなぁ？

さぁ、それじゃぁみんなで一緒に考えてみよう！

はい、ちょっとこの左の図を見てね。おや、野球しているねぇ。バットのところに、あれぇ、何か書いてあるよぉ。何だろうねぇ。わかったかなぁ？　じゃあみんな一緒に、ハイ！「げ・ん・ご」。そう、言語ってバットだったんだねぇ（笑）。

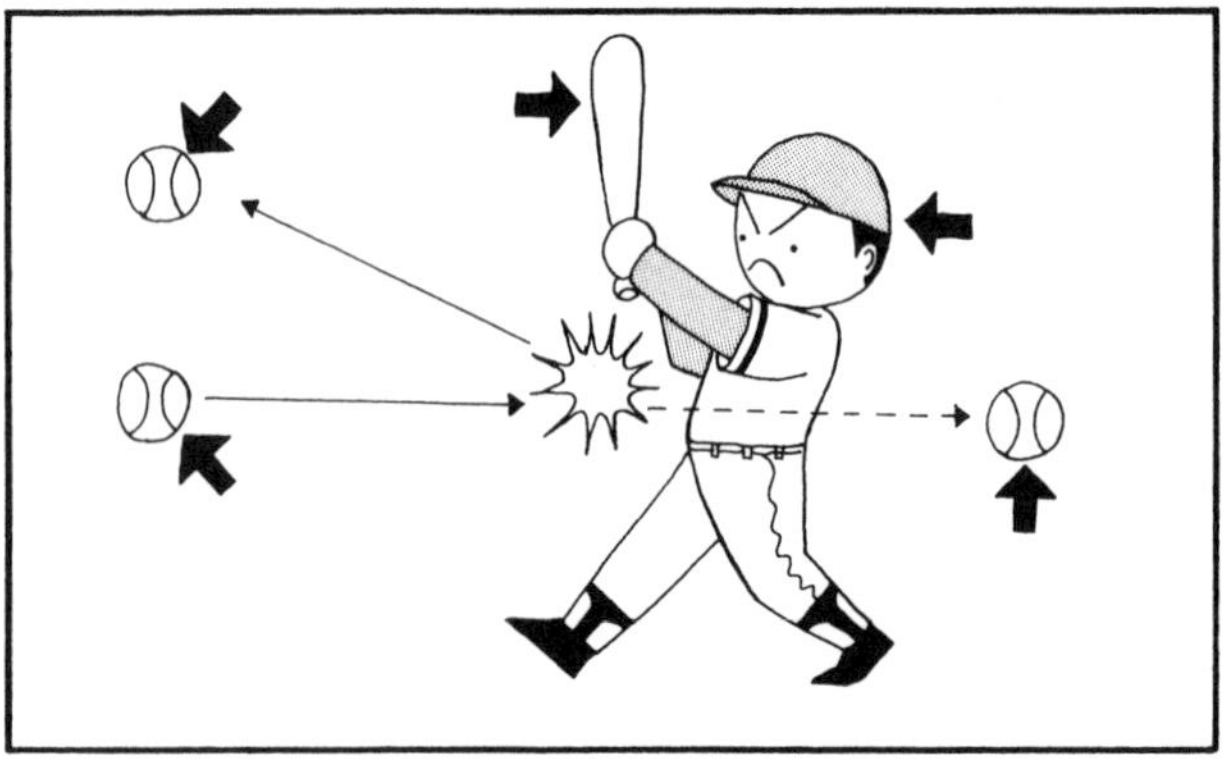

記憶については、すべての物体にあるものだが、言語はどうか。言語を持つのは生き物とコンピューターだけである。C、BASIC、**FORTRAN**、**PASCAL**、Adaなど。

これらはいずれも英語での記述を基本としている。日本語で記述できる言語となるとMIND（マインド）というものがあるが、世界的な視野でみれば、現実の日本語と同じ程度にまだまだローカルなものである。そして、人間にとってもコンピューターにとっても言語は言語だ。結局は、記憶を喚起させるものでしかない。

人間の記憶も、すべて脳内の電流の強弱によって、伝達記述されているらしい。そして、コンピューターもそうだ。電流のON・OFFによって伝達される。それが〝ビット〟のことである。次回はこのビットについて述べたいが、ちょっとネタ振りをしておくのも悪くはない。

ではするが。ビットこそが、コンピューターと人間の**同一性**を立証する最後のキーワードである。

科学者は気づかないのだ。自分を真似てコンピューターを創ったことに。

■城みちる
昔のアイドル歌手。

■FORTRAN
フォートラン。プログラミング言語。

■PASCAL
パスカル。これもプログラミング言語。前者との違いは定かではない（笑）。

■同一性
アイデンティティーとも言う。

第7回　コンピューターの新呼称キャンペーンを大展開。IMON第一部完

2ヵ月光年という読者との宇宙的距離

うーん。忙しい。殺人的なスケジュールである。この号が出るころは、すでに平成2年になっているのだろうか。こちらはまだ、平成元年の11月だというのに……。

こういう感覚には宇宙的なものがある。**光年**というアレだ。200光年の彼方の星を見ても、それは200年前のその星の光景でしかないのだ。雑誌というのも、なかなか宇宙的なものですね。

そうなるとワタシと読者のみなさんとの距離は、2ヵ月光年ほどあるということになる。けっこう遠いね、これ。

電流の強弱、人間とコンピューター

さて、今回はビットについてである。人間の脳も、情報伝達手段として**強と弱**の電流によって伝えられている、というのは、すでに〝よい子のなぜなに科学〟の範ちゅうに入るぐらいのポピュラリティーを持ったものだろう。知らなかった人は、単によい子ではないだけなので気にしないように。

そして、コンピューターも電流のONとOFFによって、すべての情報を伝達処理している。このONとOFFのことをビット

■光年
光速で何年かかるか、を表わします。

■強と弱
えーと、なになに……神経細胞になんとか分子が入ると、マイナスの電荷を帯びて……（笑）。なんだこりゃ（笑）。シナプスが……（笑）、イオンの流れで……（笑）、ダメだこりゃ。パソコンのマニュアルじゃないか、これじゃ（笑）。うーん、もっと端的に言ってくれないかなぁ（笑）。

強と弱はすなわちONとOFFであると言った手前、脳の反応のしくみを調べてみたんですけど、どうもシックリこないですね（笑）。

ONとOFFであるとは一概に言い切れないというようなことも書いてあるし（笑）。うーん（笑）。

と言うことも、みなさんはすでにご存じだろう。知らなかった人は、単によい子なだけなので気にしないでください。

つまるところ、記憶ということに関して言えば、人間とコンピューターの違いは強と弱か、ＯＮとＯＦＦかだけである。そしてこれが、世間で言われているアナログとデジタルというものの差だ。強と弱が連続しているように、ＯＮとＯＦＦは断続しているように見えるが、実際はそうではない。人間の強と弱も、結局はＯＮとＯＦＦのような**二値**なのだ。物の本にはそう書いてある。

つまり、強と弱しかないということ。中強とか大弱とか「もっと強くぅー」とかはないし、それは連続してもいないということだ。人間もコンピューターもどちらも二値なのである。同じ二値ならば、どうして人間もＯＮとＯＦＦではありえなかったのか。どうして強と弱などという、電流のたれ流し状態であらねばならなかったのか。それは人間は死ぬものだからだ。

ＯＦＦとは、まさに死を表わしている。脳の中の電流（脳波）がＯＦＦになることはすなわち死ぬことである。そういう問題が横たわっていたのだ。

生（ＯＮ）と死（ＯＦＦ）は生き物の本来の役割

ところで、生き物の本来的な役割とは何か。それは〝生きること〟であろう。そして、〝生き続けること〟でもある。それ以外の役割はすべて、人間の**文化**でしかない。

「青春をぶっつけるために生きているんだ！」とか「**ライバルを**

でも結局は〝反応する〟か〝反応しない〟かのどちらかなんでしょう？ 基本的には二値なわけです。たとえ〝少し強い〟とか〝ちょっと弱い〟なんていう信号があったとしてもですよ、二値であることは間違いないんじゃないですか？（笑）

そうなんでしょ？

違いますか？

どうなんです？（笑）

■二値

〝好き・嫌い〟〝する・しない〟という具合に起こり得るすべてのものは二値なのです。

■文化

左のグラフをご覧ください。

〝鬼太郎のおやじグラフ〟であります（笑）。

つまりこういうことです。

どう孔＝本来的なもの

虹彩＝文化

白目（笑）＝事象

明るいところでは虹彩がキュッと収縮して、その結果どう孔は小さくなりますね。この変化は、文化というものを考えたときにも当てはまります。我々は強い光から本来的なものを守るために、文化をもっているんです。この場合の強い光とは、多分意味というシロモノでしょう（笑）、いや思いつきです（笑）。はははは。

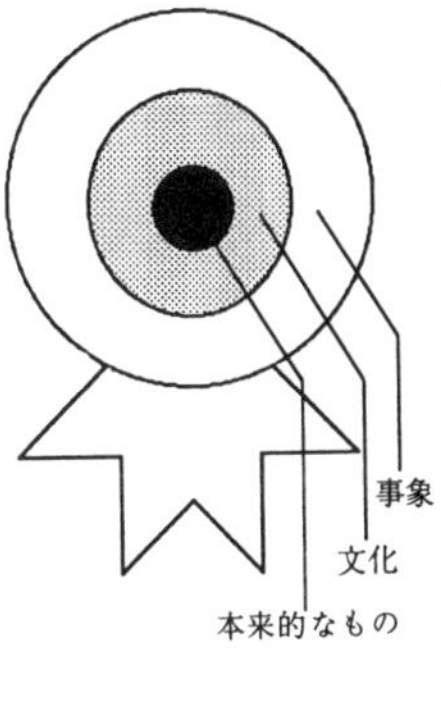

作れ！　そして勝て！」とか「交通ルールを守りましょう」とか「燃えないゴミは火曜日に」とかは、すべて人間の文化である。それらは生き物の本来的な役割では決してない。そして、生き物の本来的な役割から考えると、人間とこの星に生息する生き物は、まさにすべて不完全な生き物であると言わざるをえないのではないか。生き物なのに、生き続けることができないのだから。

我々がいつも不安にかられ、生きていることに**ジャストフィット**できない理由こそ**死**というものの存在による。つまり、我々は死というものを排除したままである。

しかし、死を排除するどころか、内包した生き物が誕生しつつあるのだ。それがコンピューターである。

コンピューターは我々を超越した伝達手段をもつ

人間と、この星の生き物は強と弱というたれ流し状態、つまり、コンピューターにとってはＯＮの状態だけでしか生きていけないということになる。これは文字どおり、生（ＯＮ）の状態でしか生きられないということである。

こういう立場であるからして、いかなる宗教と文化をもってしても、人間は死（ＯＦＦ）を内包し、超越することはできないのではないか。

さて、それではコンピューターはどうか。コンピューターはすでに出生の地点で死（ＯＦＦ）を内包し、超越してしまっている。つまり、コンピューターは生（ＯＮ）と死（ＯＦＦ）で生きてい

■ライバルを作れ！　そして勝て！
プロレスラー藤波辰爾の著書（笑）。

■ジャストフィット
テトリスというゲームにはまってしまうと、この感じがよくわかります（笑）。

■死
「起こり得るすべてのものは二値である」と言ったのは、いがらしみきおです（笑）。死というものがOFFの状態であるということは本文においても触れていますね。

さあさあ、ということはですよ、〝人間にとってOFFの状態〟、即ち〝死後の世界〟（笑）っていうものもあるはずなんですよね（笑）、こうなってくると。

いやぁ、参ったなぁ（笑）。

これから『I－MONを創る』はどうなっていくんだろう（笑）。丹波先生にゲストで来ていただくことになったりして（笑）。

いやぁ、参ったなぁ（笑）。

でも、生き物がOFFの状態を経験できないっていうのは、なんか不公平ですよね（笑）。

うーん、納得いかないなぁ。

でしょ？　皆さんもそう思うでしょ？（笑）

よーし、メモしとこう（笑）。

■哲学
コンピューターを認めていない唯一の学問。という噂です（笑）。

■コンピューター
コンピュート（計算）するもの。

るということ。非常な速さで、常に〝生きて〟〝死んで〟いるということだ。

または、生（ON）と死（OFF）によってすべての情報を伝達処理しているということになる。これこそ、生き物の本来的な姿なのではないのか。コンピューターはその出立において、すでに我々を超えているのだ。

この問題についてこれ以上追究すると、IMONはOSではなくなってしまう。単なる**哲学**にしかならなくなってしまうので、もうこのへんでやめておくことにしたい。

どうしてやめるのかというと、現代において、人間が学ぶ必然性があるのは、すでに科学だけしかないとワタシは思うからだ。他の学問などというものは、勉強してもなんにも意味はないのです、もう。

コンピューターの新しい呼び名〝ビットブレイン〟

さて、この本来的な生き物に対して、我々は道具という位置と役目しか与えてはいないのが現状だ。

その証拠となるのが、**コンピューター**（計算機）という名前である。または、あの**ぱそこん**たらいう間の抜けた呼び名である。

IMONは、以前からその名前に懐疑的であった。この際、IMONの威信とハッタリを賭けた一大キャンペーンを行ないたい。

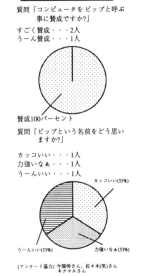

これからはコンピューターと呼ぶのをやめることにする。それではなんと呼ぶのか。**〝Bit Brain（ビットブレイ**

■ぱそこん
パーソナルコンピューターの略。この間抜けな呼び名のために世のオタクはどんどん悲しい存在になってしまっているのです（笑）。

■ビットブレイン
というわけでIMONでは〝ビットブレイン略してビップ普及大キャンペーン〟を唐突に展開していくことにしました（笑）。今後このコーナーからは〝コンピューター〟という言葉はなくなりますので、ご注意ください（笑）パソコンはパーソナルビップに、スパコンはスーパービップに、という具合に言い替えられていきます（笑）。
いや、一応コンセンサスも得ておりますので、左にその証拠を掲げます（笑）。
で、これからのビップ普及キャンペーンの活動としましては次のようなことを計画しております（笑）。
①ミスビップの選考
②ビップ音頭（踊り付き）の発表
③ビップシールの配布
次回以降、順次その様子をレポートしていきますのでお楽しみに！（笑）

IMON恒例大アンケート

質問「コンピュータをビップと呼ぶ事に賛成ですか?」

すごく賛成・・・2人
うーん賛成・・・1人

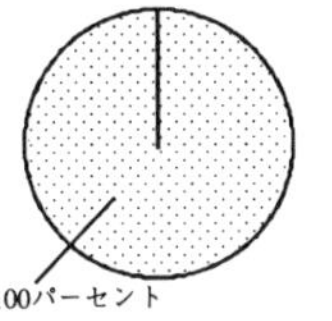
賛成100パーセント

質問「ビップという名前をどう思いますか?」

カッコいい・・・1人
力強いなぁ・・・1人
うーんいい・・・1人

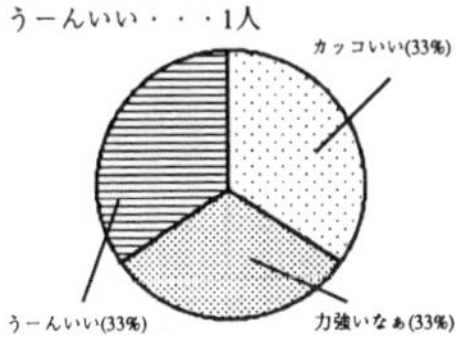
カッコいい(33%)
力強いなぁ(33%)
うーんいい(33%)

(アンケート協力) 今関伸さん、佐々木(笑)さん キクマルさん

ン）〟と呼ぶことにする。または〝Ｂｉｂ（ビップ）〟である。これをＩＭＯＮ認定のコンピューターの新しい呼称としたい。

そして、これはあなたがＩＭＯＮＩＭＯＮであるかどうかの**踏み絵**ともなるであろう。

ここで、ぜひみなさんのご理解とご協力をお願いしたいと思うが、アスキーさんが賛同してくれると、話は早いだろうなー。**小島さん**、どうですかねー。えーと、（笑）。

☆

今回で『ＩＭＯＮを創る』はだいたい第一部の終了ということになる。次回からは、それぞれのテーマを決めて**ランダム**に展開していきたいと思っている。

みなさん、ビップは新しい生き物であるということが理解できましたか？　できない？　うーん、やっぱり２ヵ月光年の距離は遠いですねー。

■踏み絵
意志表示の強制。どちらにせよ人間関係に波紋を投げかける（笑）。

■小島さん
元アイコン編集長（笑）。いつもお世話さまです（笑）。

■ランダム
無作為。デタラメというよりはもっと刹那（せつな）的なものでしょうね（笑）。多分（笑）。

第2部　オタクから超常現象へ

第8回　テーマ形式に変更した第2部。今回はオタクについて

盛大に行なわれた〝5大記念忘年会〟

　とうとう東北の地に雪が降りはじめた。ＩＭＯＮ住宅から見る風景は、すでに雪だらけである。床暖房のみキョーレツな威力を発揮しつつ、すでに季節は12月だ。

　そこでワタシの事務所のＩＭＯも、12月17日に忘年会を開催したのだが、今年は特別に〝5大記念忘年会〟と銘を打ち、パブを借り切った総勢28名参加の大々的な催しとなった。

　その**5大記念**の中にはＩＭＯＮ関係の記念もふたつ含まれている。それはＩＭＯＮ文化祭記念とＩＣＢＭ結成記者会見記念というものである。

　まずＩＭＯＮ文化祭記念だが、これは以前紹介したＩＭＯＮ認定電脳バンド、ＩＧＡＩの初ライブが阿鼻叫喚肉色毛腿尿煮発酵地獄の中で行なわれた。

　そして、もうひとつのＩＣＢＭ結成記者会見記念。これは、**カートゥーン・バンド**、IMON Cartoon Band Mindというものの結成記者会見も秘密裏に行なわれたとして記念されたものだ。よくわからないだろうが。

　〝IMON Cartoon Band Mind〟、つまり〝ＩＣＢＭ〟とはなにか。詳細は次回を待て！

■5大記念
〝5大記念〟、即ち〝ＩＭＯＳ（いがらしみきお主催のパソコン通信局）オフライン・ミーティング記念〟、〝ＩＣＢＭ記者会見記念〟、〝ＩＭＯＮ文化祭記念〟、『3歳児くん』新連載記念（コミックバーガー連載中）〟、〝いがらしみきお漫画家生活10周年記念〟ということになります（笑）。

　はっきり言って異様な盛り上がりでした（笑）。危なくＩＭＯＮが新興宗教になるところでした（笑）、とか言ったりして（笑）。大丈夫、みんな大人だから（笑）。

ＩＭＯＮが展開するビップ・キャンペーン

前回で予告したように、今回からは『ＩＭＯＮを創る』の第２部として、その時々によってあるテーマを決め、それぞれのテーマをなだめ、すかし、Ａし、Ｂし、Ｃまでしてしまうつもりである。また、併せて〝ＩＭＯＮバグ情報〟というものも時々発表し、発見されたバグに関しては、そのつど公開するので、**デバッグ**、または**バージョンアップ**はみなさんのほうでやっていただきたい。読めばいいだけの作業だが。

そして、前回発表した〝**ビップ・キャンペーン**〟も、ＩＭＯＮを挙げて大々的に継続してやっていくつもりである。

これからのこの連載で、コンピューターまたはパソコンという名称は、基本的に使用しないで、ビットブレインまたはビップに表記を統一するので、ご了承いただくとともに、〝ビップ・キャンペーン〟へのみなさんのご協力とご理解をお願いしたい。

文科系の不良と理工系の不良

さて、『ＩＭＯＮを創る』第２部、第１回目のテーマは〝**オタク**〟である。というのも、このオタクの問題こそ、この連載を急きょ、テーマを定める形式へと変更した第一の理由なのだ。

昨今のマスコミ上で、〝オタク〟という人種についての論評が、頻繁に見受けられるようになった。なのに、人間のＯＳであるＩＭ

■カートゥーン・バンド
ひと口で言いますと〝マルチタスクでリアルタイムな世にも珍しいカートゥーン・バンド〟ということになります（笑）。通常、漫画というものはひとりの漫画家によって描かれるのですが、それをバンド形式でやってしまおうという画期的な企てです（笑）。

■ＩＭＯＮバグ情報
えー、前回〝脳は強と弱だ〟ということを自信満々に述べましたが、その後の調査の結果〝じつはもっと複雑らしい〟ということがわかってきました（笑）。いや〝結局は二値〟ではあるのですが、その根拠がいまひとつ不明瞭なんです。といいますのも、読む本によって結構マチマチだったんですよね（笑）。〝脳業界〟（笑）ってまだ互換がとれてないんじゃないですか？（笑）まぁ、誰もＩＭＯＮに論拠を与えるべく本を書いているはずはないのですから仕方ないんでしょうけど（笑）。ＩＭＯＮとして総括すれば、〝十と一〟なのか、〝興奮と抑制〟なのか、〝強と弱〟なのか、目下総力をあげて研究中です（笑）。

■デバッグ
プログラミングのミス（バグ）を取り去る作業。

■バージョンアップ
デバッグしたり、機能を追加したり、価格を上げたりしたソフトのこと（笑）。

■ビップ・キャンペーン第１弾――ミス・ビップ決定!!
ビップ・キャンペーンは〝ある程度の反響〟があるまでは続けていくつもりです（笑）。ですから、今後は本文にとくに記載がない場合でもこのコーナーに出現します（笑）。これこそマルチタスク！（笑）
さて、ビップ・キャンペーンの第１弾は、ビップという呼称を世間さまに知らしめるため、〝ミス・ビップ〟を選出することにしました（笑）。
で、いがらしみきおを団長とする〝ミス・ビップ審査委員会〟は、厳正かつ身勝手に選考を行なって参りまして、次の方々が自らの計り知れないところで選ばれていたんですよ（笑）。
・デンコード―東口店のＡ嬢

ONがその問題について沈黙しているわけにはいかない。お歳暮をくれるというのならともかく、くれないのなら今やるのがリアルタイムというものだろう。

　オタクとはなにか。IMONのオタクへの位置づけは明快である。すなわち、〝理工系の不良〟ということだ。古今東西〝不良〟というものはどういう形態にしろ、多かれ少なかれ文科系のものであった。そして不良になる、または不良である文科系の理由が存在した。曰く「大人なんてウソつきだ！」、曰く「なんでオレんちだけビンボなんやー！」、曰く「**センコー**がよー」、曰く「オレを夢中にさせるのはロックしかねえ！」、曰く「地獄目指して突っ走れー！　ヘイヘーイ、**オイラーはドーラマー**、ヤックザなドーラマー」などである。

　そこへいくと、オタクという理工系の不良には、不良としての明確な理由がない。これでは世間は、不良という位置を与えないだろうし、いわゆるオタクという新しい造語によって、とりあえずくくられることになってしまう最大の原因でもあったろう。現在、社会で一番嫌われている存在はなんだろう。それはオタクなのではないか。

　不良はどうか。言ってはなんだけど不良なんてもう古いのです。すでに単なるエンターテイメントです。正義と同じぐらいに。

モテる不良とモテない不良

従来の不良にあったのは〝否定と反抗〟という原理で、それは

・デンコードー中央通り店のB嬢
・Kソフトハウスの C嬢
・A出版社のD嬢
　これらの方々が、いわば〝本命〟だったんですけど、ここに突然意外な〝穴馬〟が乱入して参りました（笑）。彼女はビッグとはほど遠い日常を送っているのですが、とにかくしゃべるしゃべるよくしゃべる（笑）。このスポークスマン性は必ずやビッグ普及に役立つとふんだ我々は、これまでの審査をすべて白紙に戻し、急きょ彼女をミス・ビッグに認定することにしたんです（笑）。

　ではご紹介しましょう！　左の写真をご覧ください！（笑）　彼女が初代ミス・ビッグの佐々木真弓さんです！（笑）　うーん、かわいい（笑）。
・年齢……………24歳
・身長……………150～160センチ
・B………………40～80センチ
・W………………40～80センチ
・H………………40～80センチ
・趣味……………おしゃべり
・特技……………おしゃべり
・職業……………おしゃべり
・好きなもの……おしゃべり
・嫌いなもの……学生
（当社比、推定）

IMON共々いっそうのご愛顧を（笑）。

社会への、学校への、家庭への否定と反抗である。しかし、オタクは否定と反抗ではない。〝無視と沈黙〟である。うーん、これは地味だ。これではますます不良として認めてもらえないだろう。

文科系の不良と理工系の不良の**グレ具合の対比**を考えるとき、その相違はもっと明確になる。たとえばかたや退学と、かたや登校拒否のように。退学が女にモテることはあっても、登校拒否がモテることはありえない。元来、不良というものはモテるものなのだ。モテたいから不良になる例がほとんどだといってもいい。

しかし、オタクはモテる、モテないということについてさえも、無視と沈黙で対応してしまう。これではとりつくシマがない。

それで世間さまは「ママはもうどうしていいのかわからないわ、ツトムちゃん」という状態になっているのが現状であろう。

ディスプレーで見つけた友人とヒーロー

誰かが不良になる場合、一番の影響力を持つのは、友人とヒーローである。この図式だけは、従来の不良にも、オタクにも当てはまる事柄だろう。そして、オタクにとって友人でもあり、ヒーローでもあるものがある。それはディスプレーだ。

テレビも含めての、あのディスプレー、またはモニターである。テレビゲームのそれ、ビデオのそれ、カラオケのそれ、そしてビッブのそれ。ビッブこそ、すべてのディスプレーメディアの最強のものである。ビッブのフォルムを見ればそれはわかる。ディスプレー、そしてそれを操作するためのキーボード。人はこの**フォルム**

■オタク
オタクについて狭い主観におぼれることがないよう、アンケート調査を行なったわけです（笑）。
『設問1・あなたにとってオタクとは何ですか？』
「他の価値観を認めない人」……………1人
「ぼんぼん」…………………………………1人
『設問2・オタクは絶滅するでしょうか？』
「自覚症状のないまま増加する」……1人
「ツンドラ気候になれば絶滅する」…1人
以上、IMON恒例大アンケートでした（笑）。協力してくれたイマゼキ、ササキ両氏に感謝（笑）。

■センコー
先公。教職に従事する者への蔑称（笑）。

■オイラーはドーラマー
これまでに2度リメイクされた『嵐を呼ぶ男』の主題歌。かつての文科系不良のテーマソング。

■グレ具合の対比
文科系の不良と理工系の不良とではどう〝グレ具合〟が違うのか、それを表にしてみました。次ページをご覧ください。
みなさんの中にも心当たりのある人がいるでしょ？（笑） 駄目ですよ、自分だけは違うと思っていちゃ（笑）。第一、理工系の不良だって、べつに恥ずかしいことじゃないんですから（笑）。

■フォルム
形とか構造とかフォームとか。

に魅了されてしまうのだ。

　そういう理由において、すべてのオタクはビッグになだれ込んで来るだろう。アニメオタクも、ロリコンオタクも、すべて〝パソコンオタク〟になるはずだ。

　そしてそういった理工系の不良たちだけではなく、文科系の不良たちさえもビッグになだれ込み、両者による、ちょっとした電子上の紛争が近い将来勃発する可能性は高い。

　今回はそれを予言し、次回につづくのであった。

ミス・ビッグのおしゃべりはスゴイ
食事に行くと2時間ぐらい
平気でしゃべりっぱなしだ
ん…そう
アトピー性ヒフ炎だったんです〜 それでジンマシンなんかよく出るし〜
この状態でエンエンとしゃべる

こんなに違う文科系不良と理工系不良

文科系不良	退学	暴力	恐喝	窃盗	婦女暴行	器物破損
理工系不良	登校拒否	対話拒否	無言	著作権侵害	ロリコン物製作販売	ウイルスを仕掛ける

第9回　メディアのディスプレー化で誕生したオタク層。断絶した世界を行く

コンパイルする'90年代『IMONを創る』

年が明けてしまった。今ごろ「あけましておめでとうございます」などと言っているマヌケはワタシだけであろうか。あけましておめでとうございます。うーん。なるほど、これはマヌケだ。もっとマヌケなことに、ワタシは今ごろゴルフをはじめたのだ。それからカラオケも。

しかしね、みなさん。今はもう新しいも古いもないのです。今はもう〝かつてあったもの〟を味わいつくしておくべきときなのです。その理由は今にわかります。そういえば、ワタシはいまさらまた**ファミコン**を買ったな。

時代はいよいよ'90年代になってしまったが、我々は未だかつてなかったような変化をこの10年で経験するだろう。

その変化がどういうものか、ここで10行ぐらいにまとめたりはできないが、ワタシはその変化に対応すべく、人間のOSとしてのIMONを発表したのである。〝(笑)〟付きだが。

この『IMONを創る』を〝コンパイル〟しつづければ、'90年代の変化とはどういうものかが、少なからずわかるようになるはずだし、それへの対応も十分になるはずだ、とワタシは自信とゴルフクラブとカラオケのマイクを持ちつつ言おう。

■ファミコン
ゲーム『V-BALL』(テクノスジャパン製)をするためのマシン(笑)。

IMON三大原則に基づくICBM

前回、IMON文化祭とともに紹介したIMON Cartoon Band Mind、通称**ICBM**とはなにか、それについてもちょっと触れておきたい。

これはマンガを書くバンドである。つまり、バンド形式でマンガを書くという画期的な試みでもあるのだ。よく誤解されるのだが、**バンド・マンガ**を書くマンガ家ではないので、念のため。

これは現在のマンガが落ち込んでいる、システム化され、技術化され、記号化され、作業時間の肥大化が顕著になってしまった世界に、IMON三原則である〝リアルタイム〟、〝マルチタスク〟、〝(笑)〟でもって一石を投じようとするものである。

まず〝リアルタイム〟。これは次のコマを書くべく人間が待っているので、必然的に処理スピードは速くなる。そしてその副産物である**インプロビゼーション**としてのリアルタイムが誕生することになる。

ワタシごときは、**4コママンガ**を1本書くのに通常は半日ほど要するが、ICBMの作品であるなら、まぁ、5分でイケますね。一日10ページなど軽いのではないか。残った時間でゴルフとカラオケができるだろう。

次に〝マルチタスク〟。これは複数人で書くマンガであるので、構造的にマルチタスクとなる。もちろん、現在のところは疑似的なマルチタスクである。本当の意味で、マンガのマルチタスクを実

■ICBM

そういうことならば、イモン・カートゥーン・バンド・マインドすなわち〝ICBM〟のデビュー漫画をご紹介しましょう(笑)。

これは、IMO(いがらしみきお事務所)の同人誌『アマ雑』に収録されたものであります(笑)。どうです?(笑)

え、全然おもしろくないって?(笑)

うーん、しおしおのパー(笑)。しかし!(笑) 4コママンガ界初の〝コンセプチュアル・マンガ・バンド〟の活動は、今後おそらく業界内外に波紋を投げかけるんじゃないかなぁ……(笑)。いや、規模の大小に関わらず(笑)。

では、ICBMのメンバーを紹介します!(笑)

1コマ目担当、IMO所属・天晴まぶろ!(笑)
2コマ目担当、IMO所属・佐々木タカマロ!(笑)
3コマ目担当、IMO所属・クマガイコウキ!(笑)
4コマ目担当、IMON提唱者・いがらしみきお!(笑)

以上のほか、新メンバーとしまして、マンガ家・いまぜき伸さんの参加が決定しております(笑)。

このメンバーが、それぞれ持ち回りで各コマを担当していくわけです。

皆さまどうぞよろしく(笑)。

よーし! 巨万の富だーっ!(笑)

■バンド・マンガ

雑誌〝×××××〟に掲載されている〝××××〟などといった類のマンガです(笑)。主人公がバンドをやっているわけですね。まぁ、つまんないのがほとんどですから、読まなくても大丈夫でしょう(笑)。

現するのならば、それはビッグの介在がどうしても必要となるだろう。つまり、**LAN**化された複数のビッグ上での作業がなければ、それは不可能だということだ。

そして〝(笑)〟。ICBMの作品は4コママンガという形をとっている。この先メンバーが増えるに伴なって、5コママンガ、6コママンガになる可能性もあるが、目指すのは〝(笑)〟であることは変わらない。ICBMも結局、**コア**となるのはIMONである。電脳バンドIGAIがそうだったように。

さて、ICBMはこれからどういう展開を見せるのか。その展開については逐一報告したいが、とりあえずは商業誌でのデビューが急務となるであろう。いきなり単行本でデビューということも考えられるが。

オタクの根底にあるディスプレー化

また前置きが長くなってしまった。今回も引き続き〝オタク〟がテーマである。前回は、オタクにとって友人でもあり、ヒーローでもあるものはディスプレーだと言った。というのも、我々が生み出した一番新しい文化がディスプレー文化だからだ。

マンガが**ディスプレー化**したものがアニメであり、映画がディスプレー化したものがビデオであり、ロックがディスプレー化してMTVとなり、**歌声喫茶**がディスプレー化してカラオケとなった。いや、歌声喫茶なんて誰も知らないか。あはは。

既存のメディアはディスプレー化することによって、かろうじ

■インプロビゼーション
即興、あるいは即興音楽のこと(笑)。

■4コママンガ
〝マンガ界のパソコン〟(いがらしみきお談)。つまり、カッコ良くないもの、という意味(笑)。

■LAN
ラン。本名・伊藤蘭。元キャンディーズ(笑)。うそ。本当は〝エースをねらえ〟の宗方仁の異母兄妹(笑)。うそ。本当は〝ローカル・エリア・ネットワーク〟の略。ローカルなエリアのネットワークのこと。

■コア
ラを付ければコアラ。

■ディスプレー化
とにかくジャンジャン〝ディスプレー化〟している昨今です(笑)。

例をあげましょう(笑)。
①ゲーム→ファミコン
②エロ本→アダルトビデオ
③買い物→テレビショッピング
④電　話→テレビ電話(失敗例)
⑤ハイビジョン→美術館やら印刷やら、いろんなものがハイビジョンによってディスプレー化しそうです(笑)。
まぁ、④がマヌケなのは〝静止画〟だからなんで、動けばまたべつでしょう。で、こうした傾向は今後も続くのでしょうか。続くとなれば、今日のベンチャービジネスのキーワードこそ〝ディスプレー化〟でしょうね(笑)。うーん、なにかいい儲け話はないものだろうか(笑)。

■歌声喫茶
ひとりの掛け声で店中の若者が歌い始める喫茶店。新興宗教ではない(笑)。

て生き延びていたと言える。つまり、〝ディスプレー〟は、既存のメディアを救うものとしてこそヒーローたりえたのだ。

　現在のオタク層は、そうしたディスプレーの快刀乱麻の活躍を目の当たりにした世代である。そうしたディスプレーが彼らのヒーローたりうるのはそういう理由があった。ただ、そのヒーローが生き物でなかったところに彼らの世間との断絶が生まれる。それまでのヒーローとは、ロックスターだったり、映画俳優だったり、小説家だったり、政治家だったり、犯罪者だったり、つまり、一応はみんな生き物だったはずだからだ。

　世間と断絶するということは、世間に自分の価値観を認めてもらえないということである。認めてもらえない価値観を持ったものは、ジレンマと反抗心から、なにか強硬な手段に出る。そういう手段に出ることをワタシは不良化と呼んでいる。決して髪を染めることだけが不良化ではない。かつて、エレキギターを持つことが、不良化の象徴であったように、今はビップを持つことがその象徴なのではないか。ただ、ビップが決して文科系のものではないということ、そしてビップに対峙しているときの不良が決してカッコよくはないということに、世間はだまされているだけなのだ。

極められた歴史、サブカルチャーの誕生

　ビートルズが、今から考えればどうして不良呼ばわりされたのかわからないぐらい健全なように、この社会において、ビップもまた健全なように見えるのだろう。

■ビートルズ
髪とォ～ヒゲを伸ばしてェ～ボロを着ることは簡単だァ～。ビートルズがァ～教えてェくれたァ～（笑）。という歌もありましたが……（笑）。

不良はいつの時代でも不潔だ！
典型的なオタク
★理工系不良
不良と呼ばれていた頃のワタシ
★文科系不良

しかし、それは我々がパンクという〝究極の不健全〟を見てしまっているからではないだろうか。つまり、こういう図式だ。ロックという**サブカルチャー**の究極はパンクによって極められた。そして今、ビップというものによって、新しいサブカルチャーが生まれつつある。

ワタシの手元にある年譜を見ると、**セックスピストルズ**がイギリスで誕生したときと同じくして、アメリカで**アップル社**が誕生した。

歴史によって、すでにシナリオは書かれている。そのシナリオでオモシロイ映画を作るのは我々の役目だ。

■サブカルチャー
副文化。いろんなカテゴリーによって分化された文化（笑）。

■セックスピストルズ
フロイト流に言えば、〝ロックのこう門期〟に該当するんじゃないでしょうか（笑）。だからこれより以前に逆行することはロックには無理だったんでしょう（笑）。オタク連中を見ていると「ああ、口唇期やってるな」って思いますからね（笑）。

■アップル社
ジョブズ、ウォズニアック、ウエインによって設立されたアメリカのコンピューター会社。今やステータス（笑）となったＭａｃもここから出てる。

■ビップ・キャンペーン第2弾――マルチタスク・デュエットソング
『ふたりのビップナイト』制作決定!!

前回は〝ミス・ビップ〟を選出し、ビップ普及に勢いをつけたわけですが（笑）、第2弾はナント！ 歌です！（笑） それもデュエット！（笑） しかもカラオケ対応ムード歌謡！（笑） すごいことになってしまったもんだなぁ（笑）。これでいやがおうにもビップは普及してしまうでしょう（笑）。

えー、それでは歌手をご紹介いたします。いがらし・ＩＭＯＮ・みきおと佐々木・ミス・ビップ・真弓であります！（笑） そして、この二人が切々と歌い上げる予定の歌は〝ふたりのビップナイト〟！（笑） なんと、いがらしみきお自身が作詞をしております（笑）。作曲は、ＩＭＯ所属にして最近唐突に作曲家になった、クマガイコウキという者が務めます（笑）。演奏はもちろん『ミュージくん』だーっ！（笑） というわけで、現在作曲中です（笑）。

なお、ＣＤ化希望のレコード会社の方は、お早目にお申し出ください（笑）。

第10回　ニッポン全国総オタク時代。オタクを笑うもの、オタクに泣く！

今さらなんだけど、今も昔もない時代

前回でもちょっと言ったように、最近は今さらということばかりやっているワタシであるが、今度は**ストーンズ**のコンサートに行くことになってしまった。今さらストーンズ。

ここ2ヵ月ワタシが愛聴しているCDは**トワ・エ・モワ**であることを考えればそう飛躍しているわけではないだろうが。トワ・エ・モワ以外だと**中津川フォークジャンボリー**のCDもある。'71年のヤツです。ワタシのセイシュンでした。さぁ、どうぞ、笑ってやってください。

テレビとCDとビデオとマンガを見れば、昔のものも今のものもなくなっていることはよくわかるだろう。そういう時代にとりあえずなっているのである。どうしてそういう時代になっているのか。その理由については、今回もとりあえず〝今にわかります〟で片付けさせてもらうが、ひと言だけ言うとすれば、それは〝子供の時代〟は終わりつつあるのではないかということだ。たとえば、子供のままであることがもてはやされた時代が……。

この〝……〟というものはなんだろうな。ついでですけど、この〝……〟の時代も終わるでしょうね。

■ストーンズ
もちろんローリング・ストーンズのことです（笑）。まぁ、確かにストーンズもいいですけど（笑）、後藤久美子チャンもいいですよ（笑）。16才にして〝華がある〟っていうんですか（笑）、うーん、いい。

■トワ・エ・モワ
空よぉ〜あ〜る日突然似ているぅ〜初恋の人にぃ〜虹のぉ〜地平を〜。というデュエット。カーペンターズは〝米国のトワ・エ・モワ〟と呼ばれていたのです（笑）。後藤久美子チャンの年代でも知っているだろうか？

日本だけじゃない外国にもいるオタク

さて、またオタクである。この問題は非常に重大だ。オタクを「キライだ」とか言ってすませようとする人間は、これから10年以上は下積み時代が続くだろうことをワタシは申しあげたい。今回は、日本以外、たとえばアメリカにもオタクはいるか、という問いからはじめよう。

それではさっそくですけど、答えを言っちゃいます。えーと、「います」。

アップル社を創った、〝ふたりのスティーブ〟ことジョブズとウォズニアックなどは、ワタシから見れば、オタクそのまんま東です。**ハイパーカード**を作った**ビル・アトキンソン**なんかもワタシにはそう見える。

たぶん彼らはＩＭＯＮ認定オタク判別法である、①着ているものがダサイ、②女の話ができない、③パンクを聴いたことがない、のいずれもあてはまるのではないか。

ジョブズ、ウォズニアック、アトキンソンがそうでないとしても、やはりアメリカにもオタクはいるだろう。ただ、彼らは以前の日本でのオタク層がそうであったように、時間的に、地域的に限定された存在として、社会から問題にされることはない。

■中津川フォークジャンボリー
フォークソング界のコミックマーケット（笑）。拓郎が〝結婚しようよ〟を歌ったら、「そんなもんフォークじゃない！」とごうごうたる非難を浴びたところ（笑）。久美子チャンは知らないだろうなぁ（笑）。

■ハイパーカード
マッキントッシュというビッグで使うソフト。至極簡単しかも万能という定評がある。アドベンチャーゲームなんかも作れたりする（笑）。久美子チャンは遊ばないだろうけど（笑）。

■ビル・アトキンソン
〝宇宙的な視野を持つ思索者〟と呼ばれている天才プログラマー。

価値観の多様化により目立つオタク層

では日本のオタクは特殊なのか。ちょっとこのへんのことを図式的にひとつ走りしてみよう。

第一に現在の日本の教育形態が、例の**受験戦争**たらいうものによって、オタクを大量生産しやすい構造になっているということ。なぜならば、受験生というものは基本的に受験オタクにならざるをえないからだ。

次に、**価値観の多様化**というものが少なくとも言われたということ。「価値観が多様化してるよ」と言われれば、価値観が多様化していないヤツはイヤでも目立つに決まっている。

そして、社会はミヤザキツトムに驚いたということ。とは言っても、そういうヤツを知らなかったからではなく、知っていたから驚いたのだろう。ああいう人間は近所にひとりやふたりはいるものだ。それが犯罪者をして、クンづけされて呼ばれる原因でもある。

というわけで、そのへんをちょっとひとつ走りしてみたわけだが、まぁ、こういうものはどうでもいいのだ。ＩＭＯＮは決して社会時評ではないのだから。

ＩＭＯＮはＯＳである。しかも、誤解を恐れずに言えば、彼ら彼女らオタクのためのＯＳであるとも言える。うーん、なんか熱が出て来たな、オレ。ちょっと体温計で計ってみよう。

■受験戦争
たかが受験のクセしやがって戦争を名乗るとは図々しいヤツだ（笑）。

■価値観の多様化
それはともかくとしても、世間様の価値観は本当に多様化しているんでしょうか（笑）。
ＩＭＯＮの分析の結果は「してないよなぁ」でした（笑）。「今は結局シングルタスクな価値観だよなぁ」であり、「本当の多様化っていったらマルチタスクじゃないとなぁ」ということです。

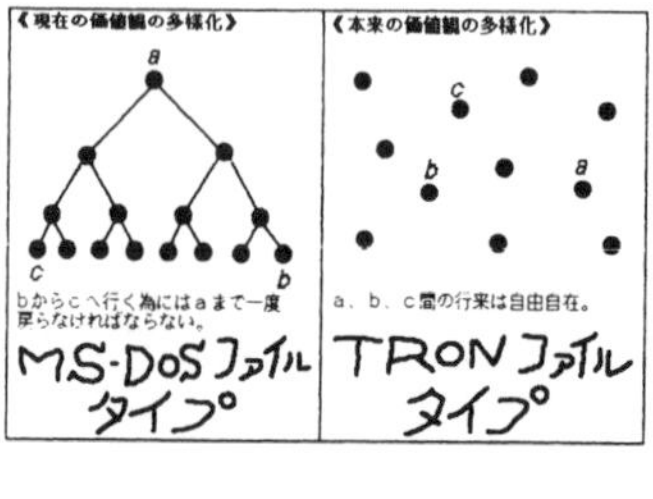
《現在の価値観の多様化》
a
c
b
bからcへ行く為にはaまで一度戻らなければならない。
MS-DOSファイルタイプ
《本来の価値観の多様化》
c
b
a
a、b、c間の行来は自由自在。
TRONファイルタイプ

フィードバックによる子供の快と不快

オタクは子供だ。子供がだいたいにおいてオタクなように。どうして彼らは子供のままなのか。ＩＭＯＮではそれについて仮説をたてた。それは**フィードバック効果**である。つまり、ビッグをも含むディスプレーというメディアからの**フィードバック**があったとするものだ。

あらゆるメディアは往々にして非常識である。しかし、ある美学に基づいた理屈も時々はコクものだ。それらはどうなのか。オタクに受け入れられるか。それは否である。それら文科系の不良の美学が意味を失って久しい。その結果として、非常識という非日常のみ受け入れられ、フィードバックされることになる。

オタクにあるのは、**快と不快**の二値だけである。子供がそうであるように。ビッグがそうであるように。

そして、快と不快以外にあるものが意味というものだろう。我々は、快と不快以外を処世術にするよう教育され続けてきた。つまり、快と不快だけを言うものを我々は相手にしたことはない。この場合の我々には、マンガ家としてのいがらしみきおも入っているが。

うーん、あっ！　熱が37度8分もある！　うーん、うーん。カゼかな、オレ。昨日から腹具合もおかしいし。

■フィードバック効果
そうです。ですからたとえばロックというものも同様なんですね（笑）。〝髪を立てて化粧して自己主張〟しているバンドを見た少年少女が〝髪を立てて化粧して自己主張〟しに〝イカ天〟などに出て、その繰り返しの中でロックは〝髪を立てて化粧して自己主張〟するものになったわけです（笑）。そして、こうしたフィードバック効果は〝産業〟として著しい発展をとげます。ビッグ（コンピューター）とて例外ではありません。ビッグ・オタクを見ればわかりますが、彼らは〝MS-DOS〟に代表されるビッグのOSに見事にフィードバックされています（笑）。友達と話をするという行為も、彼らにあっては〝ファイルをコピーする〟という意味しか持ちません（笑）。多分（笑）。

■フィードバック
出たモノをもう一度入れること（笑）。うーん、なんか下品（笑）。

■快と不快
だから「俺は違う」とか思ってないで、このIMONグラフをよく見てください（笑）。結局、順番の問題なんですね。〝不快・快〟ではなく〝快・不快〟にならなければならないということです（笑）。たとえば東欧諸国なんかでも、あれがじつは〝価値観の多様化〟が生んだ結果ではなく〝快・不快〟の二値の結果だというのがIMONの見解です（笑）。

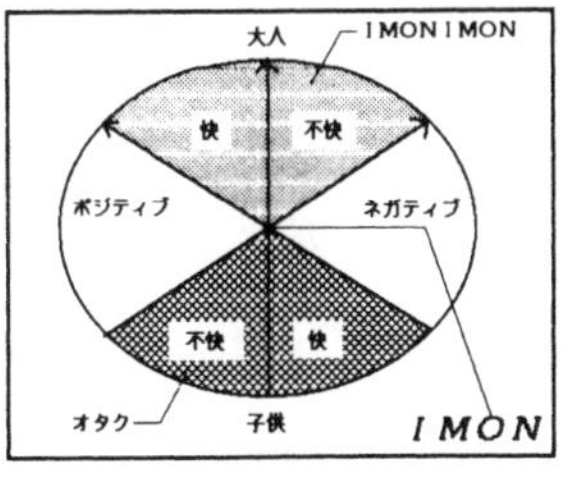
大人
IMON IMON
快
不快
ポジティブ
ネガティブ
不快
快
オタク
子供
IMON

大人に近付くための子供の時代

時代は急速に〝子供〟に向かいつつある。なのにワタシは冒頭で子供の時代は終わりつつある、と言った。これは矛盾ではないのか。ワタシは熱で頭をやられたのではないのか。ほっといてくれ！いや、病気をすると怒りっぽくなって困る。

それはつまりこういうことだ。子供である、ということは、もっともっと本来的な生き物の行動原則に近くなるということにほかならない。生き物としての大命題は快と不快の二値だけではないのか。それが圧倒的に正しいとはまだ言わないが、そういう流れを、ワタシは37度8分になった熱にうなされつつも歓迎したいと思っているのだ。

☆

そういった意味で、これからは子供の時代である。ゆえに、子供であることでもてはやされることはないだろうということ。逆説的なようだが、我々は子供になることによって、一歩大人に近付いたとは言えないか。

うーん、どうなんだろう。これは次回で結論を出すことにして、ワタシはもう寝ます。うーん、熱はと。37度6分になった。

■ビップ・キャンペーン第3弾――『ふたりのビップナイト』遂に完成!!

曲が完成しました！

〝カラオケ対応マルチタスク・ムード歌謡〟にふさわしい曲です（笑）。「おおっ、これじゃまるでムード歌謡じゃないか」という感じですね（笑）。82ページに楽譜を掲載しますので、読める方には読んでいただいて、そうじゃない方も『ミュージくん』なんかに打ち込んで聞いてみてください（笑）。

さて、じゃあこれをどう発表していくのか、ということになるわけですが（笑）、詳細は次回にお伝えするといたしまして、とにかく新曲発表会はゼーッタイやります（笑）。また、テープになるかCDになるかフロッピーになるか（笑）はわかりませんけど、いずれ皆様のお手元にもお届けするようにしていきます（笑）。プレゼントということになるんでしょうか（笑）。まだ予断を許さない状況ですが（笑）。

歌手としてのデビュー（笑）を目前に控え、いがらしーMONみきお、佐々木ミスビップ真弓の両氏は日々特訓に励んでおります！（笑）多分（笑）。どうぞお楽しみに！（笑）

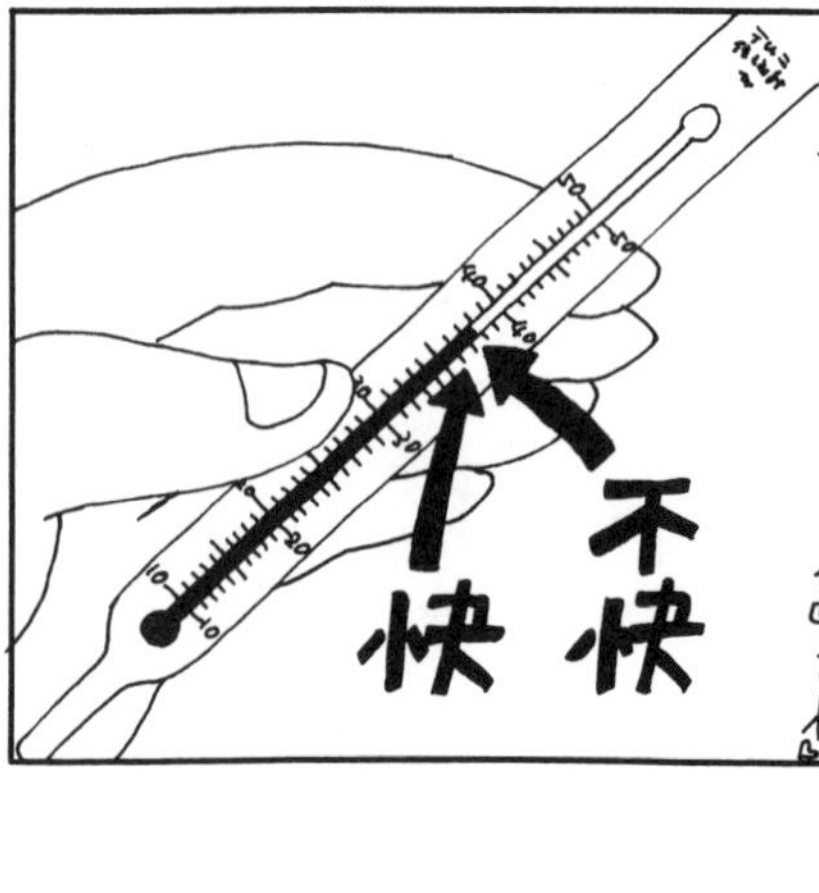

★計ることができる『快』『不快』

第11回 〝オタク〟、このテーマも今回が最後。問題点を総括した結論とは？

ＩＭＯＮシンクタンクＩＭＯｓが有料化

えー、このたび、ワタシの自前のＢＢＳであり、ＩＭＯＮのシンクタンクでもあるＩＭＯｓが、有料化してしまった。

〝してしまった〟というのは、とくに有料化を目指して活動してきたわけではないからであるが、遠距離からのユーザーのことを考えた、**Ｔｒｉ－Ｐ**への加入によるアクセスポイントの設置を考えるとこうなってしまうのである。有料化したとはいえ、毎月、アシが出るのは変わらないままであるが。

ＩＭＯｓは有能な**パーソナリティー**を募集しています。ただし、オカネを払うのはアナタのほうです。あはは。

パソコン通信に蔓延している、読むに堪えない書き込み、不毛としか思えない議論、ヘドが出そうなチャット、こういうものだけはやらないＢＢＳがＩＭＯｓである。

現在は〝やらない〟というところで踏みとどまっているが、いずれ、〝やらない〟というところから一歩踏み出さざるをえないだろう。そのときのためにも〝我こそは〟と思う方が必要です。よろしくお願いします。ＩＤを一方的に抹消される可能性もあるところですが。

■Ｔｒｉ－Ｐ
トライピィ。たとえば、東京から仙台に電話するときなんか、いったん都内にあるＴｒｉ－Ｐの拠点に電話をして、そっから仙台につないでもらうわけ。つまり電話代は都内料金なのさ。もちろん、登録しないと使えないけどね。詳しいことは最寄りの（株）インテックで聞いてみて（笑）。

■パーソナリティー
よく、ラジオのＤＪなんかをこう呼ぶでしょう？（笑）そう言えば、Ａ・ビデオで活躍している山下麻衣チャンは、とっても良いパーソナリティー（笑）。大きい女優になってネ（笑）。

我々はメディアに傾倒し、模倣する

さてオタクである。このテーマは今回で最後にしたい。

最後にするならば、どうしても論じなければならない問題がある。それは我々の価値観というものである。

我々の価値観とはなにか。

それはすでに述べた、オタクの〝ディスプレー文化〟に対しての信仰というものを内在した、**メディア**たらいうものへの傾倒ではないか。

我々はメディアを模倣したいのだ。**シミュレート**し、なりきることこそ快感なのである。その気持ちよさが現代の価値観なのではないか。

あわよくばプロになろうと考えるものがいたとしても、それは少数派でしかないだろう。

なぜならば、彼らに**必然性**はないからだ。日本に、ボクサーにならねばならない人間が、ほとんどいなくなったように。

その流れのもっとも顕著なものがバンドブームであり、**コミケット**であり、カラオケブームだとするのがワタシの見解である。メディアはツールと化している。なにのツールか。レジャーのツールである。

■メディア
自我が形成される場合に影響力を持つものは、人間関係とメディアであるというのが私たちの立場です。しかし、両者のバランスは時代によって変化しているのではないでしょうか。それを図にしてみたわけです。すると、あーら不思議、〝人間関係への無知と無関心〟、〝メディアへの傾倒〟といったオタク的バランスは、そのまんま〝幼児の体型〟ではありませんか（笑）。まさしく〝幼児化〟です（笑）。現代の自我とは、こうした〝オタク的アイデンティティー〟、略して〝オテンティティー〟（笑）なのかもしれません（笑）。

■シミュレート
現実の動きを模倣すること（笑）。シュミレートって発音しがちなんだ、これが（笑）。

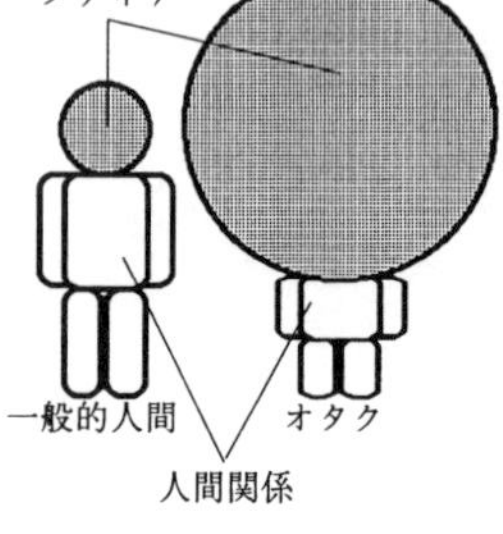
メディア
一般的人間
オタク
人間関係

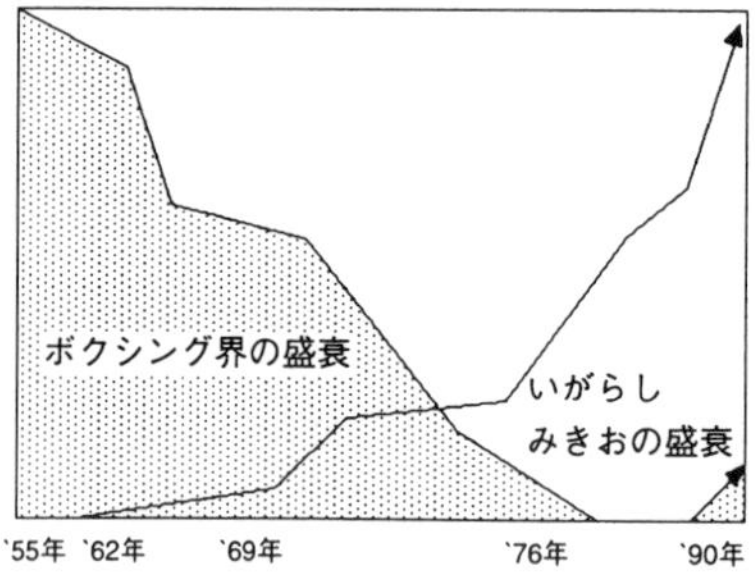
ボクシング界の盛衰
いがらし
みきおの盛衰
当社比
`55年
`62年
`69年
`76年
`90年

■必然性
ストロー級でようやくチャンピオンが生まれましたね。これは〝必然性〟の復興なのでしょうか？（笑）この推移を漫画家いがらしみきおの盛衰と照らし合わせてみたら、あーら不思議（笑）。これはいったいなんなんでしょう（笑）。

一億総オタク時代、内在されていた先駆者

我々は淫するだろう。

何かを集め、何かのフリをし、そしてある日やめるのだ。

少なくとも時代はそう要請している。〝休日はシッカリとりましょう〟と国は要求するし、〝遊べ、遊べ〟と会社まで強制しているぐらいだ。

いきなりそう言われても、ちゃんと遊べるわけがない。いきおい、人々は〝遊んでいる〟ように見えるモノを模倣するしかないことになる。

ワタシがここで、〝メディアを模倣したがる者はすべてオタクである〟と定義づけるならば、それは暴言になるだろうか。

ならば言おうじゃないか。現代は〝一億総オタク〟の時代だと。

そういった意味において、ミヤザキツトムとオタク族は**〝内在されていた先駆者〟**なのではないか。

つまり、**高度成長**以来、外に向かっていた我々の**ベクトル**は、内に向かい始めたのではないかということ。

なぜなら、我々に開拓すべき地は、ほとんどなくなってしまったからだ。

そして、内に向かいはじめた我々は、以前からいたオタク族に再び邂逅しようとしている。それはかつて我々がバカにし、無視して来た人々ではなかったか。我々のベクトルは、明らかに彼らを指し示しているのだ。それは我々が〝子供化〟しつつあるということ

■コミケット
コミックマーケットの略。全国各地の同人誌愛好者が一堂に会する花会(笑)。10万人も集まるんだよ(笑)。こないだなんかIMOも参加してみたんだから(笑)。

■内在されていた先駆者
〝内なるオタク〟には心当たりがあるでしょ?(笑)〝ナニナニ博士〟とかいうのがそうですね(笑)。世の中は、その地点から外向きに拡大してきました。いわば〝拡大する宇宙〟です。しかし、あるところまで拡大した宇宙は、次に収穫を開始します。つまり〝内向〟です。現代は、どうやらこの時点にあるようですね。そして、宇宙はさらに収縮し、ビッグバンにいたります。新しい宇宙の誕生です。果たしてそれを引き起こすのは〝オタク〟なんでしょうか? それとも彼らは単なる過程に過ぎないのでしょうか? うーん(笑)。

■高度成長
「1960年代の終わりころから72年あたりまでの、ビヨォーンていう経済成長のことでしょ?」(佐々木ミスビップ真弓・談)

■ベクトル
力の方向。多分(笑)。

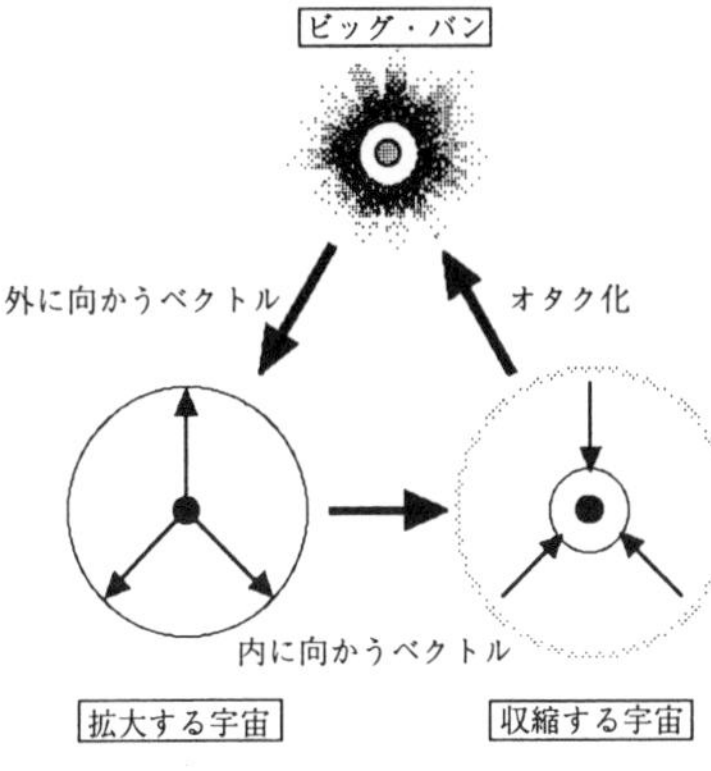

ビッグ・バン
外に向かうベクトル
オタク化
内に向かうベクトル
拡大する宇宙
収縮する宇宙

とでもある。

子供のものであった文科系不良の時代

外に向かっていたものが、内に向かいはじめたということは、開拓すべき地がなくなりつつあるという証拠でもある。現に、あらゆるメディアは飽和状態にあるだろう。ロックも、マンガも、テレビも、そして映画も。

それらは進むべき場所を見つけられぬまま停滞し、懐古しはじめている。

その意味でも、ミヤザキツトムのコレクションした膨大な**ライブラリー**のナツメロ的傾向は象徴的だった。

ここにおいて、文科系の不良の時代は終わったのだ。なぜならば、従来のメディアは文科系の不良という〝子供〟のものであったからだ。

前回の終わりに〝我々は少し大人になったのではないか〟と言ったのはそういう意味であって、決して37度8分の熱がもたらしたタワゴトではない。

時代の子供化はメディアの責任

時代はシミュレートする快感によって動いているのならば、その流れは当然ビッグに向かう。一般論としては、ビッグこそ最強のシミュレーションマシンであるからだ。

■ライブラリー
蔵書とかの意。多分（笑）。

すべてのオタクは〝パソコン・オタク〟になる、と言ったのもそういう意味でだ。

であるからIMONである。

我々は〝子供化〟しつつある。そして、矛盾したことを何度も言うが、それは〝大人化〟しつつあるということでもある。

誰しもが子供のままで、社会が成り立つか。問題はそこにある。

〝社会なんか成り立たなくてもいい〟という暴論はワタシのもっとも得意とするものではあるが、なにかを創ることを業にしたものは、これからそういう意見を放てなくなるのではないか。

翻って言えば、それこそがメディアの責任なのだ。今までのメディアは〝子供のフリ〟をするという美意識があった。それは逆転する可能性が大きい。これからは、メディアこそ〝大人〟にならざるを得ないだろう。

つまり、これからの〝子供〟たちに新しい〝OS〟を与えねばならない。

我々は真に〝大人〟だったことはないはずだ。誰しもが〝大人〟のマネをしていただけだったろう。

つまり、〝大人のような子供〟だったということ。

そして、IMONが目指すのは〝子供のような大人〟というものであることをワタシは宣言し、〝オタク〟の項を終えることにする。

☆

いかがでしたでしょうか。

非常にわかりやすく論じたつもりだが、わかりやすすぎて呆れた人もいるかもしれない。呆れられたついでなので、次回のIMON

のテーマは〝心霊現象〟にしたい。ただ、これについてはワタシも呆れかえるぐらい資料というものが乏しいので、まだ〝予定〟ではあるが。つまり、〝予定〟は〝未定〟ということでもあります。

■ビップ・キャンペーン第4弾

そうです。〝ふたりのビップナイト〟はレコーディングが終了した時点でまたご報告しますね（笑）。

それで!（笑）今回は〝ビップ〟のロゴを発表するのだー!（笑）どっひゃー! かっちょいいー!（笑）

第12回　理論は不確定なものである。〃超常現象〃により覆される二値理論!?

ロックは後日譚になった。これは引力以上の摂理

えー、先日、ローリング・ストーンズのコンサートに行ってきました。17年という歳月の果てに実現した今回のコンサートは、ストーンズのファンではないワタシにも、ストーンズのメンバーの顔に刻まれたシワの深さと同じくらいに、感慨深いものがあった。もうすぐ、**ポール・マッカートニー**も来るらしいが、これも何かの後日譚のようなものではないか。ロックは後日譚になった、というのが今回の感想だ。

消費するものは強い。人の手による消費を逃れたとしても、時間によって必ず消費される。これは引力以上の摂理というものだろう。リンゴが落ちないようにはできても、腐らないようにはできない。

新テーマにより覆された二値理論

さて、前回も予告したが、〃心霊現象〃が今回のテーマである。この場合の心霊現象には**UFO**なども含まれているので、正確には**〃超常現象〃**とすべきかもしれない。なぜ、IMONが超常現象をテーマにするかというと、記憶のよい方とアイコンのバックナンバーをお持ちのよい子はわかるだろう。以前ワタシは、ビッグと人

■ポール・マッカートニー
元ずうとるび。笑点で座蒲団を運んでいる（笑）。

■UFO
未確認飛行物体。

■超常現象
天晴「ポルターガイスト現象のあったときはフラストレーションが上昇しているときでした」
いがらし「UFOを見たときもそうだった?」
天晴「いえ、気分スッキリばっちしOKの状態でした」
（天晴まぶろ氏の証言、2月21日深夜IMOsにて）
つまり、かねてよりうらみ、つらみといった〃−〃の状態でしか現われなかった心霊現象が、〃+〃の状態であってもじつは現われうるということなんですね。それがUFOであるト。

間の情報伝達形態を論じたとき、〝二値理論〟というものを考えてしまったからだ。

ビッグは、ONとOFFによって世界が成り立っているが、このツテでいくと、人間にもONとOFFの状態があってしかるべきであり、生きている状態をONとするならば、死後の世界という意味でのOFFも存在するのではないかという推論を導きだした。これは困ってしまった。なぜなら、ワタシ個人の意見と趣味は、〝死後の世界なんていう、うるせいものはいらねい〟という立場だったからだ。

なかなか解決しないON、OFF問題

そして、このON、OFF問題については、後日、夕食のタラチリ鍋を食っている最中に答えは見つかった。それは、ONが覚醒時であり、OFFは睡眠中を含む冥想時であるというはなはだ拍子抜けする結論である。つまり、人間にとってのONの状態というのは外部からの情報に反応しているときであり、OFFの状態とは外部の情報を遮断し、内部活動している場合をいう。

これによって、解答を得たワタシは翌日からシゴトとゴルフに励めたわけである。しかしそこで、ワタシの事務所IMOのスタッフであり、〝天才ダンサー、船村マンボ〟でもあり、かねてより数々の超常現象を体験していたマンガ家のタマゴでもある天晴まぶろが、「ビッグにはポルターガイスト現象はないのでしょうか」という、二値理論の問題を蒸し返すような発言を投げかけたのだ。そ

れによって、ワタシの探求心と好奇心はネズミを前にした猫のようにではなく、猫を前にしたネズミのように燃えたのである。

科学者の自信を喪失させた超常現象

燃えたネズミはとりあえず何をしたかというと、科学方面では超常現象について現在はどういう**スタンス**をとっているかを調べた。そして、この作業は時間の無駄でもあったが、べつな副産物を生むことにもなった。

それは、今世紀まであれだけ自信満々だった科学者が、自信を失いつつあるということ。

近代科学の代表的なものである医学は最近、ことあるごとに「患者さんの治すという気力が一番大切なのです」などと言いだすようになってきたことなどは、まさに暗示的ではないか。それが**不確定性原理**たらいうものである。数学的に世界を捉えて来た近代科学の限界が数学的に証明されたものである。

科学は、**ニュートン力学**の上に**相対性理論**を構築し、そしてその上に**量子力学**を上乗せしても、未だわけのわからんものがこの世界にはあるということを告白した。**ビッグバン理論**に出てくる〝10のマイナス43乗秒後〟だの〝100億分の1秒後〟だの〝2000億度〟だのの数字は、聖書に出てくる天地創造の話と同じくらいにリアリティーに乏しい。弁当箱何杯というたとえではないのを抜きにしてもだ。

ましてや、誰も見たことがないし、その存在の証明もできない

■スタンス
歩幅、姿勢、態度のこと（笑）。

■不確定性原理
つきつめて観察すると、位置とか、運動量といった物理量は、ふたつ以上同時に確定できない、〝ゆらぎ〟があるからだそうです（笑）。

■ニュートン力学
古典力学のこと（笑）。

■相対性理論
時空間の考え方に大変革をもたらした理論のこと（笑）。

■量子力学
その相対性理論をも変革させた理論（笑）。

■ビッグバン理論
とにかく宇宙は大爆発によって誕生したという、子供がヤケクソになって言いだしたような理論（笑）。

クォーク理論だの**X粒子**だのを言いだすにあたっては、すでに超常現象の「とにかく見ました」と「とにかく感じました」と同じ次元ではないか。

デカルトの追究した精神とは虚構である

デカルトというオッサンは、世界を精神と物質の二値に分けて考えた初めての人らしい。

そして、近代は片方の物質だけを探求しすぎたとする意見もよく聞かれる昨今であるが、これは世間知らずというものだ。

精神をも我々は過剰なほど追究してきたはずだし、過剰なほどだったからこそ、これほどのメディアの隆盛と氾濫を呼んだ。その精神を追究する流れが停滞してきたのが今である、とするのがＩＭＯＮの見解だ。しかし、精神を追究するというこれまでの作業は、ほとんどの場合において小説や音楽や芸術全般によった虚構というフィクションの形で追究されてきたことに特殊さはあるだろう。その挙げ句に我々が到達したのが、精神とは虚構である、という結論だった。

基本の宗教か？　応用のＩＭＯＮか？

それでは、虚構という手法ではない、精神の追究のされかたはあったか。たぶんあったし、今も継続されているに違いない。それが宗教というものだろうと思われる。

■クォーク理論
クォークという、とにかくウンと小さいものが基本的にあるんだ、という理論（笑）。

■X粒子
ビッグバン直後の宇宙にあったであろうと仮想されている粒子。

■デカルト
哲学者にして科学者。近代機械論的自然観の始祖（笑）。「我思う故に我あり」で有名（笑）。

■追究した歴史
宗教とメディアと科学と、そしてIMON。これらは、精神の歴史において、どういう役割を担ってきたのでしょうか。示唆に富んだ左図をご参照のうえ、ご検討ください（笑）。

むかしあるところに
宗教という雲がいて
メディアという風を
吹き出していました
ところが
科学という壁が
風をはね返して
しまいました
IMONネズミくん
が壁をかじって
穴をあけました
がじがじ
風は向う側まで
とどくように
なりましたとさ

■パラダイム
J・カーペンターの映画の題名。そのほかに、規範、枠組みという意味もある（笑）。

（注：今回の解説はこれまで以上にアテになりません）

科学も虚構ではない方法で、精神を**追究した歴史**はあるが、数学化という**パラダイム**を脱しないうちは、やはり無理なのではないか。そして、科学は前述のごとく、数学化できないものを認めてしまっている。

我々が虚構というものによって追究してきた手法のベクトルは、応用に向かわざるをえなかったが、宗教のベクトルは基本であろう。

つまり、現在のような状況の中で、引き続き精神の追究をする場合、とるべき選択肢は、今のところふたつしかないとワタシは思うのだ。

基本としての宗教か？　新しい応用としてのＩＭＯＮか？

■ビップ・キャンペーン第5弾——ビップ・ダンス完成！
以前発表しましたマルチタスク・カラオケソング〝ふたりのビップナイト〟に、踊りがつきました（笑）。〝ビップ・ダンス〟と呼んでください。これでお膳立ては整ったわけ（笑）。
近々行なう発表会は、歌と踊りの楽しくも恐ろしい催しになるでしょう（笑）。

砂漠のような

パソ通で

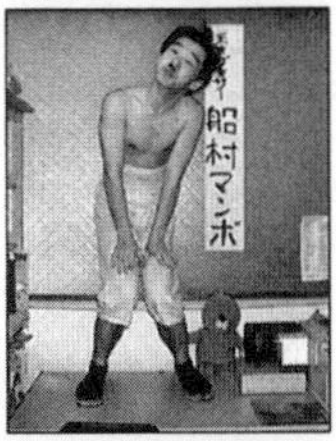

あなたと初めて
会ったとき

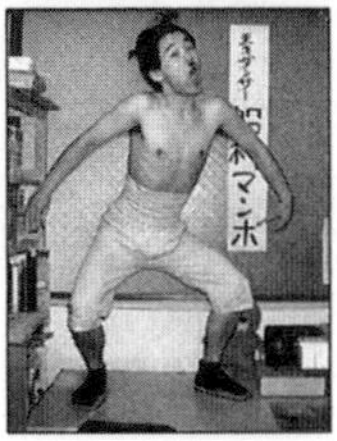

私はようやく
気がついた

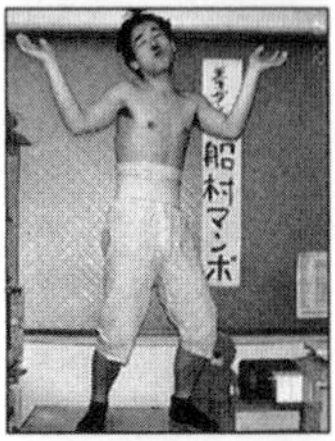

自分が探して
いたものを

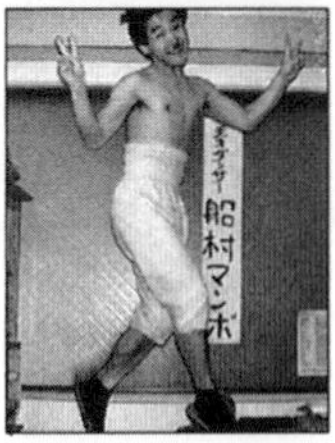

コンパイルして

コンパイルして

私の気持ちを

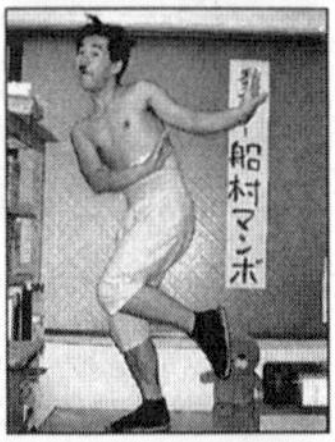

ああビップナイト
ああビップナイト

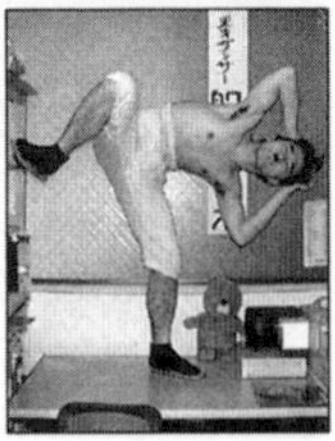

割り込み処理は

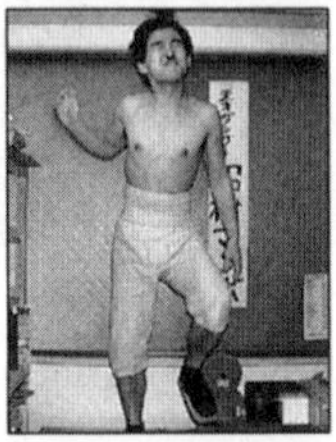

かけないで

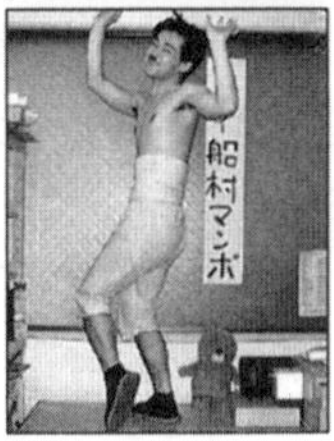

踊り／船村マンボ
振り付け／船村ヨーロッパ

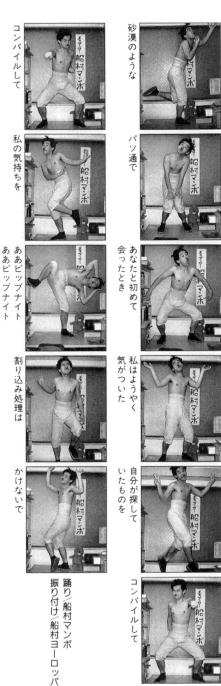

第13回　ビップにおいても超常現象はあるか？　実験を行なうI MON

遠大なテーマI MONとゴルフ

ノッケから大事件をお知らせする！　ワタシはとうとうゴルフで**ハーフ**を50きってしまったのだ！　これは、ゴルフをはじめて3ヵ月になろうかという初心者、はじめて18ホールをまわったビギナーとしては驚異的なスコアではなかろうか。生まれてはじめて**パー**も出したし。

まぁ、いや、すみません、個人的なことを言ってしまって。でも、いつかやりたいですね。〝I MONとゴルフ〟というテーマを。そうすると、ゴルフ代も経費で落とせるようになるかもしれない。

困っちゃう哲学的、美学的な人間

さて、今回は〝超常現象〟という、まず経費でおろすことはできないテーマである。

ワタシは前回、〝人間にとってONとは外的刺激に反応しているときであり、OFFとは内的刺激に反応しているときである〟と言った。極端な例としては、覚醒時がON、睡眠時がOFFであると分類できないことはない。

しかし、我々は覚醒時でも内的刺激に反応している場合が多いわ

■ハーフ
ゴルフの1ラウンドの半分、つまり、9ホールということ（笑）。

■パー
基準打数（笑）。

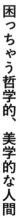

けで、必ずしも睡眠時と覚醒時に分けることはできないだろう。

覚醒時でも内的刺激に反応している場合の例としては、いわゆる**〝苦悩〟**という状態が挙げられる。

ワタシは常々、苦悩というものは正しくせねばならないヨと思っている者であるが、世の中には苦悩を哲学的、または美学的な、厳密な問題として対処する人間が多すぎるので困っちゃうわけである。

生き物はすべてROM的な世界をもつ

我々には**〝自我〟**というものがある。自我とは〝こうあるべき世界〟という手前勝手な妄想でしかないということは、すでに、ニュートン力学や**松田聖子悪妻説**と同じくらいポピュラーでもある。その自我が不安定になったときに、我々は苦悩するのだ。

自我というものは、ROM的なものと化しているのがほとんどであろうし、ROM的でありえないと自我にはならないと言える。ほかの生き物を見てもそうだろう。生き物は、すべてROM的な自我を持つ。そして、それらの自我は人間のそれよりもはるかに強固だ。なぜならば天然の自我であるからだ。問題は、我々の自我が、天然の自我から、教育と学習によって人工の自我に変わらざるをえないことにある。我々の自我は揺らぐようにできているのだ。

この世にある言語とその意味によって揺らぎっぱなしだと言ってもいい。それでは、揺らがぬROMとしての自我はあるかというと、これはありえないだろう。すでにIMONでは〝この世にROMはありえない〟と断言したからだ。

■苦悩

苦悩は、閉じた状態です。口も閉じれば目も耳も閉じています。〝サナギ化〟とも言います。というわけで、左の図をご覧ください。上が苦悩状態を表わしています。この図の反響は、言葉で言い表わせば内的刺激のループということになります。ハウリングですね。IMONでは、こういう状態を〝シングルタスクである〟と呼びます（笑）。

それに対して、下は野外コンサートですから、反響はありません。ただ拡散するのみです。ループはありません。これがマルチタスクへの入り口です（笑）。

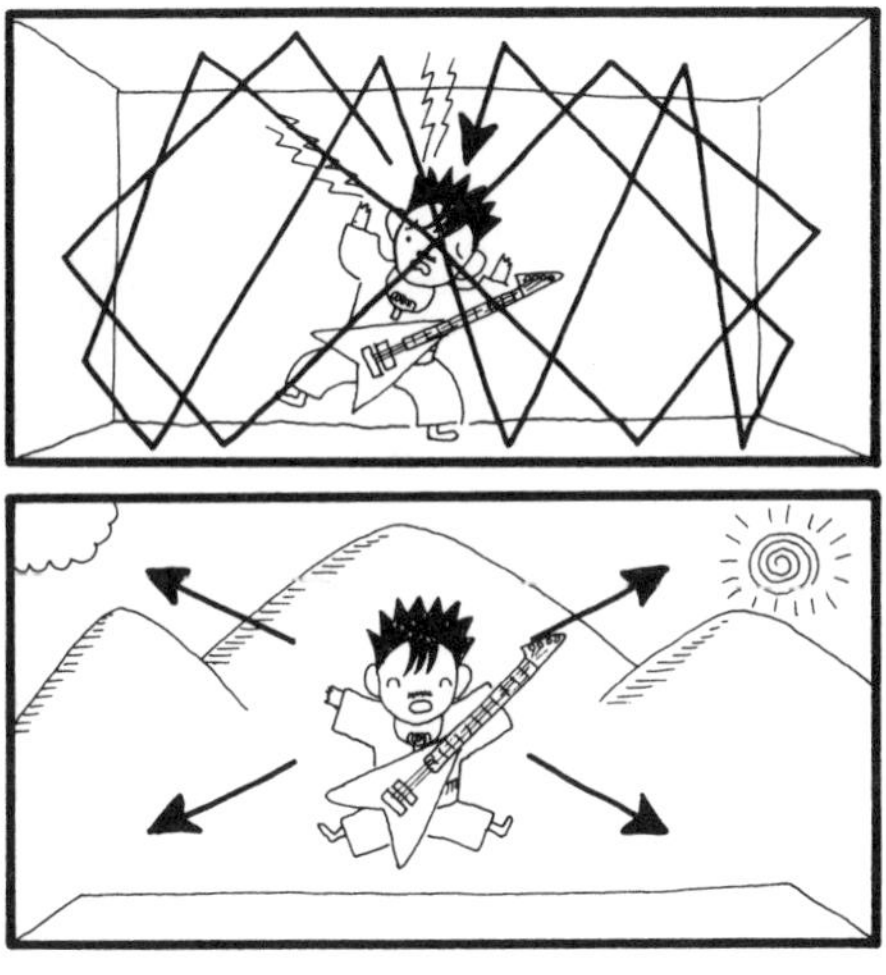

■自我

即ち！

「人間の自我は盆栽である!」というのが今回の結論です（笑）。次ページの図は、この〝自我盆栽説〟を図解してみたものでありまして、犬さんやニャンコさんとの違いをご笑覧ください（笑）。

■松田聖子悪妻説

聖子チャンかぁ……。

もし、真にROMとしての自我を持つのならば、その人間には苦悩というものは存在しなくなるはずである。そう言った意味で、宗教というものは、自我をROM化しようとするものではないのか。自我をROM化してしまえば、外的刺激の自我との矛盾など、無視すべきものか、一時的なものでしかなくなるからだ。犬やネコのように。

しかし、前述のごとく、IMONでは〝この世にROMはありえない〟と断言している。つまり、たとえ宗教によっていくら**悟り**を開こうが、**解脱**しようが、**下血**しようが、自我がROMと化することはありえないということになるのだ。そして僕らは途方にくれる。たぶん死ぬまで。

ワタシは宗教を非難しようとしているのではない。IMONが宗教になるのだけは敢然と拒否するが。我々は自我をROM化することに固執する必要はないのではないか。我々は生物界でははなはだ異端な生き物である。異端であることに責任を持つべきではないのか。揺らぎっぱなしであるのなら、揺らぎっぱなしであることこそ正常でありうるのではないのか。つまり、IMONは限りなくRAMである自我を推進したいのだ。だから途方にくれるなって。

自我があるビップ!? エラーは苦悩の叫び

そしてビップである。ビップにも自我というものはあるか。自我はある。生き物は必ず〝こうあるべき世界〟というものを持つからだ。ただ、それがROMとしてのものではない。**ビップの自我**

■悟り
白土三平さんの劇画。あ、あれは『ワタリ』か！（笑）

■解脱
げだつ。永遠の悟りの境地に入ること（笑）。

■下血
げけつ。内臓から出た血液がこう門から出ること。

■ビップの自我
仕様書にあるROMではありません。あれは、言ってみれば、言語機能ですから。〝漢字ROM〟とか（笑）。やはり、プログラムでしょうね。さらに言えば、OSでしょう。

■ループ
円環状の繰り返し処理。いつまでも終わらない状態。

■Syntax error
シンタックスエラー。BASIC言語のもっともポピュラーなエラーのひとつ。〝文法の誤り〟ということ。

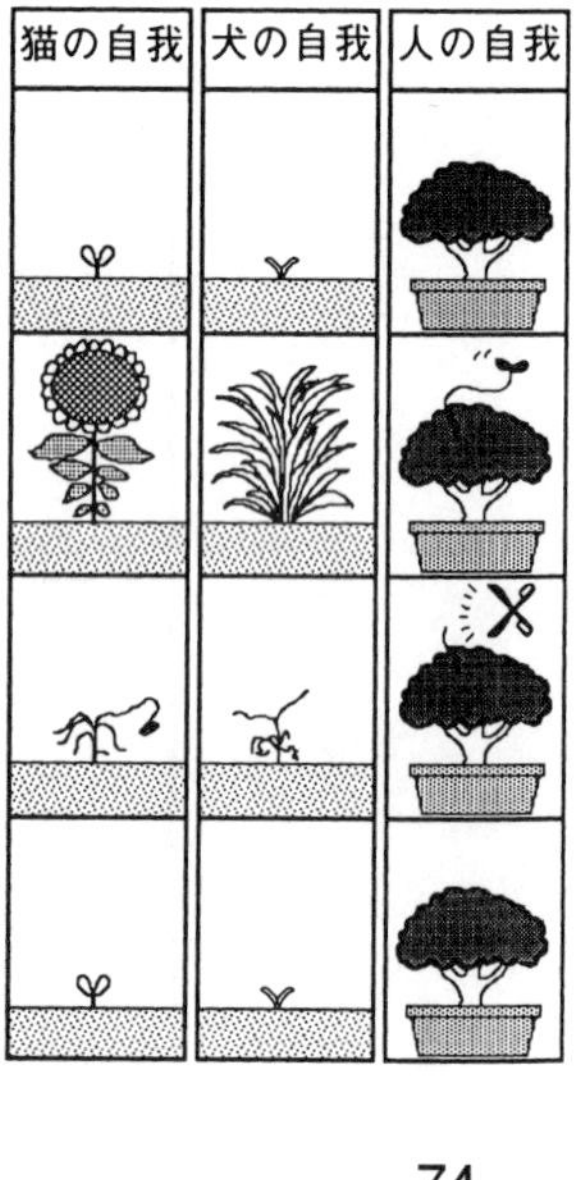

はまさしくＲＡＭである。プログラムがそれだ。

ＩＭＯＮではかねてより、ビップの苦悩状態というものがありうるならば、それはプログラムが**ループ**する状態であるとしていた。

そして、例の**Syntax error**だののエラーメッセージは彼らの苦悩の叫びなのだろうと。

ビップにも存在する!?　ポルターガイスト現象

さて、ならばここで**実験**してみたい。〝ビップにもポルターガイスト現象があるか〟という実験を。

世に出ている〝超常現象〟を扱った多くの書物によれば、ポルターガイスト現象というものは、死後の世界とか、５次元の世界とか、相撲界とか、この世とはべつの世界から生まれるものではなく、人間が発する〝ある種の強烈な信号〟によって生ずるものであるらしいことは、これまた**中森明菜都内潜伏説**ほどポピュラーなものである。

では、そのある種の強烈な信号とはどういう類のものであるかというと、これが苦悩の状態、または歓喜の状態などに多く発生するものらしい。

我々は、ビップにとって、人間の苦悩に一番近い状態である、ループするプログラムを走らせて実験してみた。

これは解決策を探しにいかせるが、その解決策が存在しないプログラムである。合わせて、〝オレハモウダメダ〟というメッセージもループするたびに表示させることにする。

■実験
科学する心！（笑）
苦悩を構成するものがシングルタスク、エラー、ループなのであれば、それはパーソナル・ビップ上で当然再現可能なはずである！（笑）
そして、その苦悩によって発生するであろう〝強烈な信号〟は、なにがしかの超常現象を呼び起こすかもしれない！（笑）
というわけで、我々は『ＩＭＯＮ式苦悩プログラム』を開発し、これを約24時間走らせ続けました。なんと３００万回のループ！（笑）
ＰＣ98クン、どうもご苦労さま（笑）。
左の写真は、ビップが発する〝強烈な信号〟におびえるいがらしみきおです（笑）。
また、プログラムリストも掲げましたので、お手持ちのビップに打ち込んで、苦悩させてみてください。
大抵のビップで動くはずです（笑）、多分（笑）。
なお、このプログラムを走らせることによって恐るべき何かが起きた場合には、ぜひご一報ください（笑）。

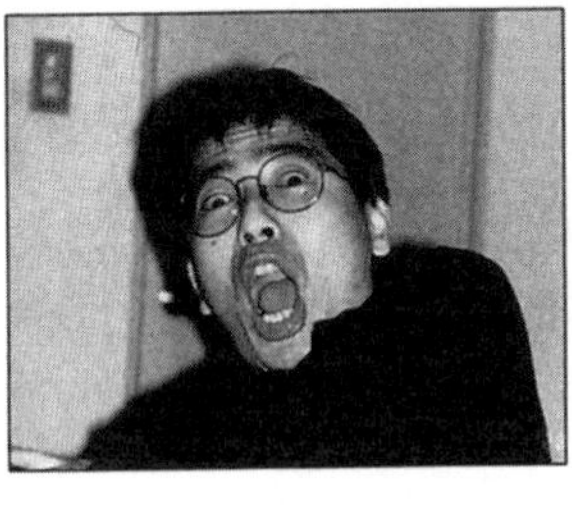

```
<<<<<IMON式苦悩プログラム>>>>>

10 X=0
20 X=X+1
30 ON ERROR GOTO 50
40 OPEN "KAIKETU" FOR INPUT AS #1
50 PRINT "ｵﾚﾊ ﾓｳ ﾀﾞﾒﾀﾞ･････";X
60 RESUME NEXT
```

■中森明菜都内潜伏説
明菜チャンかぁ……。

いや！　明菜チャンにはぜひがんばってもらいたい！　カムバックの日を待望しているぞ！　がんばれ！　都内で疲れたら仙台にいらっしゃい（笑）。〝ふたりのビップナイト〟のカラオケあげるから（笑）。

さて、我々は、このプログラムをひと晩中走らせてみたが、その夜に行なわれたＩＭＯｓ恒例の**〝電脳放談〟**中に、見学していた会員のひとりが〝サ。ン〟などという意味不明のメッセージの直後、ＩＭＯｓではありがちな、原因不明の回線切断に遭遇したぐらいである。

そのほかには、事務所の備品がメチャメチャになったとか、首がグルグルまわったとか、緑色のゲロを吐き散らしたとかも出てはいない。

つまり結論としては、ビッブに超常現象はないということだ。すべての超常現象は、我々人間が作り出したことだろう。

じつはワタシは、超常現象があろうが、なかろうがどちらでもいいのだ。ワタシが知りたいのは、我々には、それが必要なのか？　必要ではないのか？　ということだ。

■電脳放談
いがらしみきおのBBS、I-MOs上で毎週水曜の深夜に催されるチャット。当『I-MONを創る』の叩き台とでも言うべき性質を持つ。かもしれない（笑）。

■ビッブ・キャンペーン第6弾——「ふたりのビッブナイト」レコーディング完了!!
いやぁ、やっとできあがりました（笑）。大変だったんだから、もう（笑）。とくにミス・ビッブ！（笑）「あたし歌えなーい！」とか言ってふざけてばかりいるし（笑）、そのクセ「このままじゃ一生後悔するから、明日やり直したい」とか言い出すし（笑）。

ビッブ超常現象実験中にハトが一羽窓辺に飛来したこともお伝えしておきたい

第14回　ビップに超常現象はないとするＩＭＯＮ。新たな事実が生まれるか？

マンガ家やめてゴルファー目指す⁉

あー、もう春ですね。ワタシのゴルフもだいぶ上達しました。ワタシの事務所ＩＭＯ月例コンペでは、今期負けなしの3連勝です。ちょっと他流試合もやりましたが、こちらも勝利をおさめてバスタオルを貰いまして、それも入れるともはや4勝です。

これがプロだったらもう4千万円ぐらい稼いでる勘定でしょう。実際はバスタオル1枚だけど。オレ、マンガ家やめようかな。

さぁ、50歳からの**シニアリーグ**入りを目指して明日もゴルフだ！

超常現象のメカニズム解明と推測

さて、超常現象である。

前回の実験でも〝明らかになった〟というよりは、〝明らかだとしてしまった〟ように、ビップに超常現象はない。超常現象は人間だけに起きる現象だということ。

みなさんはＩＭＯＮに、超常現象の**メカニズム**の解明をお求めであろうか。あれがどうして、こうなるから、ああなるんだ、とかいう理屈を。

しかし、ワタシが知りたいのは、前回の最後でも言ったように、

■シニアリーグ
50歳を超えたプロゴルファーの大会っていうか、試合（笑）。いがらしみきお氏は、この〝シニアプロ〟ってものを虎視眈眈と狙っているわけです（笑）。「国内の試合で地道に稼いでいく」とすでにして抱負を語る氏であります（笑）。がんばってください（笑）。

■メカニズム
仙台名物のかに料理。ぜひ一度ご賞味あれ。ウソだけど（笑）。

超常現象というものをキミたちはいるの？　いらないの？　ということである。

しかし、勝手な推測によってゴリオシするのもＩＭＯＮの流儀なので、現在、ＩＭＯＮによって解明され、暗示されている事柄を以下に箇条書きするので、みなさんも超常現象のメカニズムについて、勝手な推測をしてみてください。

①すべてのものはＲＡＭである（空間もそうです）。

②我々は見ることができないものを感じる能力がある（たとえば音や臭いなんかがそうですね）。

③脳の伝達方法は電気刺激によってなされている（コミュニケーションは言葉でなくとも可能であるということです）。

④人間はありもしないことにおびえたり興奮したりする（苦悩とか人間関係なんかではありがちですね）。

⑤空手家が石を割れるぐらいに手を鍛えるように、脳を極限まで鍛えた人間はいない（石を割れるぐらいまで脳を固くするとかいうのではないですよ）。

⑥オペラ歌手は声でコップを割ることができる（これはホントです）。

⑦千代の富士はついに１０００勝してしまった（できる人とできない人がいるということです）。

どうしてもしないジャストフィット

以上のことから何かわかるだろうか。わかるわけないか。あはは。

人間はどうして超常現象だけにとどまらず、神だの仏だの**双葉山**

■双葉山
ふたばやま。それはそれは偉大な横綱。

■この世界だけじゃイヤだ
いわばヒトの行動原理でしょうね、これは。では、簡単に出来る実験を紹介しましょう（笑）。自分の意見の文末に必ず〝（だってこの世界だけじゃやだもん）〟と付けてみてください。ね、なんかシックリくるものがあるでしょ？　えっ、こない？　まぁ、そういう場合もあるでしょう。というわけで、左の図はその〝やだ〟のエスカレート状態を表わしていたりします（笑）。

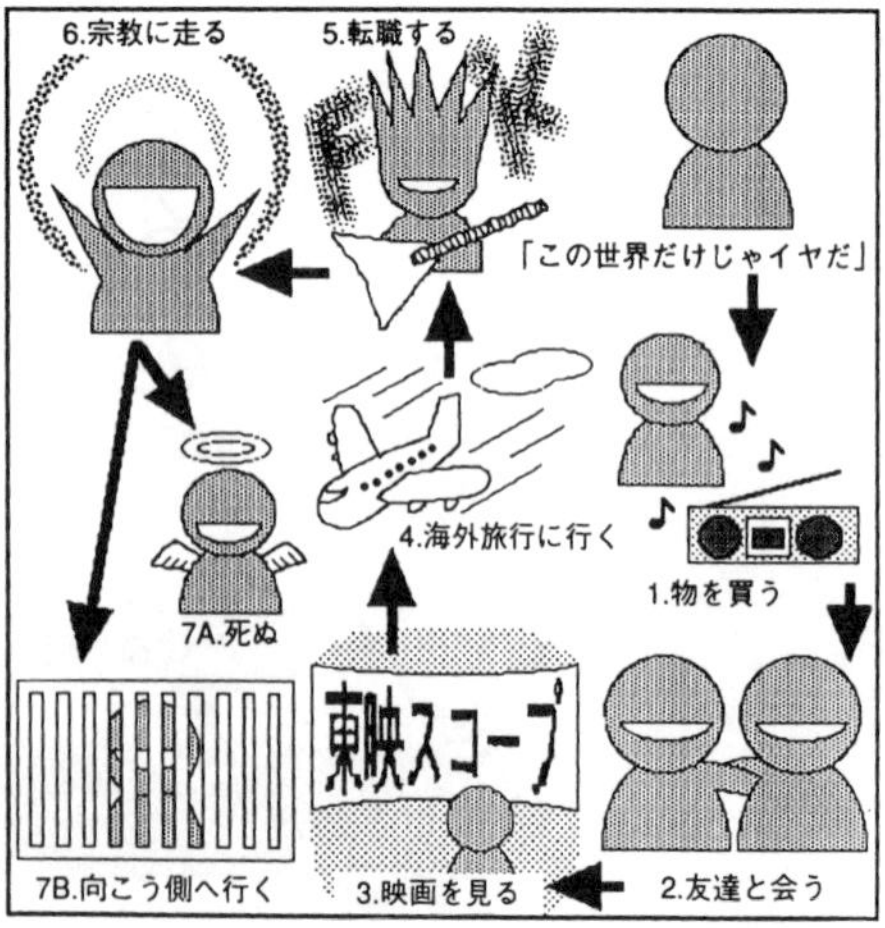
「この世界だけじゃイヤだ」
1.物を買う
2.友達と会う
3.映画を見る
東映スコープ
4.海外旅行に行く
5.転職する
6.宗教に走る
7A.死ぬ
7B.向こう側へ行く

だの言いだすのだろう。それは**〝この世界だけじゃイヤだ〟**という欲望が根底にあるからではないか。

〝生物のいるほかの星〟に思いを巡らすという行為も、その欲望の延長にあるものだろう。つまり、我々はどうしても**ジャストフィット**しないのだ。この世界に。これも我々の自我というものが、天然の自我ではなく、人工の自我であるが故であろう。

そういうわけで、どう転んでも我々が〝この世界〟にジャストフィットすることはありえないだろうし、それはこの世界にＲＯＭがありえないとＩＭＯＮが断言したのと対になっている。

〝オタク〟の項で言った〝文科系の不良〟という人々は、そういった問題に正面から**右四つ**にガップリと組んでしまった人々である。ならば、〝理工系の不良〟はどうか。まだまだ土俵にも上がらないというのが実際の話であろうが、しかし、いずれ土俵に上がるのが正しいかどうかというと、これまたなんとも言えないワタシです。

ワタシはこう思うわけです。もういいじゃないか、と。なぜならば、我々はどうせ死ぬんですぜ。

この世を去る我々、結局は子供

死んで、いずれこの世界を去らねばならない者にジャストフィットもヘッタクレもないではないか。

え？　そんな簡単な問題じゃないって？　こんなに簡単なことはないじゃないか。つまりこうだろ？

「そんな高いモノは買ってあげられません」と。

■ジャストフィット
ジャストフィットし過ぎる、という場合もあります（笑）。ハタ目にはただのジジイなのに、本人だけは偉いつもりでいる、といったパターンです。まぁ、両指数ともに100っていうのがないのは、こりゃ問題でさぁね（笑）。

■右四つ
みぎよつ。相撲の組手の一種。詳しいことはわかりません（笑）。

平成２年度ジャストフィット出来高

項目	JF度（個人的）	JF度（社会的）
CDラジカセ	21	5
AVテレビ	25	6
ファミコン	26	5
ビップ	59	9
炊事洗濯	2	33
ゴルフする	134	11
友達と会う	51	22
新しい恋人	77	5
旅行する	85	68
政治家	164	1
学校へ行く	3	29
会社へ行く	0	41

（ジャストフィットを100とした場合・当社比）

ちがう？　ではこれでどうだ。

「さぁさぁ行きましょう。ホラ、早く歩きなさい」

まだちがう？　ではこれだ。

「置いて行きますよ！　おかあさんだけ先に行っちゃいますよ！」

え？　主旨がちがう？　そんなことはない。子供がオモチャを欲しがるのと、超常的なものを欲しがる、またはジャストフィット感を欲しがるのは欲望という意味で等価だということだ。結局、我々は子供です。

ソウナレナイ異様な生き物

いつまでたってもジャストフィットしない我々は、揺らぎっぱなしなのだ。ＲＯＭでありたいのに、ＲＡＭであり続けるしかない身なのだ。

我々は、**異様な生き物**であるはずなのに、自我だけは他の生き物と同じく安定したものでありたいと願う。差別的な言葉を言えば〝異様なクセに〟ということだ。ＩＭＯＮは、異様なんだったら、異様なのをマットウしようじゃないの、ということを意見したい。この場合のマットウのしかたとは、ＲＡＭであり続けることである。フラフラしっぱなしということである。ケツに火がついたままということでもあるし、ココと思えばまたアチラということである。

ソウイウ人ニナリタイ、と願うのはこのワタシだ。**ミヤザワケンジ**もそうだったかな。

■異様な生き物
この異様さは、当然ながら、人間の神秘性を示すものでも、優位性を示すものでも、価値を示すものでもないわけです。ただ単に異様なだけなのよね（笑）。このあたりが、ＩＭＯＮと宗教の対立点かもしれないね（笑）。

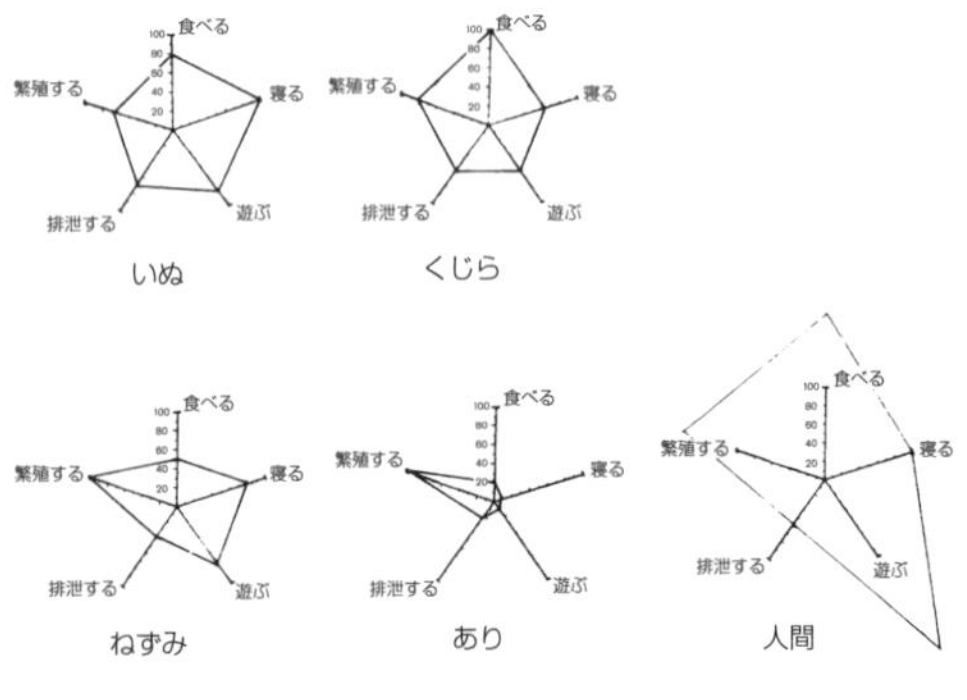

■ミヤザワケンジ
宮沢賢治。総理大臣。宏池会の第5代会長。この派閥は、数ある自民党派閥の中で、もっとも歴史が古く、昭和32年に、池田勇人によって結成された。さて、冗談はともかく、本文中で引用されたものは、例の『雨ニモ負ケズ』ですね（笑）。

■ビッグ・キャンペーン第7弾――ふたりのビッグナイト発表会!!
この夜のためにいがらしみきお氏は、〝ＩＭＯＮ住宅〟であるところの自宅の一室を、カラオケパブにしてしまったのである！（笑）この意気込みを見よ！（笑）

RAMであり続けるROMになりたい

ビッブに超常現象はなかった。これもビッブの自我がＲＡＭであるが故にである。ＲＡＭであり続けることによってなくなるものは超常現象だけではない。まだ理論上の段階ではあるが、じつは、あのね、苦悩もなくなります。理論上と言ったのは、そう言わないとＩＭＯＮがまるで宗教になってしまうからだ。ダメだよ、仙台まで拝みに来たりしちゃ。

その理論というものを次回からやります。この理論こそが、ＩＭＯＮの３原則である、〝リアルタイム〟、〝マルチタスク〟、〝(笑)〟その人である。

☆

これからＲＡＭであろうとする人間は爆発的に増えるのではないか。

そういった意味でも、ビッブはその存在からして、先駆的であり、暗示的であり、運命的だ。ビッブが言わないならワタシがここで言おう。「ＲＡＭであり続けるＲＯＭになれ」と。

ふたりのビッブナイト

作詞・いがらしみきお　作曲・クマガイコウキ
歌・いがらしIMONみきお　&　佐々木ミスビッブ真弓

第3部　IMON3原則に迫る

第15回　〝いつでももっとおもしろくないとな〟がモットー。第3部の開始だ

機嫌がすこぶるいいのはバーディーのおかげです

あー、困ってしまうぐらいいいお天気だ。ワタシは、こんな日にゴルフしないで、どうしてシゴトなんかしているんだろう。

ワタシはとうとう**バーディー**を出しました。**パー4のミドルホール**。そのときの手の感触がまだ残っている、わきゃないが、バーディーというものはいいものです。少なくとも、医者に「アナタはガンじゃありません」と言われるのと同じぐらいは。

いや、マージャンではじめてあがったとき程度は。というか、まぁ、嫁の機嫌がいいとき以上に、うれしいもんです。

マンガで学ぶ？『IMONを創る』

さて、今回から『IMONを創る』の第3部になる。ここではIMONというOSを真っ向から論じてみたいと思う。

そして、IMON普及の一環として誕生し、もうオカネだけは稼いでしまっていたカートゥーン・バンドIMON Cartoon Band MindことICBMの4コママンガで、これから毎回誌上を飾ることにしたい。〝リアルタイム〟で〝マルチタスク〟、そして〝(笑)〟のマンガとはいかなるものなのか、ようやくその全貌か半貌ぐらい

■バーディー
パーより1打少なくアガれること。2打少ないと〝イーグル〟。でも〝パー3〟で〝イーグル〟ってことはあり得ないわけで、なぜかって言うと、それは〝ホールインワン〟だからですね(笑)。で、3打少ないと〝ダブルイーグル〟とか〝アルバトロス〟とか、ゲームのタイトルみたいな呼び方になれるわけ(笑)。あと、逆に1打多いのが〝ボギー〟。

■パー4
「このホールは4打でアガるのが基準だからね。頼んだよ」ということ。いや、べつに頼まれる筋合のことではありませんが(笑)。

は現わすだろう。いや、ICBMのマンガが掲載されることによってアイコンが値上げするということはないので大丈夫。

それでは、まず第1部に登場したIMONの中核をなす3原則である〝リアルタイム〟、〝マルチタスク〟、〝(笑)〟を思い出していただきたい。

今のところ、これら3原則によってIMONは成立しているのだが、場合によっては3原則に、新たに〝ゴルフ〟とか〝**フカヒレスープ**〟とかが加わって5原則になり、しまいには17原則になって、そのころには原則ではなく、〝IMONの17の大切なお約束〟とかになっているかもしれない。

いいかげんであるとお思いになる方もいるかもしれないが、いいかげんというものは、リアルタイムであることの重要なファクターである。いいかげんじゃなくなると、人間は苦悩することになっている。これは引力と同じぐらいの自然の摂理だと言ってもいい。

IMONの3原則〝リアルタイム〟

その3原則のうち、今回はまず〝リアルタイム〟というものを論じてみたい。

人間というものは基本的にリアルタイムな生き物であり、また肉体的なメカニズムもそういう姿勢になっていることをご存じだろうか。我々がなんらかの情報を処理する場合に、それらはすべて**記号化**されて処理されるはずである。なぜ記号化されるかというと、記号化しないと情報を処理しきれなくなるからだ。

■ミドルホール
よくわかんないですが(笑)、〝パー3〟が〝ショートホール〟、〝パー4〟が〝ミドルホール〟、〝パー5〟が〝ロングホール〟になっているみたいよ。

■フカヒレスープ
フカのヒレのスープ。

■記号化
《問題》左図A、Bのうち〝ライター〟はどっちでしょう?
《答え》じつは、どっちも〝ヨーカンの絵〟でした。こういうヨーカンがあるかどうかはわかりませんが、結局この場合、図Aが提示しているのは〝ライターの記号〟なわけです。図Bは〝こういうのはライターに違いない〟という記号ですね。また、〝どちらかはライターじゃない〟と思ってしまうこと、これもまた〝記号〟というものの〝手管〟なわけです(笑)。

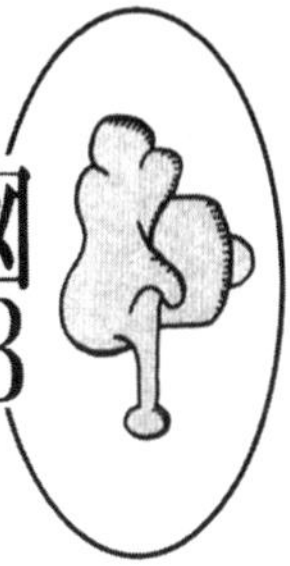
図B

図A

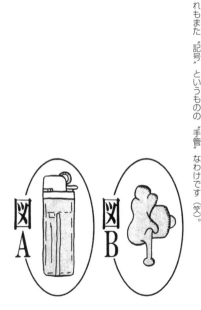

つまり、リアルタイムではなくなるのである。我々の前にライターがあるとして、それを我々がライターとして認知する場合、見て、聞いて、触って、なめて、かいで、入れて、出して、寝転んでみる、などという方法をいちいち使うことはないだろう。せいぜい〝ライターに見える〟という記号によって、〝だからライターだ〟としているのだ。我々はすべての情報を記号化することによって、ファイル圧縮し、読み取り、書き込みの時間を短縮しているわけである。つまり、我々の肉体と精神はリアルタイムであることを、ありうるべき形としているのだ。

ビッブはそういう意味で、我々とは情報処理形態がちがう。現在のビッブはそれこそ、見て、聞いて、押して、引いて、はたき込んで、つり出してみたのちに結論を出しているようなものである。

しかし、そういう手段があまりにも情報処理に向かないので、最近の技術者は**記号論**というものを取り込み、**AI**たら、**ファジー**たら言いだしたのであろう。

ただし、この道筋の果てにあるのが、人間的なビッブということであるのなら、ビッブは、その才能を弾圧され、搾取されたのに等しいのではないか。IMONでは、我々がビッブから学ばねばならないのであって、ビッブが我々を学ばねばならないのではないとしている。

まぁ、このへんの問題に今深入りするつもりはない。いずれ第5部あたりで〝ビッブと教育〟というテーマを設けてやるつもりである。ただ、これは悪口として言っておくが、近代以降、人類は何から学ぼうとした歴史はあったか。すべては利用し、消費してき

■記号論
世間というものを記号としてとらえようという考え方（笑）。

■AI
エーアイ。人工知能の意。〝オートマチック・アイデンティティー〟の略。うーん、多分違うなぁ。〝アタシでも、いいの?〟の略かもしれない（笑）。（編集部注:正しくは〝アーティフィシャル・インテリジェンス〟ですよ。ホント）

■ファジー
〝あいまい〟ということ。ビッブにもコイツを教え込もうじゃないか、という考え方が最近の流行（笑）。〝書き文字を判別する〟とか〝音声認識〟とか、そういう活用のされ方をしているようです（笑）。

た歴史しかなかったのではないか。いや、言うまい言うまい。

記号化できない文学的命題

人間は、そのメカニズムからしてリアルタイムなのである。しかし、記号化することによってリアルタイムを実現させてきたはずが、その記号化によって、リアルタイムを疎外してきたということもあるのではないか。いわゆる、**生きる目的**、または**愛**、でなければ**死**。これらのいわゆる、文学的命題というものは、記号化できないことばかりである。

それをなんとかして記号化しようと悪戦苦闘してきたのが〝文科系の不良〟というもので、そして彼らはそれを記号化しえなかった。100年をかけても。

記号化しえたのは、記号化しようとした悪戦苦闘のありさまのほうではなかったか。その結果として、人は生きる目的と愛と死を持ち出されると、条件反射的に悪戦苦闘してみせるということになる。そんなことしなくてもいいのにぃー。

〝イアシの疑問〟を記号化してみる？

それでは、生きる目的や愛や死を記号化するとはどういうことか。記号化するとは、普遍化するということである。たとえば〝1+1=2〟のように、出された問題についていつでも答えられる、ということである。我々は、生きる目的や愛や死の意味を問われた場

■生きる目的
自分が生きていくということに、ナニガシかの意味を持ちたがる人のためにある考え方（笑）。

■愛
ハリウッドが開発し、普及させた〝ファンタスティック映画のオチ〟のパターン（笑）。収拾つかなくなると「よーし、愛で終わらせてやろう」ということになるわけですね（笑）。

■死
人がゾンビになるために、最低限必要な条件（笑）。

合、明快には答えられない。

とりあえず明快に答えるものが、この世にあるとすれば、たったひとつだけある。それが宗教だ。

しかし、宗教にとどまらず、我々にとって〝好きだ〟というものは、ほとんどが宗教的になる。

これは〝好きだ〟というものが、生きる目的や愛や死、めんどくさいからこの3つは以降、頭の発音だけとって**イアシの疑問**と言うが、そのイアシの疑問をとりあえずは持ち出さなくてもいい時間を保証してくれるからである。ワタシにとってのゴルフのように。

宗教は、その〝持ち出さなくてもいい時間〟を永遠にしたい場合に有効になるだろう。しかし、この世に永遠はない。この世にROMが存在しないように。

☆

我々は、イアシの疑問に脅かされたくないのだ。だから、どこにもありえない永遠やROMを欲しがる。

イアシの疑問から解き放たれる可能性があるのは、永遠とROMだけであろうか。じつは、IMONで言う〝リアルタイム〟にも、その可能性はあるのです。

そのへんのことを次回でよーく考えてみましょう。

■イアシの疑問
では試みに、この〝イアシ〟を記号化してみましょう。

ご登場願うのは、そう、今巻で大評判のあの天才ダンサー・船村マンボ先生であーります！　というわけで写真を見てください。いかがです？　なんかピンとこないでしょ？　〝イアシ〟は記号化できないものだト、いうわけですな。

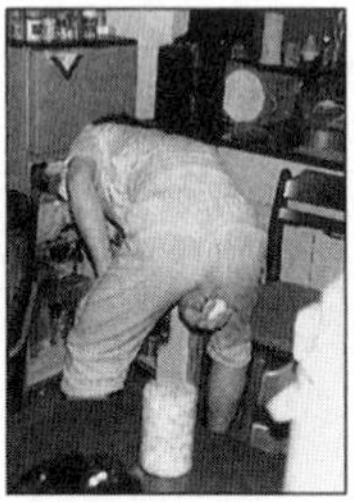

生きる目的

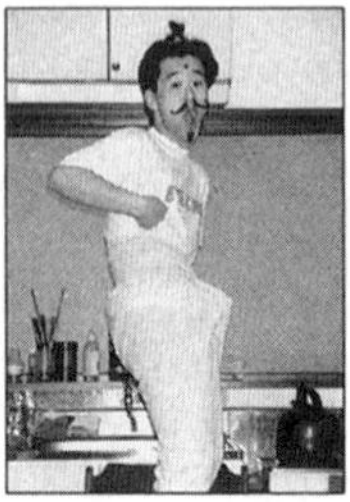
愛

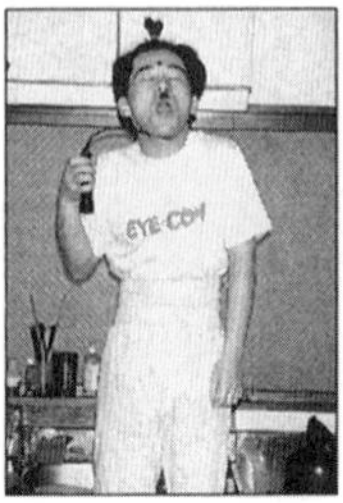

死

「生きる目的」が知りたいだとぉ？
お前誰に向ってもの言ってんだぁ〜〜〜？
彼は「生きる目的」を答えぬまま この世を去った。
オーライ
オーライ
ムギュ
ゲームセット
え〜カマドウマくんはああ言ってたけどみんなはどう思ってるんだ？
し〜ん

第16回　アナタは円周率を何ケタまで覚えてますか？　今回は数学的に迫る

休みにゴルフやって講演もしたんだよーっ

んー、あー、ゴールデンウイークの真っただ中なんですってね。今は。九連休とかいう人も少なくないんですってね。今は。ワタシもね、休みますよ。黙ってられないじゃないですか。休みます、2日と3日と6日だけ。もう絶対ゴルフしちゃいますから。なんだっていうんだ！　もう。

　なのにこの前は日曜なのに**講演**などということをやってしまうのは、やはりワタシが勤勉である証拠だろうか。いや、講演とはいっても、ワタシのBBS〝IMOs〟恒例の〝ウェンズデー・ナイト／電脳放談〟というものがあって、それのライブ版である。

　これは、今度仙台に新しくできた**青年文化センター**たらいうところのオープニングイベントとしてやってきたわけで、テーマは〝パソコン通信とIMOs〟というものだった。

　これは、そのうち語られるであろう〝IMONとパソコン通信〟というテーマの基調のごとき内容であったが、最後に、「みなさん、なにか実りがありましたか？」と聞いたら、ひとりだけ手を挙げた方がいたので、成功だったのではないだろうか。

　ちなみにその方はワタシの知り合いではない。ワタシの知り合いは誰も手を挙げなかった。

■講演

〝パソコン通信とIMOs〟と題されたこの講演は、およそ100人の観衆の前で、約90分繰り広げられました。

　壇上、いがらし氏は「パソコン通信は駄作でいい」と、その心情を吐露され、現在の〝半オタク半コドモ〟状態にあるパソ通を厳しく批判されました。いや、えー、訂正します。激しく達観されました（笑）。何故なら〝パソ通とは人間関係〟であり、〝人間関係とは往々にして駄作ばかり〟であり、故に〝パソ通とは駄作である〟からなのです（笑）。しかし、その上で「それでいい」と語った氏の胸中は、察するに余りあります（笑）。ほっといてくれ！（笑）

普遍化とは円周率のようなもの?

さて、IMONの3原則のひとつである〝リアルタイム〟についてだが、ワタシは前回、〝生きる目的〟、〝愛〟、〝死〟の**〝イアシの疑問〟**を、我々は記号化できないと言った。ただ、厳密に言えば、ほかの事象についても記号化にせよ、普遍化にせよ、すべては相対的なものでしかない。普遍化というのは、前回も言ったように、言わば「円周率とは**3・14**です」のごときものである。我々にとっての普遍化というのは、まさしく円周率の3・14のようなものではないか。

ご存じのように、円周率とは3・14ではない。ホントはそのあとに数字が何桁も永遠に続くのである。しかし、四捨五入して切り捨てないと、その永遠の小数点以下を誰も覚えられないにちがいない。つまり普遍化ができないということだ。そしてそれは記号化というものの実体でもあるだろう。

記号化と普遍化が、3・14であるのならば、我々は〝イアシの疑問〟さえ、すでに記号化している。すなわち、〝生きる目的〟とは「うーん、死にたくないから」とか、〝愛〟とは「えーと、ヒトをアイすることかな」とか、〝死〟とは「あのね、じいちゃんの死顔」とか。

そしてこれらは3・14であるし、3・1415かもしれない。つまり、〝イアシの疑問〟に関わらず、あらゆる事象について、我々が知ろうとすることや新たに感じたことは、3・14のあとにつく端

■青年文化センター
コンサートホールやら多目的ホールやらがいっぱい詰まった施設。ネーミングの割には、かなり立派。もっとも「入れ物だけは立派」という説もあり、このあたりは「金はあっても頭はカラッポ」という昨今の地方都市の特徴なんでしょうか(笑)。

■イアシの疑問
前回をご覧いただければ判明しますが、〝生きる目的〟、〝愛〟、〝死〟、という苦悩三要素の略称であります(笑)。

■3・14
〝π〟というものによっても、この円周率とやらは表わされるわけで、じゃあそのπに代入されるべき数値は何か、なんてことばっかり言ってるのが、すなわちコドモなのでしょう。

数でしかないということだ。

さらに言えば、3・141519でなくともいい。なんだったら、3・142980でもいいし、3・140000でもいい。キャッシュカードの暗証番号のように、電話番号でも好きな人の誕生日でも、なんでもいいのではないか。要はウケるかどうかということだ。少なくとも自分にとって。

ね？　〝イアシの疑問〟にしろなんにしろ、まるっきりキャッシュカードの暗証番号のようなものです。あはははは。いや、「あははは」じゃないか。

このように、我々にとって〝イアシの疑問〟のみならず、新たに知ることや感じることとは、3・14以下に小数点を付け足す作業でしかない。もちろん、3・14以下の小数点ではなく、3・14そのものを3・28にするということも可能である。

ただ、そういうのは〝奇をてらう〟とか、**〝天才〟**とか世間に言われるだけでしかないが。

やるときゃやるのヨ、月曜の朝の青

我々の思考は〝イアシの疑問〟についてだけでなく、日常的にもたびたび停滞し、**ループ状態**に陥る。そのループ状態というものは、分類すれば以下の3つに分けられるだろう。
①したくない
②できない
③迷っている

■ビップ・キャンペーン第8弾
このビップ・キャンペーンも、アレコレやってるうち8回目になってしまいました（笑）。

そこで「果たしてビップはどれほど普及したんだろう？」を確かめるために、〝ビップ・アンケート〟を大々的に実施しようと、近所にあるパソコンショップに協力を求めたんですが、面倒なことを言うもんでやめまして（笑）、比較的小規模な電話アンケートになりました（笑）。いやぁ、いるじゃないですか！　ひとりだけど（笑）。

というわけで、成果は十分確認できましたので、ビップ・キャンペーンは、一応今回で終わりにしまーす（笑）。

《ビップ・アンケート集計結果》
①あなたは〝ビップ〟を知っていますか？
YES……1人　NO……11人
②あなたは〝I－MON〟を知っていますか？
YES……1人　NO……11人
③あなたはパソコン情報誌〝EYE・COM〟を知っていますか？
YES……7人　NO……5人

まず、〝したくない〟だが、思考がループ状態に陥っている場合のほとんどが、この〝したくない〟状態である。

たとえば**マンデーモーニング・ブルー**。月曜の朝、仕事に行きたくなくて、フトンの中でモンモンとする。たとえば、友人や恋人とケンカした。謝ればいいのだが、謝りたくない。などである。

こういった問題に直面したとき、我々はどうすべきかはすでにわかっているはずだ。もちろん、〝会社を休む〟、〝謝らない〟のほうを選択するにしても。なのに〝したくない〟とはどういうことであろう。

「今日はいい天気ですね」と言われたときに、「ボク、したくない」などと言い出すのと、本質的には同じである。つまりこういうことだ。〝誰もそんなこと聞いちゃいない〟ということだ。結局ね、やるしかないわけです。

次に〝できない〟。我々はできないことをやらねばならない局面に立たされるときがある。

どっちみち〝できない〟という場合、これは**ハンかチョウか**という勝負をしているときにチョウに賭けつつも「ハンなんじゃないか」と思うのと同じくらい無意味なのだ。

そういった意味で、タバコを買いに行くのも、**槇原**のボールを打つのも同じことになる。やっぱりね、やるしかないわけです。

最後が〝迷っている〟ということ。

迷うぐらいだからどっちでもいいのではないか、というのは正しいだろう。つまりね、どっちでもいいからやればいいのである。

この世に〝ああしたからなった〟とか〝こうしたからならなかっ

■天才
我々にとって天才とは〝天才バカボン〟のことですが、バカボンのパパやハジメちゃんに比べて、バカボンが何故〝天才〟と冠されたのか、これが〝天才〟の本質を暴くポイントでしょう（笑）。

■ループ状態
〝苦悩状態〟と言い替えることも可。以前掲載した〝汎用苦悩プログラム〟を参照してください（笑）。

■マンデーモーニング・ブルー
これに〝雨〟が付加されると完璧ですね（笑）。そういうときはカーペンターズの歌をうたいながら出勤するか、それが嫌なら学校の屋上から銃を乱射するか、そのどちらかでしょう（笑）。

■ハンかチョウか
サイコロを振って、偶数なら〝丁〟、奇数なら〝半〟で、「五三墓場の丁！」とか言うわけ。「下には死人（四二）がいるよ」というわけだな、うん（笑）。

■槇原
野球の選手らしいです（笑）。

た〟ということはありえないのだ。それはまったく科学的でないと言っていいだろう。

それはすべて結果論であるし、気休めでしかない。この世にあるのは、すべて〝なった〟ことだけである。〝ならなかった〟ことなどはない。データを用いた**確率論**はどうか。いわゆる権謀術数、**電通的思考**ですね。

その場合の確率論というのは単なる商売でしかないのだ。保険と同じである。病気やケガをした、または死んだというのに、それを想定して〝安心を買う〟というぐらいの幻想と矛盾に満ちたものだ。だからね、やるしかないんです。どっちでもいいから。

☆

〝やるしかない〟ばっかり言っているが、そうなのである。なぜならばすべての生き物は〝情報処理〟こそ本来の姿だからである。

極論すると、処理するのが務めであって〝正しく〟というのが務めではないのである。情報処理の停滞が起きたとき、生き物もビッブもおかしくなる。

ちなみにワタシの事務所である〝IMO〟の**社訓**はこうだ。

①一生やる
②なんでもやる
③ほっといてくれ

これを正しいと言わずして、何を正しいと言うのか。

■確率論
確率の理論（笑）。

■電通的思考
〝30代のライフスタイル〟とか、〝今年の色〟とか、よく知りませんが、なんか、今や日本の大多数を動かしているのはそういう類のカテゴリーなんですってね（笑）。若い女性なんか、とくにそうなんですってね。いや、よく知らないんですけど（笑）。そういう話を聞いたことがありますよ（笑）。

■社訓
左に掲げましたのが、IMO（いがらしみきお事務所）の史上最強の社訓でございます！（笑）
で、〝一生やる〟。これは、あの天才ダンサー、船村マンボこと天晴まぶろ氏提唱によるものでして、とにかく一生やるト、おもしろいつまんないは二の次だト、そういうわけです（笑）。
〝なんでもやる〟。これは〝ふたりのビッブナイト〟作曲者にして、かつ、マンガも描けばビデオも撮るし用語解説だってやる（笑）クマガイコウキ提唱によるものですな（笑）。
そして〝ほっといてくれ〟。言うまでもありませんね（笑）、「ゴルフするためだけに生きている」と豪語する、いがらしみきお氏提唱によるものです（笑）。ほっといてくれ！（笑）

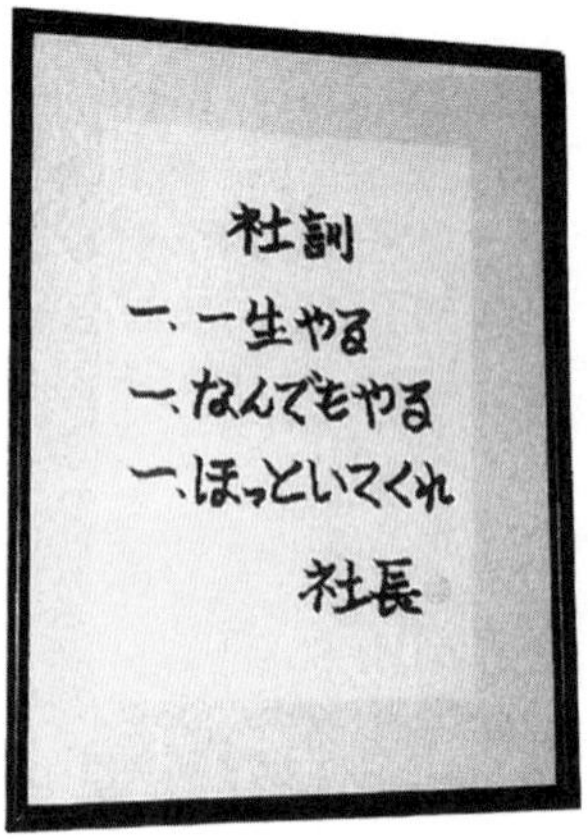
社訓
一、一生やる
一、なんでもやる
一、ほっといてくれ
社長

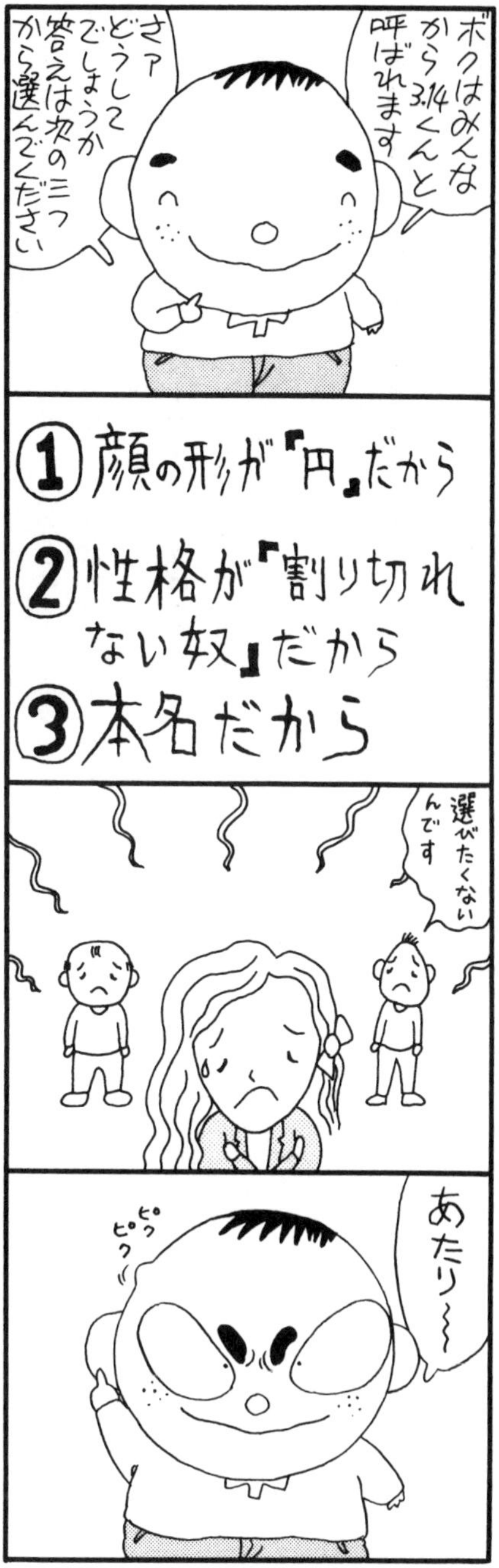
ボクはみんなから3.14くんと呼ばれます
さァどうしてでしょうか答えは次の三つから選んでください
①顔の形が『円』だから
②性格が『割り切れない奴』だから
③本名だから
選びたくないんです
ピクピク
あたり〜〜

第17回　聖書のように、マカズ、カラズ、クラニオサメズには生きていけない

関係ないようで関係あるIMONとゴルフ

で、ゴールデンウイークにはゴルフしていたワタシなんですが、とうとう**100**をきってやりました。

もっとも、工事中のホールがあって、パーが合計70のコースだったんですが、それでもこれは快挙ですね。キャリア半年のビギナーとしては。これも、ゴルフにIMON作法であるところの〝リアルタイム〟、〝マルチタスク〟、〝(笑)〟を応用してラウンドしたタマモノでしょう。

つまり、IMONはゴルフにも効くというわけです。格段のスコアアップを狙えます。え？　**ドライバー**が飛ばない？　ボールが**スライス**する？　そんなもんほっとけ！

IMONを導入して**IMONIMON**になれば、今すぐ100は**切れる！**　ワタシが今年中に**シングル**の腕前になったら、ぜひ『ゴルフで100をきるIMON』というビデオを出したいと思います。よろしく。

リアルタイムに現在の問題を考える

最近、前向きであることが好ましい。勝つにしろ、負けるにし

■100
ゴルフを始めた人にとって、「スコア100を切る」ってのが当面の目標なのよ（笑）。

ろ、笑うにしろ、泣くにしろ、ゴルフで150叩くにしろ、池に入れるにしろ、前向きであるということ。これをなくして、人間がリアルタイムであることは難しいにちがいない。

前回、〝イアシの疑問〟にしろなんにしろ、とにかくやるしかないという結論を述べたが、実際、我々は何ごとかをやり続けているかぎり、思考が深刻なループをしたりはしないようにできている。

それはひとえに、生き物としてリアルタイムである務めだけは果たしているからに違いない。それよりなにより、我々が生き物で、しかも生きているのなら、本来は思い悩むことなどなにもありはしないのではないのか。少なくとも生きているのだから。生き物としてなすべきことの第一は、〝生きている〟ことである。そして、それが生き物としての〝3・14〟なのだ。

つまり、オカネ持ちになることや、コイビトができることや、有名人になることなどは〝3・14〟の小数点第3位以下の端数でしかない。しかし、その端数のほうが問題だ、というのがゲンダイというものである。聖書にこういう一節がある。

「思い煩うな。空を飛ぶ鳥を見よ。蒔かず、刈らず、倉に収めず」

不確かな記憶ではあるが、だいたいそういう言葉だった。この言葉は、

「悩むなよ。ホラ、鳥を見てみろよ。アイツらなんかもっとバカなんだぜ。あはは。だってマカズ喰って、カラズして、クラニオサメズになっちゃうんだもん。あははは」

という意味ではない。この場合の意味は、

「空を飛ぶ鳥を見よ。彼らは種も蒔かず、収穫もせず、倉にためた

■ドライバー
ウッド1番のクラブ。一番飛距離が出る。うまく当たればの話だけど（笑）。ウッド2番はブラッシー、ウッド3番はスプーン、などというように、クラブには愛称がついているわけなの（笑）。

■スライス
打球が右に曲がること。深刻に悩んでいる人も多い（笑）。ヘッドアップや腰のスエーなど、原因は多々あるが、アウトサイドインの軌跡に問題がある。まず基本に戻ってフォームを再確認すること。フックグリップやオープンスタンスなどの付け焼き刃的措置はよくない。

■I-MON-MON
イモニモン。今までにも何度か説明してきましたが、〝I-MON搭載人間〟のことです。

■シングル
ヘタな人ほど多くもらえるのがハンディーですが、上達してついにはひと桁のハンディーになった人、これをシングルプレーヤーと呼ぶわけ。『遥かなるオーガスタ』（パソコンゲーム）ならシングルだ、という人も結構いるんじゃないですか？（笑）

■聖書
そういえば、昔MGCでモデルガンを買ったとき、説明書のことを〝バイブル〟と呼んでいるのを聞いて感激したなぁ（笑）。あの人だけがそう言っていたのかなぁ。皆はどうなんだろう（笑）。

■「思い煩うな。空を飛ぶ鳥を見よ。蒔かず、刈らず、倉に収めず」
メキシコの国民的歌手、クラニオ・デ・サメーズの新曲〝マカズカラズ〟の中の一節（笑）。いや、ウソですが（笑）。

りもしない。煩悩を捨てよ、欲望を捨てよ」

と、まぁ、こういう意味だろう。

そういう言葉が力を持っていた時代もあったのだ。しかし、今はそうではない。我々は種を蒔き、実ったものを刈り、倉にため込み、さらにそのため込んだものを人に貸したりして、さらにため込もうとする。

これでは、前述の聖書の言葉など、病気をしている者に向かって、

「なんで病気なんかするんだ！　やめろ！　病気なんか。健康はいいぞ。健康になれ」

と言うのとさほど変わらないだろう。または、非行に走った子供に対して、無理やり坊主頭にする行為の元でもある。

我々はこの世にどういうものがあって、どこになにがあるのかを教えられてしまっているし、どうすればそれを手に入れられるかも覚えてしまっている。そのやり方がうまくいくか、いかないかはともかくだ。

そうした中で、それらを無視したまま、マカズを喰って、カラズをして、クラニオサメズになれるのか。そうできる者を我々は誉め称えるかもしれない。彼は一生、病気もケガもしないで生きているに等しい。

それは称賛に値するだろうが、我々が知らなければいけないのは病人の気持ちであるし、それ以上に考えなければいけないのは、この病気にかかったままどう生きていくかということではないのか。

■環境の消費、意味の消費
〝目的意識〟という病気にかかったまま生きているのが人間ですから、我々がリアルタイムに生きるにあたって何かを消費、あるいは破壊せざるをえないのは、しょうがないわけですね（笑）。

たとえば花の観察は、まず〝花の意味〟を消費することになります。それで意味を消費された花は、今度は〝いらないもの〟として、これまた消費されちゃうわけです。

うーん、死して屍、拾うものなし（笑）。

1.目的意識
お花の観察をしよう！
2.リアルタイム
ビデオで録画しよう！
3.意味の消費
飽きてしまった・・・。
4.環境の消費
枯れてしまった・・・。

できるのではなく、すべきである情報処理

そして、IMONの3原則である〝リアルタイム〟は、その病気をしたまま生きていく方法の中のひとつでありうるはずだ。しかし、我々が〝リアルタイム〟である限り、必ずや何かを失うだろう。

社会的に見れば、自然破壊という**〝環境の消費〟**が残り、文化的に見れば流行の盛衰という**〝意味の消費〟**に加速度がつく。これもまた〝リアルタイム〟というシステムが招く、ひとつの結果であるだろう。

それは、〝まちがったリアルタイム〟であるから、そうした破壊が行なわれるのだ、とワタシは言わない。我々は往々にして〝正しい〟、または〝まちがった〟という言葉を使うが、情報処理をその使命として生きるものに〝正しい〟も〝まちがう〟もないのではないか。

みなさんも不安だろうから、ワタシはひと思いに言ってあげよう。我々は**〝正しいこと〟**なんかできはしないのだ。できるのは〝すべきである〟決断と行動という情報処理だけである。そして、その結果が正しくなかったとしても、我々はリアルタイムであることをやめてはならないだろう。それに続く〝すべきである〟決断と行動という情報処理を、継続するしかない。いかなる問題が起ころうとも、〝しない〟ことによって解決しようとしてはいけない。常に〝する〟ことで解決するしかないのだ。やめるな！　一生やれ！　なんでもやれ！　ほっといてくれ！

■正しいこと

このたびIMOが開発した〝BIBアイデアプロセッサー〟を使って、〝正しい〟ということを検証してみたいと思います。インプットしたデータは、国民的正しい見本『桃太郎』のお話です。で、プログラムにいくつかのオチを考えてもらいました。①めでたしめでたし（これはまぁ、オーソドックスですね）、②鬼の家庭崩壊！（なるほど）、③ジジイ、突如の大金にショック死！（まぁ、年寄りだから）、④慢心の桃太郎、村人に嫌われる（そうだろうなぁ）、⑤ババアが犯人である。これだけの理由（うーん）、⑥火星人襲来！　地球最後の日！（鬼は火星人だったのか）。というわけで、絶対的に正しいことなんてあり得ないと、BIBは教えてくれました（笑）。

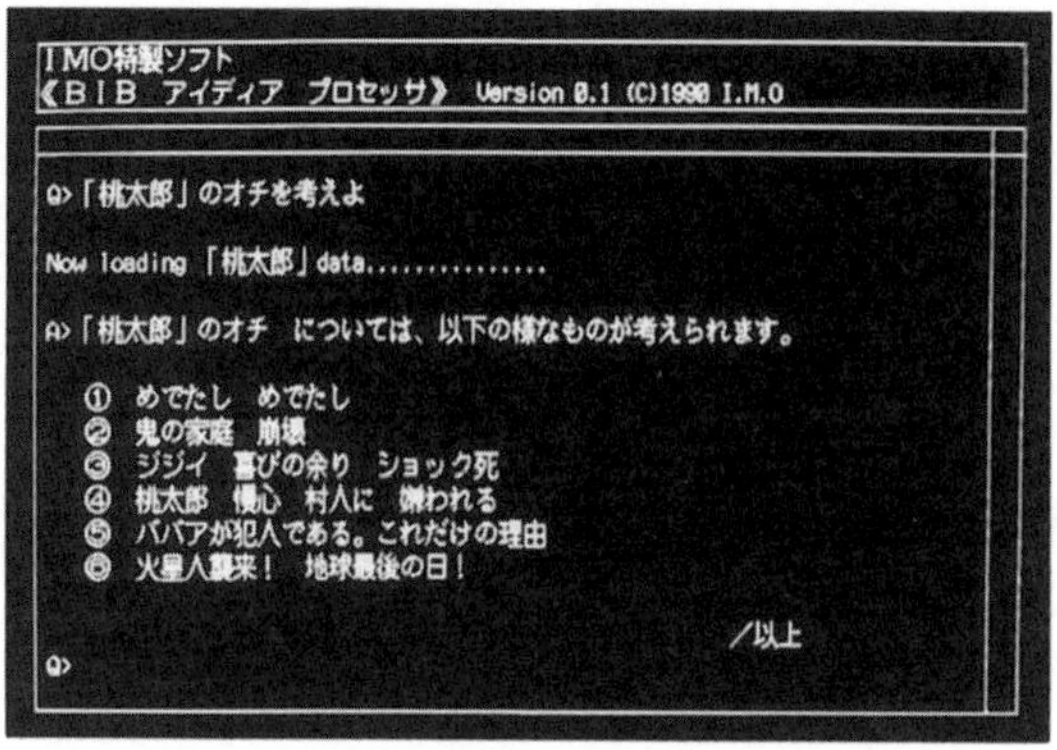
IMO特製ソフト
《BIB アイディア プロセッサ》 Version 0.1 (C)1990 I.M.O
Q>「桃太郎」のオチを考えよ
Now loading 「桃太郎」data...............
A>「桃太郎」のオチ については、以下の様なものが考えられます。
① めでたし めでたし
② 鬼の家庭 崩壊
③ ジジイ 喜びの余り ショック死
④ 桃太郎 慢心 村人に 嫌われる
⑤ ババアが犯人である。これだけの理由
⑥ 火星人襲来！ 地球最後の日！
／以上
Q>

これこそ、前向きというものです。

リアルタイムからマルチタスクへ

我々の手の内にあるのは、**情報処理の規範**だけである。その規範が倫理であったり、宗教であったり、好き嫌いであったり、**商習慣**であったり、**相撲の美**とかいうわけのわからないものだったりするだけだ。問題は、我々がそれらの規範のひとつでのみ情報を処理しがちだということではないのか。それは、シングルタスクであり、根本的には**シングルOS**であるところから発生している。現在のビッグに互換性がないことが大きな問題になっているように、我々人間にもそれほど互換性がないことは、はるか昔からうっちゃらかしていた問題であるだろう。

IMONはマルチタスクであるし、また、**マルチOS**でもある。よって、IMONとはすべてのOSの総称なのである。今考えたことだけど。そして、話は〝リアルタイム〟から〝マルチタスク〟へと進む。

IMONバグ情報

えー、前回の本文で、〝パソコン通信とIMON〟という講演のようすをご報告いたしました。で、講演終了後、「この講演を聞いて何か得るものがあった人は手を挙げてください」と言ったところ、「知ってる人は誰も手を挙げなかった」と述べましたが、その

■情報処理の規範
この図は、たとえば〝お金を拾う〟という、でき事としての情報が、それぞれの立場からの規範によりどういう処理形態を取るのか、を図解したものです。まぁ、こうなると、それぞれの立場によって情報処理は公式化しとると。つまり〝常識〟は〝情式〟と言い替えうると（笑）。で、『B-Bアイデア製造プログラム』、なになに、「ババアのアリバイ崩れる!」
……うーん。こんなヤツいねーよ（笑）。

■商習慣
ショーほど素敵な商売はない、という習慣。よくわかんないっす（笑）。

■相撲の美
二子山親方という偉い方のお言葉らしいです。よくわかんないっす（笑）。

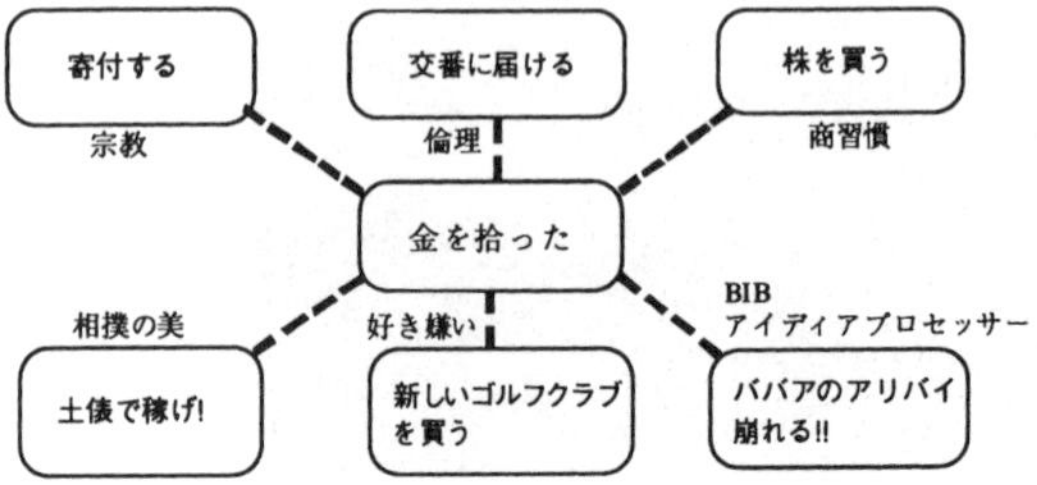

後、佐々木ミスビッグ真弓氏が「じつは手を挙げかけていた」という事実が、関係者の証言により明らかになりました。ここに訂正させていただきます（笑）。

■シングルOS
ビッグ上で、ひとつのOSしか使えないこと。逆に複数のOSが使えることを〝マルチOS〟という（笑）。

■マルチOS
というわけ（笑）。

第18回　プログラム言語Ｉｄａによって明らかにされる〝マルチタスク〟

国営放送で放映されたＩＣＢＭ製作風景

先日、ＮＨＫのテレビ取材があった。『燃えてトライアル』という番組だそうだが、放送日は6月9日なので、今ごろ書いてももう遅いだろう。

読者とワタシの間にある**1.5ヵ月光年**の距離というものは、ホントに遠いものである。運よく見た方はともかく、大部分の見なかった方のために、ちょっとソレに触れてみたい。

なんでも、テーマは〝4コマ漫画ルネッサンス〟たらいうものらしいが、ＩＭＯＮに関係した部分もある。取材当日が、ちょうど**ＩＣＢＭ**の活動の日だったので、その模様を収録させたのだ。

この原稿を書いている今は6月もまだ6日なので、ＩＣＢＭの製作風景がオンエアされたかどうかはわからないが、もし放映されたら、それは非常に貴重な映像となるであろうし、カットされていたら、なお貴重な映像になってしまうにちがいない。

みなさん、お楽しみに。あぁ、もう遅いんだっけ。

Ｉｄａは意志に近いプログラム言語だ

前回まではＩＭＯＮの3原則のひとつである〝リアルタイム〟に

■1.5ヵ月光年
原稿執筆時のいがらしみきおと読者の皆様との間に横たわる時差（笑）。何故〝光年〟になるのかは不明（笑）。

■ＩＣＢＭ
以前にもご紹介しましたけど〝Imon Cartoon Band Mind〟の略。翻訳すれば〝イモン・コママンガ・バンドの心意気〟（笑）。

ついて述べた。結局よくわからなかったかもしれないが、それもごもっとも。

　ワタシが今駆使し、みなさんがコンパイルしつつ読んでいるＩＭＯＮのプログラム言語である、この**Ｉｄａ**という言語は、決して**〝ＩＦ～ＴＨＥＮ～ＥＬＳＥ〟**などの条件式だけによって成り立っているプログラム言語ではないぶん、わかりにくいかもしれない。

　しかし、もし真に意志に近いプログラムを書くのならば、〝ＩＦ～ＴＨＥＮ～ＥＬＳＥ～〟などだけでは不十分であろう。ファジーたらいうものならば、それでも十分だろうが。我々は、洗濯機や電気釜やクーラーとはちがう。ファジれればいいわけではないのだ。

　人間のＯＳとしてのＩＭＯＮを記述するプログラムとは、意志でなければいけない。

　ではＩｄａが、〝ＩＦ～ＴＨＥＮ～ＥＬＳＥ～〟でないのならば、どんな文法をもって綴っているのか。それは〝～だ～せよ～だから〟である。つまり、イフゼンエルス文ではなく、だせよだから文である。

〝～だ〟で、状況というものをいきなり宣言してしまう。〝～せよ〟でとにかく何かやらせられる。

　そして、〝～だから〟で、従来のプログラム言語ではありえなかった、意味と理由を記述することになる。

　〝～だから〟というのは、例をあげれば〝どうせ死ぬんだから〟でもあるし、〝バカなんだから〟でもあるし、〝なにか買ってあげるから〟でもあるわけである。

　Ｉｄａとはこういう言語だったのだ。意味と理由を記述できる

■Ｉｄａ
　アイダ。ＩＭＯＮというＯＳは、Ｉｄａというプログラミング言語によって書かれるわけです。で、ＩＭＯＮの本文もまたＩｄａであると。『太陽にほえろ』でＧパン刑事を射殺したのも〝あいだ〟っていう人でしたけどね（笑）。

■ＩＦ～ＴＨＥＮ～ＥＬＳＥ～
　ＢＡＳＩＣの基本的な構文。「もし～という条件が成立するならば～という仕事をせよ。それ以外の場合は～という仕事をしなさい」という意味。

■～だ
　〝Ｉｄａ〟というＩＭＯＮのプログラミング言語が、ようやくその実体を明らかにしてまいりました。

　そこで、ＢＡＳＩＣに代表される〝もし～ならば～せよ〟という条件式分岐型情報処理（笑）とＩｄａとを比較してみましょう。

　ここであげたプログラムは以前ご紹介した『苦悩プログラム』ですが、ＢＡＳＩＣによって、解決がない場合の処理をしようとすると、まぁ、多少強引ですけどね、こういうふうになるんですよ、とにかく（笑）。言ってみれば〝非常に虚しい〟わけです（笑）。

　対してＩｄａは、礼儀正しく、思いやりにすらあふれています（笑）。オタクの生まれようはずがないの（笑）。

BASICの場合

```
100 ON ERROR GOTO *Mikaiketu
110 OPEN "KAIKETU" FOR INPUT AS #1
120  *Mikaiketu
130 A$="未解決だ"
140 IF A$="未解決だ" THEN PRINT "もうダメだ"
150 END
```

↓

Idaの場合

```
仕事だ　準備せよ　お願いだから (宣言文)
問題だ　解決せよ　実験だから
解決だ　終了せよ　もういいんだから
未解決だ　もう休めよ　なぐさめて上げるから
いいんだ　気にするなよ　遊びなんだから
ごくろうさんだ　風邪ひくなよ　季節の変わりめ
なんだから　(思いやりルーチン)
ありがとう　(終了文)
```

という、正に意志を表わす画期的なプログラム言語であるといえよう。威張ってるん〝だ〟、感心〝せよ〟、悪気はないん〝だから〟。

マルチタスクとリアルタイムは対

それでは今回からは〝マルチタスク〟について語ろう。マルチタスクは前回まで語ってきた〝リアルタイム〟と対になっている。

生き物が情報処理を務めとして生きるのなら、まず、リアルタイムであらねばならない、ということはもう言った。そして、リアルタイムであるのならば、マルチタスクでなければ意味がないのだ。

逆に、マルチタスクを実現するのならば、リアルタイムでなければ不可能でもある。我々は膨大な情報を処理して生活を営んでいる。

たとえば、会社に遅れそうだとしよう。遅れそうならば、一番合理的な交通手段についての考察というものが発生するわけだし、万が一、遅れた場合の上司に対しての言いわけも考えねばならない。

そして、情報はそれだけではない。ガスの元栓は閉めただろうか、ドアにカギはかけただろうか、このババア、邪魔だぞ、どけ！とか、昼飯代はあったかなとか、だから3時まで『**オーガスタ**』やってたりしなけりゃよかったんだとか、それと同時にババアを罵ったり、子供を突き飛ばしたり、すれちがった若い女の顔を一瞬のうちに品定めしたりしなければならないわけである。

■TV出演

いがらし氏のテレビ出演は確か2度目です。以前、NHKのローカルニュースで、インタビュー取材を受けたそうなんですが、これがひどかったらしいんですね。で、「ワシもう絶対に出んもんね」と決心していたんですが、今回ワケあって、例外措置を取ったと、こういう次第です。それで、前回に掲載されたI－CBMの4コママンガが、取材当日に描かれたものでありまして、各人、テレビカメラとライトに緊張しながらも見事に描き上げたわけ（笑）。もし前回のI－CBMが「あんまりおもしろくない」とか思っているんだったら、緊張していたから、ってことで大目にみてね（笑）。

ところで、その番組を見た方。あなたはラッキーでしたね（笑）。

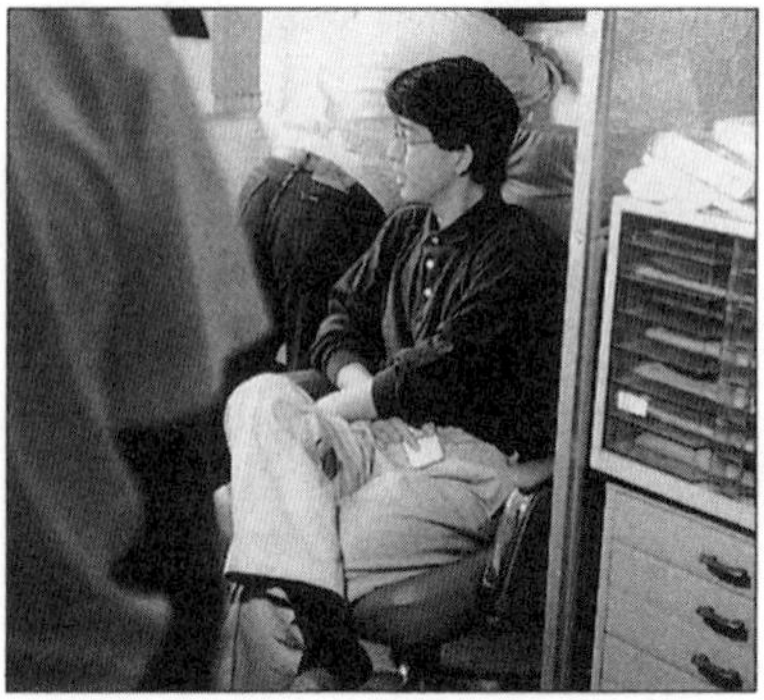

生き物のすべては情報処理の産物

このように、リアルタイムがそうであったように、我々はもともとマルチタスクでもあったのだ。つまり、〝マルチタスク〟もまた、情報処理を使命とする生き物としての本来的な姿だということ。

たぶん、ここで「人間は情報処理のために生きているわけではない」という意見も出るだろう。しかし、それはあまりにも**ナイーブ**な考えである。

我々の芸術が人間世界のアナロジーから脱することが不可能なように、我々は情報処理の生き物であることから脱することはできないのだ。つまり、我々にはやはりオリジナルがないという結論になる。

芸術もマンガも、そして愛とか感動とかいうものも、すべて情報処理の産物なのだ。

人間に過大な期待と可能性を望むのは、悪くはないが、危険でもある。こういう場合、ワタシは**「才能のないヤツがやる気を出すことほどハタ迷惑なことはない」**という言葉を思い出す。この場合の才能のないヤツとは人類のことであるが。

人類には期待していいほどの可能性はある。しかし、期待していいほどの才能はないのではないか。我々は生き物として、残念ながら天才ではないだろう。

ゴルファーで言えば、ドライバーだけは飛ぶ、しかし曲げてばかりいて、**OB**を連発してスコアがまとまらないというタイプであ

■『オーガスタ』
『遥かなるオーガスタ』(T&Eソフト)というゴルフシミュレーションゲームの名作。いがらし氏は4回優勝してます(笑)。

■ナイーブ
日本では〝繊細〟っていうニュアンスで使われていますが、アメリカあたりだと「考えが甘い」とか、「青いぞ!」といった意味になるそうです。海外旅行の際は気をつけましょう(笑)。

■才能のないヤツがやる気を出すことほどハタ迷惑なことはない
ジャズ評論家の相倉久人氏がその昔言った名言。

■OB
〝アウト・オブ・バウンズ〟の略。プレー禁止の区域。だから、ここに打ち込んでしまったら、1打罰を加えて打ち直ししなければなりません。

ろう。

しかも、**アプローチ**と**パット**は猛烈に下手である。

でも、いいよなー、ドライバーが飛ぶのは。

IMONの使命と役割

昨今の信じ難いほどの科学と技術の進歩のほとんどは、ビッグがなければ夢物語だったことばかりだ。

我々はビッグによって、少しドライバーが安定したのかもしれない。いや、ますますドライバーが飛ぶようになっただけで、相も変わらずOBの連発ばかりなのかもしれないが。

問題は技術や体力よりもフィーリングの世界であるアプローチとパットです。我々はアプローチとパットをどうやって向上させるのか。そこにこそ、IMONの使命と役割とその謎が隠されているのではないか。

つまり、リアルタイムとマルチタスクと（笑）の中に。

言っちゃったん〝だ〟。

次回に期待〝せよ〟。

べつに損はしないん〝だから〟。

■アプローチ
グリーンを狙う近距離のショット。大振りは禁物。
■パット
グリーン上でカップを狙うショット。もっとも神経を集中する。ああ、考えただけでドキドキしてきた（笑）。

昼飯何食べっかなあ
ラーメンと餃子だ
お客さんそんなに力入れないでいつもの顔でパットせよ
はい
♫ ♩ だ〜っから〜 ♫
コン
IMON

第19回 I daによってかかれたふたつのOS、I-IMONとG-IMON

ゴルフ連敗!! 要はメンタルです

ゴルフ2連敗中のワタシです。

6月に山形県の湯野浜を舞台にして行なわれた、ワタシの事務所主催の〝**IMOマスターズ**〟は3位、その1週間後に千葉県の習志野で行なわれた出版社主催の〝**バンブー・カップ**〟では5位、いずれも優勝を狙える位置にいたのに、このありさまである。

ドライバーが曲がったとか、**3パット**の連続だったとか、技術的な敗因はそれこそ**「ほっといてくれ!」**というほどあげられるのだが、問題はべつなところにあるのではないか。

たとえば、ネコのジュヌビーのサカリがいつまでも終わらずに、媚態ポーズでワタシをもう2ヵ月も悩ませていた。たとえば、この間の**NHKの番組**を近所の人みんなに見られたらしい。たとえば、この前、タンメンを頼んだのに冷し中華を持ってこられた。もうひとつ。お風呂のふろ蓋が、以前から汚れていて、ワタシはそれが気になってしょうがなかった、などなど。ゴルフというものは、そういうことが影響するスポーツなのだ。

〝**メンタル**なスポーツ〟とはよく言われることだが、ワタシはゴルフというものは、肉体よりも〝感情がするスポーツ〟だと思っている。

■IMOマスターズ
山形県鶴岡市の湯野浜温泉にある、湯野浜カントリークラブで2日間にわたって開催されたのだ。参加者は6名。優勝したのは、誰あろう、船村マンボ先生こと天晴まぶろであったのだ! 優勝をねたむ参加者から、彼が袋叩きにされたのは言うまでもないでしょう(笑)。

そう言った意味で、ゴルフこそ、ＩＭＯＮで言う、リアルタイムとマルチタスクを、一番必要とされるスポーツである。それに〝（笑）〟があれば、アナタも老若男女に尊敬され、畏敬されるＩＭＯＮＩＭＯＮゴルファーとなれるであろう。まぁ、ゴルフについての深いことは、そのうちべつな機会を設けてやりたい。

今はとにかく、連敗してしまった言いわけになれば幸いである。

Ｉ－ＩＭＯＮとＧ－ＩＭＯＮ

さて、我々が実際にマルチタスクする場合、その複数のタスクがどういう順序と序列で処理されているかというと、第一に意味によってであり、そして第二に儀礼によって処理されるのである。

これは我々の現在のＯＳというものが、意味と儀礼によって構成されているというよりも、意味と儀礼という、場合によっては矛盾し、**バッティング**するふたつのＯＳがあるのだと言える。

意味の中には、快、不快などの感情である個人的側面がすべて含まれ、そして儀礼の中に、我々の〝いやでもやらねばならない〟という社会的側面が含まれている。

そういった意味で、我々のＯＳはマルチＯＳであるし、ＩＭＯＮがマルチＯＳであらねばならないことの理由もそこにある。

問題はこのふたつのＯＳ（以降、意味のほうを**Ｉ－ＩＭＯＮ**、儀礼のほうを**Ｇ－ＩＭＯＮ**と呼ぶ）がうまく切り離されていないことであり、また、うまく連携されないところにこそ、あるのではないか。

■バンブー・カップ
『ぼのぼの』を出版している竹書房が主催したコンペ。「たとえ5位でも優勝を狙う！」と豪語していたいがらし氏は、言葉のとおり5位になりました。

■3パット
パットを3ストロークやっちゃうこと。つまり〝パットは2ストローク以内で収められなきゃ〟というセオリーが、背後にあるわけなのよ（笑）。

■「ほっといてくれ！」
〝一生やる〟、〝なんでもやる〟、〝ほっといてくれ〟以上3項目からなるＩＭＯ社訓のひとつです。

■ＮＨＫの番組
見た？『燃えてトライアル』。ＩＣＢＭの製作風景がちょっとだけど映ってたでしょ？（笑）まぁ、ああやって描いているわけだな。ははは（笑）。で、いがらし氏は、番組の中で伊達正宗になっちゃったもんだから、あれ以後〝いがらし伊達みきお〟と称してパソ通を徘徊しておるのだ（笑）。
それにしても、4コママンガの始祖が長谷川町子先生、それから分派した二大流派が、いしいひさいち先生と、いがらし伊達みきおである、という竹熊氏の分析はまったく正しいと思うの（笑）。

■メンタル
10ミリメンタル＝1センチメンタル。１００センチメンタル＝1メンタル。

■バッティング
競合とか対立とか、そういう意味でよく使いますよね。本来の意味はわかりません（笑）。まぁ、いいじゃないすか、べつに（笑）。

我々は、G-IMONで情報を処理すべきときも、I-IMONを持ち出してしまっている。

「ありがとう」と言いつつも、「誰もやってくれなんて言ってないじゃないか」などと思ってしまうのだ。

そしてまた、I-IMONで処理すべき情報にもG-IMONを持ち込んでしまうだろう。

「うーん、いい絵だ」と言うそばから、「38万円か。クルマの頭金にしたほうがいいよな」と、思うのである。

☆

我々はマルチタスクでなければいけない。なぜならば、シングルOSの場合、一度ループにはまり出すと際限もなくループしてしまうからだ。

プログラムの世界では、こういう場合の救済手段として**〝ジャンプ処理〟**という手を使う。

そして、ループ状態を救う最良のジャンプ処理こそ〝マルチタスク〟なのである。

意味をI-IMONで処理する場合、うまくいけば我々は、幸福感と言われるものを味わえる。

しかし、意味をI-IMONだけで処理しきれなくなった場合、これはほぼ確実にループ状態に陥り、絶望感というものをシコタマ味わわされることになるのだ。

そうした場合に、その絶望感というものを、G-IMONに処理させてはどうか。

絶望感をG-IMONに処理させれば、「あぁ、みっともないな。

■I-IMONとG-IMON

何かあったとき、まず私らは〝何ごとかを感ずる〟わけです。あらゆる情緒はもとより、創作の根幹だって同様です。奇麗なものは〝きれいだ〟と言葉になる以前に、〝そういう感じ〟として発生するわけ。ここの部分を担当しているのが、I-IMONになります。〝もやもや〟とか〝むらむら〟とか、そういう処理ね（笑）。

で、次にその〝そういう感じ〟は、G-IMONによって、判断され、検索され、類推されて〝きれいだなぁ〟という言葉になるのよね。だから〝そういう感じ〟がたとえ同じであっても、人によっては〝きれいだ〟じゃなくて〝かわいい〟とか〝オレじゃない!〟とか〝また負けた……〟とかわけわかんない言葉になっちゃったりもするのよ。

また、慣例化した処理になってくると、I-IMONを飛ばして、いきなりG-IMONになっちゃう場合もあったりで、これを〝慣れ〟って言うんですね。いずれにせよ、ここんとこはとても重要な事項です。

●人それぞれのI-IMON,G-IMON

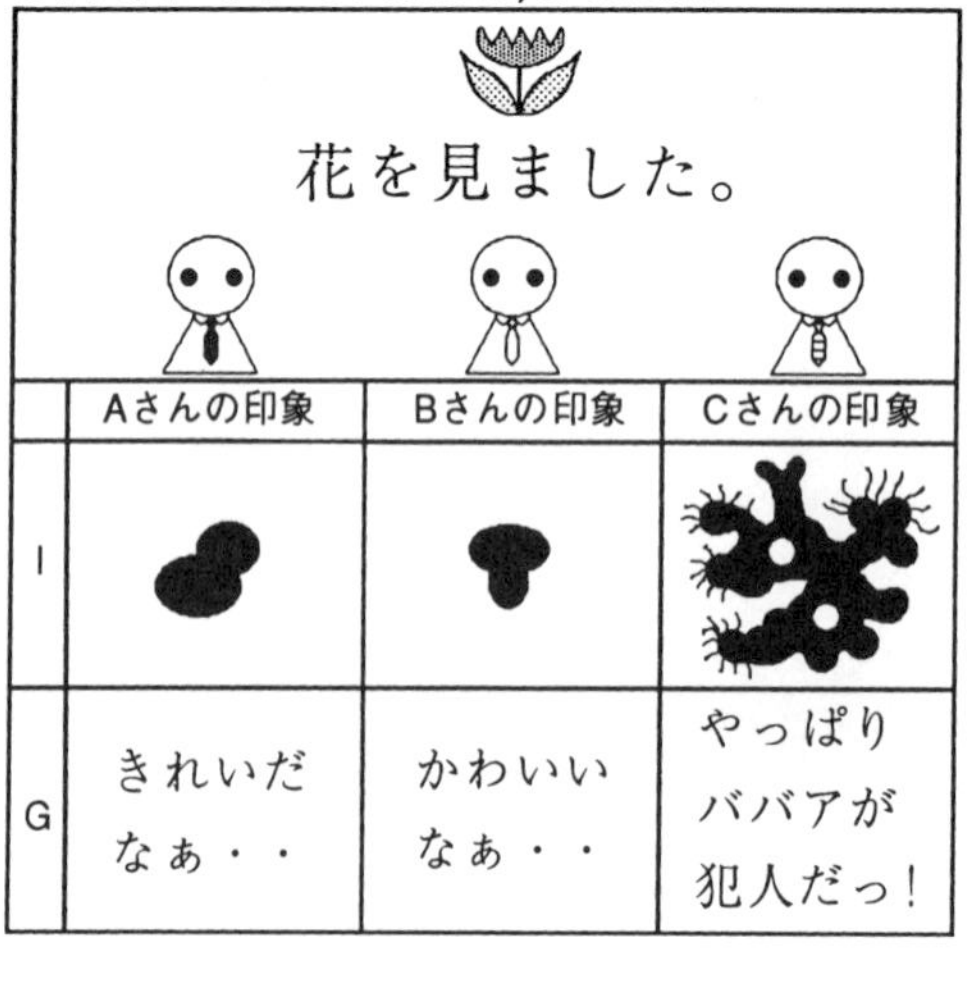
花を見ました。
Aさんの印象
Bさんの印象
Cさんの印象
I
G
きれいだなぁ・・
かわいいなぁ・・
やっぱりババアが犯人だっ！

大のオトナが」という客観性が生まれるだろうし、場合によっては「ハラへったな。とにかくメシ食おう」になるかもしれない。

はなはだしく効果が上がる場合だと、「わはははははははは」で、すべてはカタがつくだろう。

ワタシはなぜこんなに楽観したことを言うのだろう。それは、G‐IMONというものが、以上のごとく強力なOSだからである。

G‐IMONとはネガティブな存在

G‐IMONとはなにか。

我々にとって儀礼というものは、意味の記号化という、**ファイル圧縮**であった。つまり、リアルタイムの項で述べたところの、あのファイル圧縮である。

我々は年始の挨拶を年賀状という形でファイル圧縮して処理するし、日ごろのお礼というものもお中元でファイル圧縮するのである。でないと、5月になっても、まだ鹿児島県にいる知り合いのところに年始の挨拶に行っているという事態になるし、10月という中途半端な季節だというのに、長野県あたりでまだ、日頃のお世話のお礼を言いに行っているというありさまになる。

このように、G‐IMONは我々がリアルタイムに生きる術をつかさどっている。そして、これまで、G‐IMONはI‐IMONよりは**ネガティブ**な存在として語られていたのではなかったか。なぜならば、G‐IMONこそ、文化という意味の敵であり、原動力であったからだ。

■ジャンプ処理
たとえばこうです。

```
100X＝X＋1
110 GOTO 100
```

ね？　このプログラムは原則として永遠に終わらないのよ。これを称して〝ループ状態〟って言うわけ。苦悩している状態とはこういう状態なんだよってこと。だから、この状態から脱出するための処理が必要になります。たとえばこうです。

```
100X＝X＋1
110 IF X＝100 THEN END
120 GOTO 100
```

ね？　〝100回考えたらもう考えるのをやめちゃうぞ、オレは〟という処理が見事に〝ループ状態〟を打破してるでしょ？　これよ、これ（笑）。

■ファイル圧縮
データを暗号化して小さくすること。

■ネガティブ
否定的とか、前向きじゃないとかいう感じかな（笑）。

我々は「楽しい」と言う。

そして我々はいつかそれに必ず飽きるだろう。これらのメカニズムこそG-IMONのファイル圧縮機能によるものだ。つまり、〝楽しい〟もファイル圧縮されれば、ハイそれまでヨの運命であるということ。

よって、恋人たちは別れ、夫婦は倦怠期を迎え、老人は眠ることだけが楽しみとなり、漫画家はいつしか売れなくなる。

G-IMONで絶望感を処理する

G-IMONは、〝楽しい〟だけではなく、〝悲しい〟や〝つらい〟にも強力な処理機能を発揮するはずであるし、事実、巧まざるしてそうなってきているだろう。

そして、そういうG-IMONの処理機能は増大化し、普遍化しだした。それが現代というものである。

その結果として、思いわずらうことなく乙女はゴルフをし、思いわずらうことなく男子はファッションに身をやつす。

そして、G-IMONが苦手とする分野である、I-IMONの中核をなす、恋愛と宗教と快楽ばかりが生き残るという結果になっているのが現代だろう。

それは憂慮すべき事態か。

そうではない。だから、絶望感などというものは、安心してG-IMONで処理しなさい。しかしね、話はまだつづくのだ。つづきます。つづくんだからね。

暑中見舞いがこないなー
そりゃそうですよ
出しませんでしたから
へい、ジャックよ
おまえ圧縮してねぇから
そういうことになるわけよ
和彦んとこ行って
メシ食ったのか、
印象的によ
やめろよな、そういうこと
頼むからよぉ
唐代…おとうさんはおまえを圧縮しすぎたかねえ
そんなことねえよとうちゃん

第20回　儀礼と定型をつかさどるだけではないOS、G-IMONとはなにか?

執筆活動にも忙しく、ゴルフはサッパリ!?

　このたび、**SE**というところから、『パソコンを思想する』という本が出版された。これにはワタシも執筆していて、IMONについても少なからず述べている。これによってIMONは**オープンアーキテクチャー**への道を歩み始めたと言えよう。

　機会あれば読んでみていただきたい。オモシロイ本ですよ。98のマニュアルなんかは足下にも及びません。あははは。

　ほかの近況というと、ワタシの所有するBBSである〝IMOs〟で、最近は電脳4コマまんがが開発され、とうとう、いがらしみきお賞なるものが企画されたこともお伝えしておこう。こちらでもいろいろオモシロイ作品が発表されている。少なくとも○○○○○の4コマまんがよりははるかにオモシロイ。あはははははははは。

　いや、最近ゴルフしていないんで、たまってるのかな、オレ。あ、この前行ったんだ。1週間前に。あはははははははははははははは。サッパリでしたけどね。

情報処理は人間の使命、ふたつのOSのズレ

　前回は、我々の中にあるOS、意味のI-IMON、儀礼のG-

■SE
『パソコンを思想する』を出版している翔泳社という出版社のこと。

■オープンアーキテクチャー
　様式を公開してるってことだと思います。つまり、特許だ秘伝だとかって秘密にするんじゃなくて、ばーっと開放してしまってるってことでしょう（笑）。

■○○○○○
　おおーっ！　これはマズイ！　一体この丸の中にはどういう名前が入るというのでしょう？（笑）　もしかして、×××××先生かなぁ、×××××先生だったりして。それとも、×××××先生だったら、こりゃ大変だなぁ。でもきっと×××××センセでしょうね。ははははは（笑）。

IMONについて説明した。

このふたつは、以前述べた**ON、OFF**の二値のようなものである。I-IMONから生まれ出た形は、すかさずG-IMONによって定型化され、**処理される運命**にあるからだ。ヒトは〝わけのわからないもの〟こそオモシロイという。しかし、その〝わけのわからないもの〟さえも、発生したあとすかさずG-IMONによって〝わけのわからないもの〟という形容詞に定型化され、くくられてしまうのだ。

我々は結局G-IMONから逃れられない。サラ金の取り立てとか、千代の富士に左上手を取られたとか、グリーンの前に池がある、とかだったらまだ逃げ道もあるんだけどね。

そして、I-IMONとG-IMONには必ず誤差が存在する。我々がなにかの感情を伝えようとするとき、言葉にしたとたんに、「ちょっとちがうな」といつも思ってしまうのはこのためである。

このように、I-IMONとG-IMONのズレに悩まされながらも我々は何事かを伝えようとすることをやめない。

そして、それこそがワタシが言う「人間は情報処理を使命としている」という理論の根拠なのだ。

メディアという脳以外の記憶媒体

〝我々は何者なのか〟という設問を考えるときはすでに終わったろう。〝我々は何者でもいい〟という答えとともに。

自分が何者なのかわかった気になったからこそ、我々は、**財テ**

■ON、OFF
以前取り上げた〝二値理論〟の根底にある考え方。〝すべての事象は二値である〟。ONとOFF、生と死、好きと嫌い、美人とブス、バカと利口などなど〟というわけ（笑）。

■処理される運命
怖いオッサンを見る。I-IMONが「こんな感じ」を出力する。G-IMONがデータを検索し「ああ怖い」という言葉に変換する。これが、原則。だけど、人は処理の効率化を図ります。そのため、当初に発生した行程は、MS-DOSで言うところの〝バッチファイル〟として残ります。以降は〝怖いオッサン〟を見たら、このバッチファイルを実行させるだけで「ああ怖い」が出力されるという次第であります（笑）。

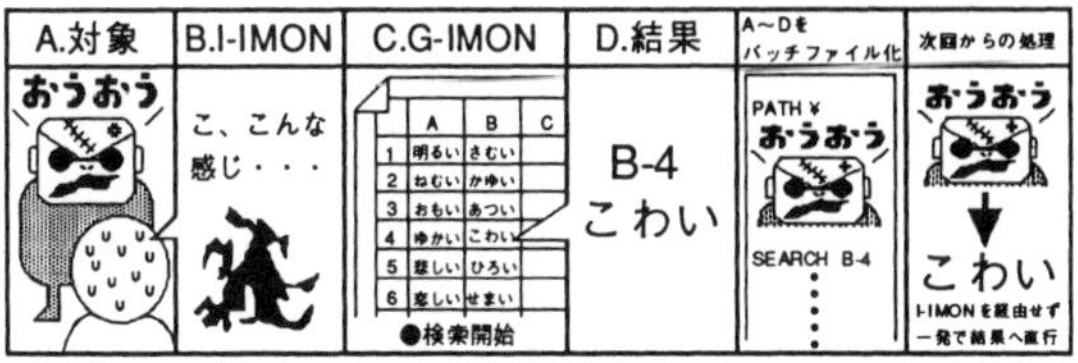

クだ、海外旅行だ、バンドだ、ゴルフだ、などとハシャいでいるのである。ひと仕事終わったあとの**バケーション**のようなもんだ。

〝何者かでありたい〟と思っている人々はまだいるのだろうが、しかしね、遊ぶときに遊べないヤツはダメだよ。つまり、マルチタスクね。

その〝我々は何者でもいい〟という答えを出したのは、いわゆる**文科系の不良**のシゴトだったろう。そして、それは我々のOSがシングルOSの時代のことであったはずだ。

かつて、I-IMONとG-IMONが、まだひとつのOSのようでありえたのは、I-IMONもG-IMONもそれほど膨大なメモリーではなかったので、我々の脳の中で、ひとまとめのものとして完結していたのではないか。

だからこそ、意味と儀礼の完結において、ご家庭内のおつきあい、ご近所とのおつきあい、お友達とのおつきあい、お社会様とのおつきあいに異質なものが入り込む余地は少なかっただろう。

つまり、我々はあらゆるところに存在したルールに、それほど疑問を持たずにすんでいたということ。

しかし、現在はそうではない。いつからか、我々のI-IMONとG-IMONのメモリーは増大しはじめ、脳という記憶媒体には収まらなくなった。我々は、自らの脳以外にメディアという、膨大な**外部仮想記憶領域**を持つに至ったからである。

■財テク
まぁ、どうせ世の中、カネだからな。せいぜい蓄財に励めばいいさ。このバガヤロどもが！（笑）

■バケーション
V、A、C、A、T-ION楽しいーな（笑）。弘田三枝子さぁ〜ん！（笑）

■文科系の不良
いわゆる〝不良〟がコレに当たります。対して〝理科系不良〟の代表格が〝おたく〟ってやつですね（笑）。

■外部仮想記憶領域
現代社会は〝加工処理済み〟のG-IMONで溢れているト、メディアというものがまさにソレであるト、そういうことですね。言ってみれば、内部記憶領域が〝天然食品〟、外部が〝加工食品〟ですね。そして我々は、生モノを食うと下痢しやすい体質になってるんでしょうね、きっと。

世の中に対する3歳児的な恐怖感

なぜまたもやメディアなのか。メディアこそがI-IMONとG-IMONを増大させた最大の原因であり、そして結果なのだ。ワタシが3日も前から考えていた結論なのでまちがいない。

我々はメディアによって、溢れるばかりの〝意味〟と使い切れないぐらいの〝定型〟を持つことになった。

かくて我々は、膨大な意味と定型のデータの、それぞれがつながれるべき、定型と意味を検索するという気の遠くなるような作業にあきれ、とうとう「どうでもいいんじゃなーい？」という定型の切り札でトドメをさすことになる。

いや、ワタシは〝どうでもいいんじゃなーい？〟を批判しているのではない。たいがいのことは、ホントにどうでもいいことなんだからそれは正しいのである。

問題は、このままでは世の中がどうでもいいことばかりになってしまうのではないかという、**3歳児**的な恐怖感である。

それは「このまま人間が増えていくと、そのうち日本中がお墓だらけになってしまうんじゃないかなー」というようなものかもしれないとしてもだ。なにが「どうでもいいんじゃなーい？」という言葉を吐かせるかというと、それはG-IMONのなせる技である。

メディアによって、I-IMONはドンドン拡大されるが、G-IMONはそれ以上にI-IMONを浸食し、バンバン強力になり、すべてのI-IMONを記号化してしまう。大概のことが〝どうでも

■3歳児
いがらしみきおが『コミックバーガー』というマンガ誌に連載している『3歳児くん』を、ぜひ参照してください。IMONを理解する上で、とてもいい参考書になりますよ。いやほんと（笑）。

●自分で処理加工する
●周りは全部G-IMON
いろいろ
いろいろ
いろいろ
いろいろ
いろいろ
いろいろ
I
G
テレビ
新聞
ラジオ
雑誌
ビップ
メモ
I
G
天然食品(自炊派)
加工食品(外食派)

いい〟ことならば、我々にこの先やるべきことが何か残されているのだろうか。

　それともこのバケーションは、半永久的超ロングバケーションであって、我々はずーっと遊んでるしかないのだろうか。死ぬまで。それもいいけどね。

表現を司どるG-IMON

「我々は何者なのか」ではなく、もはや「我々は何をすべきか」なのである。我々はなにをすべきなのだろう。**ワープロ、データベース、表計算、通信**以外のビッグの新しい使い方を誰も考え出さなくなった今、ビッグは退屈なものになりつつある。それと同じように、我々の新しい使い方を誰も指し示してはくれないまま、我々もこのまま退屈な生き物になってしまうのだろうか。

　我々の新しい使い方のカギはG-IMONが握っている。G-IMONとは、儀礼と定型だけではなく、表現というものすべてを司どるものなのだ。マンガ家はI-IMONで考えたことをG-IMONで表現し、映画監督もI-IMONで考え、G-IMONで映画を撮る。それでは一般のみなさまにとってのG-IMONとはなにか。そして表現とは。それは〝人間関係〟のことだ。わかんない？

　エイ、もう1回続く！

■ワープロ、データベース、表計算、通信
　ほんと、今やビッグはこればっか。これ以外だと、コンピューターグラフィックと音楽くらいでしょ？　勤勉な人が多いんですねぇ（笑）。例外は〝通信〟かな？（笑）　でも、〝I-MOs〟にはアクセスしないほうがいいですよ。「目的？　んなものあるわけないだろ！　ここは人間関係の開放実験室だ！」（笑）っていうところですからね（笑）。大手の実用主義ネットが無難です（笑）。

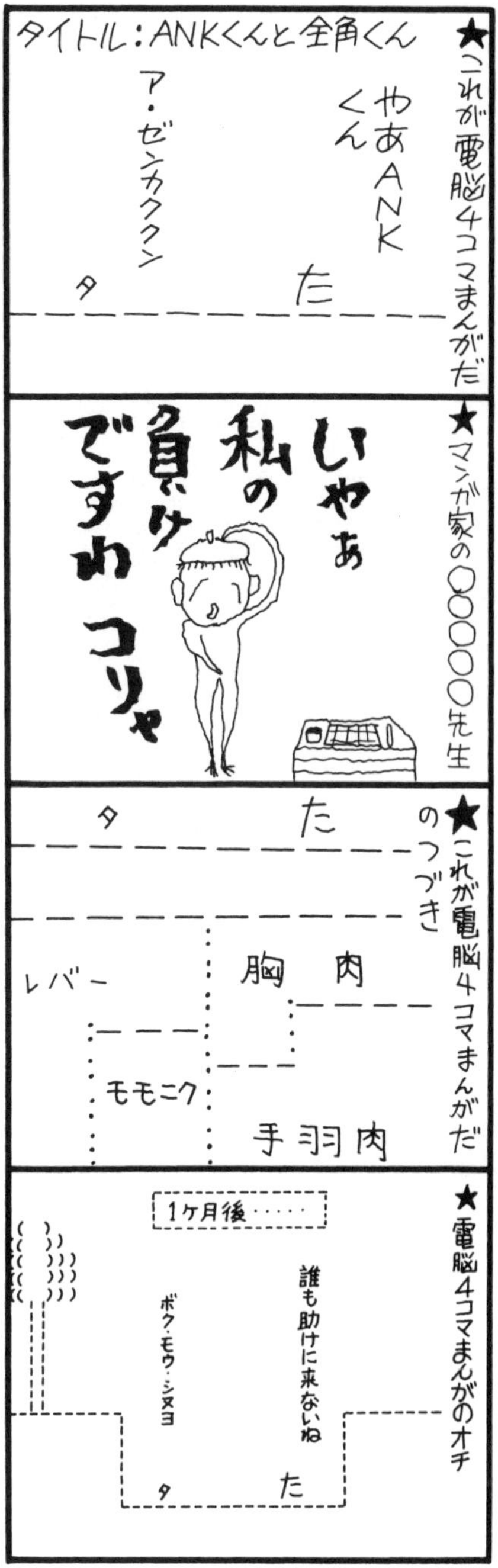
タイトル：ANKくんと全角くん
★これが電脳4コマまんがだ
やあANKくん
ア・ゼンカククン
タ
た
★マンガ家の○○○○○○先生
いやぁ私の負けですわ
コリャ
★これが電脳4コマまんがだのつづき
タ
た
胸肉
レバー
モモニク
手羽肉
★電脳4コマまんがのオチ
1ケ月後……
誰も助けに来ないね
ボク・モウ・シヌヨ
タ
た

第21回　一般の人にとってのG-IMON、表現とはなんだろうか？

フセインにIDを！　パソ通で平和になる？

いやー、暑い、暑い。暑いのはいいなぁ。ワタシは先日、とある出版社の〝キャリア半年で100を切る〟という企画で、はじめてシゴトとしてのゴルフをしたのです。そして、そこで見事100を切ったのである。**99**だったけど。あははは。

あはははとか言いながらゴルフしてたら、**イラク**という国が戦争を始めたらしい。今どき、正面きって〝戦争〟なんてことをやる国がまだあったとは。

今の世界では〝戦争〟というものさえも、G-IMONによってすでに記号化されたと思っていたはずだが、〝宗教〟と〝主義〟の国はこれだから困る。これらの国はIMONでいうところのシングルタスク、〝シンタス〟の国である。こういうところにはイヤというほど情報をブチまけてやればいい。そうすりゃ情報に疲れて戦争なんてヤル気もしなくなるもんだ。

ワタシはイラクに**パソ通**が広まることを期待したい。パソ通をやると戦争なんてやる気しなくなるよ。複雑な意味で。あはは。

■99
ゴルフで100を切るというのは、ひとつの目標でありまして、この〝99〟ってのがはたしてどれほどのことかって言いますと、そうですね、ボウリングのスコアで言えば〝165〟って感じでしょうか（笑）。

■イラク
フセインよ、パソ通やってみろって。IDやるから（笑）。

■パソ通
パソコン通信の略。くわしく知りたい方は〝アイコンネット通信〟のコーナーをご参照されたらいかがでしょう。

おつきあいこそマルチタスク

さて、〝マルチタスク〟の項は今回が最後である。

前回は〝一般のみなさまにとってのG-IMONとは、表現とはなにか〟というネタふりで終わった。

つまり、マンガ家や、そのほかのいわゆる〝文化に携わる方々〟は、I-IMONで考え、G-IMONで表現するのだが、一般人にとってG-IMON、または表現というものがどういう意味を持つのかということ。一般人にとって表現すべきことはあるのか。

結論から言おう。一般人にとって、**〝人間関係〟**こそがG-IMONによって表現すべき対象であり、**フィールド**になったのではないか。

すなわち、〝人間関係〟は、ここにきて〝作品〟になるということだ。

前回ワタシは、かつての我々にとって、ご家庭、ご近所、ご交遊、お社会様とのおつきあいに異質なものが入りこむ余地は少なかったと言った。しかし、我々がメディアという膨大で種々雑多なG-IMON情報にとり囲まれることによって、シンプルなかつての〝おつきあい〟というG-IMON情報にも、混乱をきたした。

誰かに「ありがとう」と言われれば、「コイツ、ホントにそう思ってるのか?」とか、「コレあげる」と言われれば、「何か売りつけるつもりだろう」とか、「ばかやろー!」と怒鳴られれば、「ふふ、オマエよりはバカじゃねえよ」とか。

■人間関係

人間関係はどんどん卑近に、そして高密度化しています。これは、かつては人間関係という社会活動へ参加し得なかった人々までが、じゃんじゃん進出してきたからなんですが、じゃあ、それはなぜかっていうと、やはり〝人口増加〟が原因でしょうね。

つまり、今後の人間高密度社会へ向けての、人類の進化のワンステップではないかと、そう解釈できるのではないでしょうか（笑）。バージョンアップしなきゃ、これからの人間関係は（笑）。

■フィールド

殺し合いをする場所のこと（笑）。

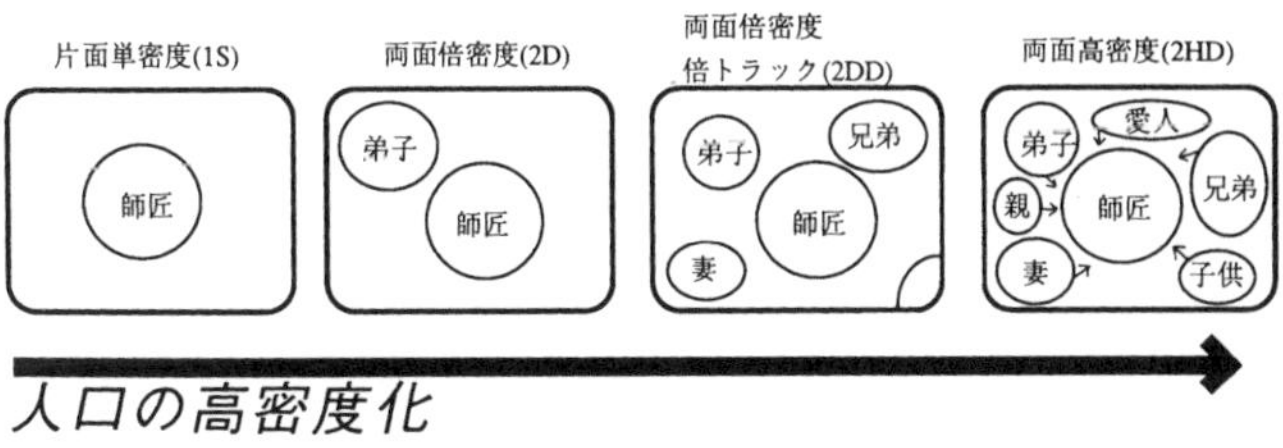

片面単密度(1S)
師匠
両面倍密度(2D)
弟子
師匠
両面倍密度
倍トラック(2DD)
弟子
兄弟
師匠
妻
両面高密度(2HD)
弟子
愛人
親
師匠
兄弟
妻
子供
人口の高密度化

結局、我々は**ひと筋縄**ではいかなくなったということだ。

ひと筋縄ではいかなくなったからこそ、戦争という、結果が見えてることをやらなくなったのだが、片一方で、ひと筋縄ではいかなくなった者同士の人間関係は、ご家庭で、ご近所で、ご友人の間で、そしてお社会様の中で混迷を極めることになる。

近年クローズアップされてきた〝人類の問題〟として、**原子力の危険**、**環境破壊**の問題などあげられるが、誰も〝人間関係〟などとは言い出さなかった。こんなこと言うのはＩＭＯＮだけである。

なぜならば、人間関係はあくまでも個人で解決すべきパーソナルな問題だとされていたからだろう。

しかし、原子力の危険にしろ、環境破壊にしろ、それらはハードの問題なのだ。我々個人がクーラーを使うのを控えたり、ヘアースプレーや割り箸を使うのを控えたからといって改善される問題ではないことをワタシは断言しておきたい。

ハードの問題はハードで解決するしかないのである。カネがないのと同じである。カネがないから節約しようってんでしょ？

ハードの問題はハードで、ソフトの問題はソフトで

それでは、ソフトの問題はどうなのか。

かつて人間には〝我々は何者なのか〟というソフト上の問題があった。ゆえに、そこここで若者やオジサンが、〝人生とは〟とか〝生きることとは〟とか〝愛とは〟とかについてコジツケた理屈を言っていたものである。

■ひと筋縄
2本以上のロープを使用しないと絶頂に達しないことを「ひと筋縄ではいかない」と言う。一部愛好者の間でのみ通用していた言葉が大衆化した好例。もちろんウソである。

■原子力の危険
しかしなんですよね、べつに他意はまったくないですけど、〝むつ〟ってのを見聞きするにつけ、「本当に日本は技術大国なの？」って感じしますね（笑）。

■環境破壊
環境問題について最近もっとも興味深い発言はこれでしょうね（笑）。「ハードの問題はハードで解決するしかない」（いがらしみきお『ＩＭＯＮを創る』より）

今はどうなのか。そこここの若者とオジサンはどうしているのか。そこここの若者とオジサンは、〝人間関係〟について語っているのではないか。みなさんだってご自分でそう思うでしょ？ 〝今、自分にとって一番大きい問題は人間関係だ〟って。オカネがないことですか？ それは、ハードの問題なんです。オカネはハードなんです。だからハードでしか解決はつかない。そういうハードの問題を抜きにした場合はどんな問題が残りますか？

ね？ 〝人間関係〟でしょ？

え？ 恋愛問題？

それはね、**恋愛**というものが〝人間関係〟の**極北**なんです。その極北のもっと**ドンヅマリ**にあるのが**家族**ってもんなんです。

かつて〝おつきあい〟だったものが、今では〝人間関係〟と呼ばれる。それは単に言葉を変えただけではなく、まったく異なったものに変質したのではないか。

我々は〝人間関係〟をまるでシゴトのように対処しはじめているはずである。ただ、この〝シゴト〟には給料が出ない。いきおい、我々のこのシゴトはネガティブなものになる。

しかし、給料の代わりに〝快感〟をもたらすことはできるのではないか。マンガ家にとって、たとえ売れなくとも、その作品がいくばくかの快感をもたらしてくれるように。

傑作となる人間関係を芸術家のように創る

ＩＭＯＮは〝人間関係〟を作品という見地から捉えたい。

■恋愛・家族
ゴリ押しの人間関係でもって、「あの女はもともと俺のものなんだよ！」とか、わけのわからないこと言いながら、ペルシャ湾という家族へ至るため、イラクはクウェートに侵攻したと（笑）。好いた芸者に、とことん嫌われて、それでも「てめぇ！」とか言いながら強引に身請けしようとする悪い親分と同じ（笑）。それによっていったい何が満たされるというのでしょうねぇ（笑）。

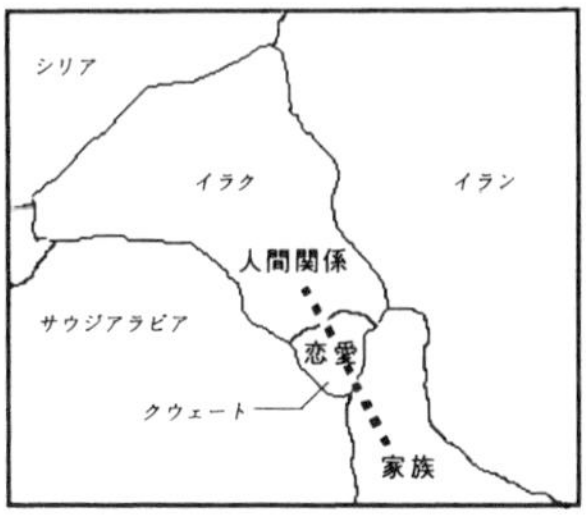

■極北
〝北の果て〟ってことですけど、普通は「ああ、行くとこまで行ったなぁ……」というニュアンスで使います。使用上注意しなければならない点は、〝北〟という言葉が含まれる以上、〝究極〟とか〝絶後〟とかより、どことなく寂しげでなければなりません（笑）。

■ドンヅマリ
「もうどこにも行き場がない」ということ。ヤマタノオロチに追い詰められ、逃げ場を失った娘〝丼津真理〟の名前に由来するという説と、山寺のおしょうさんが崖っぷちで手鞠をついている様を称したとする二説があるが、確証に欠ける。

確かに、今現在、我々のタッチしている人間関係は無駄ばかりであるかもしれない。

それは我々にはまだ技術がないからでもあるだろう。

たとえば、〝リアルタイム〟、〝マルチタスク〟、〝(笑)〟という技術が。この3つの技術があれば、作品としての、傑作である人間関係が創れるかどうかはワタシにもわからない。今はまだ、〝人間関係〟が我々のテーマであるとは誰も言わないし、そしてそれはまだ始まったばかりだ。どこで始まっているのか。

〝パソ通〟でである。

そして、パソ通こそが作品としての人間関係を創る**実験の場**にもなるはずであるし、事実それを無意識に実践しているのが、いわゆる**パソコンオタク**なのではないのか。

そのへんのことは、べつに第4部で〝IMONとパソコン通信〟の項を設けてやりたいと思っている。

☆

我々は、作品に対する芸術家のように、熱く、そして醒めながら人間関係に接さねばならないだろう。

そのための〝リアルタイム〟であり、〝マルチタスク〟、そして〝(笑)〟なのだ。

〝リアルタイム〟にしろ〝マルチタスク〟にしろ、そう簡単に会得できることではない。

しかし、それらをスムーズに遂げるためのもので、またはその根拠で、そしてどうしてもビッグには持てないものこそが〝(笑)〟である。それでは次回は〝(笑)の巻〟を。というネタフリをして今

■実験の場
いがらしみきおが主宰するパソ通ネット〝IMOs〟において、緊急アンケートを実施した結果を左記にあげます。

■パソコンオタク
〝オタク〟についてはですね、『IMONを創る』第8〜11回をご参照くださいませ。

IMON大アンケート

(1)パソコン通信は便利だと思いますか?
思う・・・7人　思わない・・・1人
*「思う」には「電子メールは便利だ」といった限定的なものも含む

(2)パソ通によって何か得られましたか?
得られた・・8人　得られなかった・・0人
*「得たもの」の中には「つまらないメッセージの書き方」といったネガティブなものも含む

(3)パソ通は人間関係だと思いますか?
思う・・・5人　思わない・・・3人

<ご協力いただいた方>
SENZAKI,ISSEI,KAWAKAMI,YUKIKO,KIKUCHI,&AND&,MAYUMI,OGATA

回はしめくくりたい。

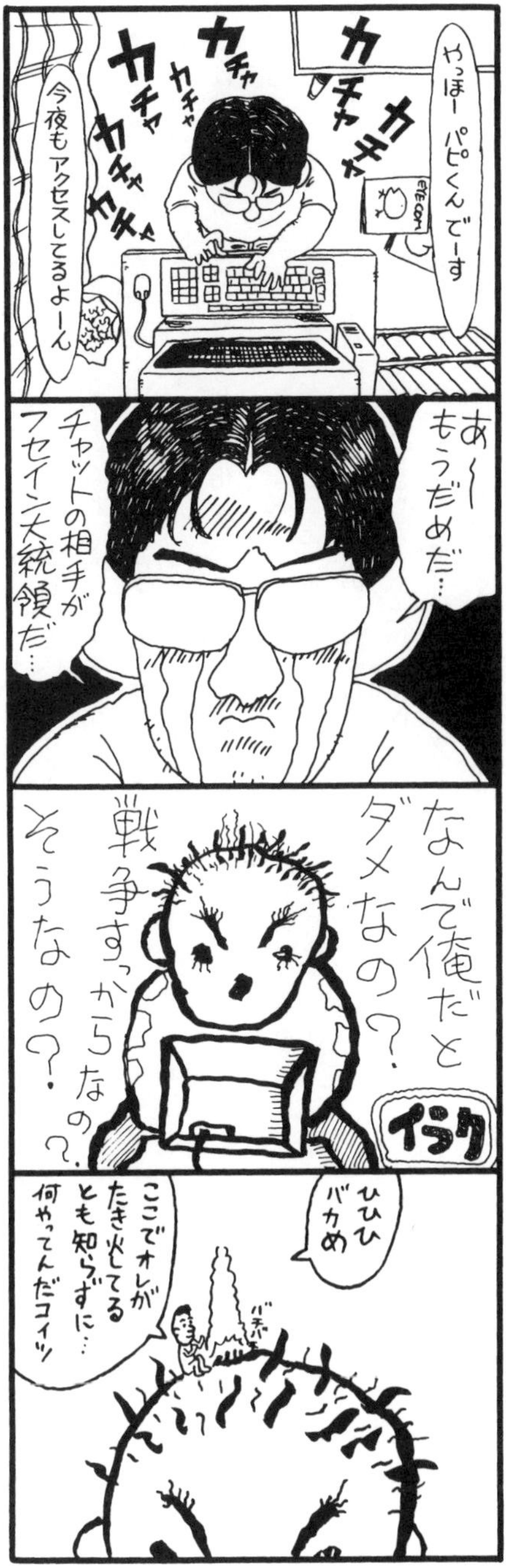
カチャ カチャ カチャ カチャ カチャ カチャ
やっほー パピくんでーす
今夜もアクセスしてるよーん
あ〜 もうだめだ…
チャットの相手がフセイン大統領だ…
なんで俺だとダメなの?
戦争すっからなの?
そうなの?
イラク
ひひひ バカめ
ここでオレがたき火してるとも知らずに…
何やってんだコイツ

第22回　今回は方程式を使って解説をするＩＭＯＮの3原則〝（笑）〟の項

待望のＩＭＯソフト第2弾の登場だ!!

まだ暑い日が続いてますね。

昨日今日が帰省Ｕターンラッシュのピークだそうだし、このＩＭＯＮ住宅のある地域でも、今は夏祭りラッシュで、ワタシのいる町内の盆踊り大会ではなんでもたけし軍団の**松尾伴内**を呼ぶんだそうである。松尾伴内がひとりでなにをするのだろう。泥の中に飛び込んだり、すごく熱いおでんを食ったりするんじゃないだろうな。

さて、昨年各方面の雑誌でとりあげられ、大反響を巻き起こした『**トーキングぼのぼの**』に続く、**ＩＭＯＮ認定ゲームソフト**第２弾が我が事務所、**ＩＭＯ**の手によって、このたびようやく完成した。これは世界初のパソコン通信をゲーム化したもので、その名も『ＢＢＳちゃん』と言う。

この『ＢＢＳちゃん』をプレーすることによってパソ通というものの実態と本質に触れ、前回も言った、人類のこれからのテーマである〝**人間関係**〟というものにさえ思いが及ぶという構図になっている。つまり『ＢＢＳちゃん』は、**コンセプチュアルソフト**なわけです。そして、トーキングぼのぼのと同じく、目的とか**アイテム**とか**ゲームオーバー**とかそういうカッタルイものはないゲームでもある。

■松尾伴内
いがらし先生のお話ですと、「なんだかすごくいい人なんじゃないか?」ということでした（笑）。

■トーキングぼのぼの
ＩＭＯＮ認定ソフトの第1弾です。人工無脳型会話ゲームでありまして、まだ通販しております（笑）。送料オール込み３３００円です。

■ＩＭＯＮ認定ゲームソフト
いがらしみきおが〝これはＩＭＯＮのコンセプトとリンクした素晴らしいゲームソフトである〟と認定したもののことでして、現在までに2本あります。

いよいよ、通信販売開始です。お値段も2980円！　お嬢ちゃん、田舎のオジさんからおこづかいいくらもらったの？　安いよ安いよ！　2980円だからね。買わないと絶対ソンするよ！

IMONの第3原則、（笑）のテイストとは？

今回から2、3回ほどの予定で、IMON3原則の最後〝（笑）〟について述べたい。

これまでほかの2原則である〝リアルタイム〟、〝マルチタスク〟の意味と効用について述べたわけだが、たぶん「むずかしい」、「よくわからない」、「夏バテになった」などの感想が多かったかもしれない。

「世の中、キミたちのわかることばかりではない」などと言うつもりはないが、物事は核心に迫れば迫るほどむずかしくなっていくもんです。

松尾伴内は、あれほどわかりやすい人間のように見えても、ひと晩一緒に酒を飲んでみたらわからないよ。**そのまんま東**の嫁さんに惚れてたかもしれないじゃないか。そんなことないか。あはは。

実際、核心に迫れば迫るほど世の中むずかしいことばかりである。しかし、核心の核心に迫ったとき、物事はこの上なく単純なものになるのではないか。まるで台風の目に入ったときのように。

IMONでは、すべてのことの核心の核心は〝（笑）〟であると考える。核心の核心（以降これを〝**K点**〟と呼ぶ）が〝（笑）〟であるという例はいくらでもある。それこそ**森羅万象**すべてのK点は

■IMO
〝いがらし・みきお・オフィス〟のことです。〝イモ〟ではなく〝アイエムオー〟と読みます（笑）。

■人間関係
旧来の、いわゆるコミュニケーションとは違うんだ、ってことだけ、とりあえずお含みおきください（笑）。

■コンセプチュアルソフト
とにかく開発しちゃえば目的は達せられる、あるいは、とにかくプレーしちゃえば目的は達せられる、といった類のソフトのこと（笑）。

■アイテム
魔王をやっつけるためには〝黄金の剣〟が必要だ！　などといった、まぁ、ゲームにつきものの退屈きわまりないゲーム進行上必要な道具のことです。

■ゲームオーバー
えー、少なくともですね、ゲームオーバーのあるゲームは、IMON認定ソフトとして失格になります。この理由がわからない限りIMONからのお墨付きはもらえないわけですね。もっとも、もらえなくても痛くもかゆくもないというのが現実でしょうけど（笑）。

■〝（笑）〟
3分間凝視してください。どう？　おかしいでしょ？

■そのまんま東
いい人なのかどうかは知りません（笑）。

〝(笑)〟であると言ってもいいので、それらの森羅やら万象やらをいちいちとりあげることはできないが、例によってＩＭＯＮ流に森羅を独断し、万象を偏見してみたい。ただ、その前にやらねばいけないことがある。つまり、〝(笑)〟とは、はたして どんな**テイスト**か。

(笑)の論理的定義と非論理的定義

我々は日常、出版物を目にするとき、〝(笑)〟を発見する。対談とかインタビューなどに散在するあの〝(笑)〟である。

虚心坦懐、３歳児に返ったつもりで、あの〝(笑)〟を見てみると、どこかマヌケである。そうでしょ？〝(笑)〟という模様をジーッと見てみてください。なんかマヌケでしょ。

我々の中に、〝笑〟という文字に対してのＧ-ＩＭＯＮができているから、そう感じるのだということは承知の上で言っているのだが、やはりおかしいことはおかしい。

今ワープロで漢字変換してみてはじめてわかったのだが、おかしいというのは〝笑ってもいい〟とか〝笑うことができる〟という意味でもあるようだ。

そうなのだ。〝笑ってもいい〟、〝笑うことができる〟。これが〝(笑)〟というものの論理的定義である。そして、笑う、笑わないにかかわらず、〝(笑)〟という文字を見たとき、我々の中に発生するＩ-ＩＭＯＮこそが〝(笑)〟の非論理的定義ということになるだろう。

■K点

〝IMON左手の法則〟はどうして左手なのか？ 右手じゃダメなのか？ という点ですが、これは、どういうわけか左手のほうがやりやすかったから、という理由によるものでありまして、「いや、オレは右手のほうがやりやすい」という人は、どーぞ右手で。当方としましては、いっこうに構いません。というわけで、みなさま練習に励んでくださいね（笑）。

IMON 左手の法則

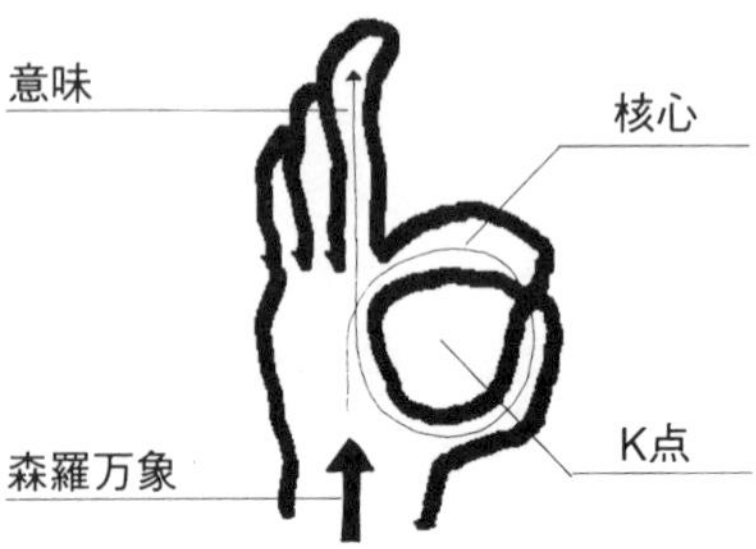

■森羅万象

〝しんらばんしょう〟と読みます。意味は辞書をご参照ください（笑）。

■テイスト

ああ、試験のことですね？ 〝国語のテイスト〟とか。もちろんウソ。ほんとはよくわかりません（笑）。

■虚心坦懐

〝きょしんたんかい〟と読みます。意味は辞書をご参照ください（笑）。

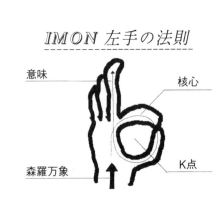

これが〝（笑）〟のテイストというわけです。

K点は〝（笑）〟なのか？　方程式で謎を解く!?

さて、森羅万象、すべての事物の核心の核心である〝K点〟はどうして〝（笑）〟なのか。

これについては〝すべて結果は同じ〟なのだから、なんらかの方程式を持ち出すのが一番説明が通りやすいし、そのほうが〝（笑）〟でもあろうから、ちょっとやってみる。

エーと、$K = \chi\alpha \times (\omega - \omega)$

ナンダ、これ。わはははははは。

いやー、1時間考えてコレなんだからやめたほうがいいな。あはは。

つまり、K点というものは価値や意味をはぎ取った状態のことである。

価値や意味に肉迫することが、核心に迫ることであるのならば、その核心の核心、つまりK点は、それらの価値と意味をもはぎ取った結果でなければならないだろう。

なぜならば、それらの価値観と意味は我々が自ら創り出した勝手な決まりごとでしかないからだ。たとえば、オカネのようにね。

それら作り出された価値と意味が付随する限りK点とは言えない。

K点とは、作り出されたあらゆる価値と意味を除いた地点である。K点にたどり着けば、我々にとっての森羅万象はただ単に森羅万象なだけで、なんら価値も意味もないという結論が出るのだ。これを

■$K = \chi\alpha \times (\omega - \omega)$
この式が導き出す結果にどういう意味があるのか!?　というと……、そう、まったく無意味だということです（笑）。

K……K点
χ……森羅万象
α……時間
ω……意味

もって、虚しいと感じるようではまだまだ人生修行が足りないよ。これをもって〝(笑)〟を感じなければ、これから先の話は、マニュアルも読まないで、シミュレーションゲームをプレーしようとするのに等しい。

森羅万象は森羅万象でしかない、我々はどこにもいない幽霊を見ているのに等しい、ということを、我々は薄々感じていただろう。そうしたことをここで改めてあからさまにすることは、ワタシにとって、この上なく、まるで「人殺しはよくない」と言うのと同じくらいみっともないことである。しかしね、これは必ずや知っておかねばならないことなのだ。「人殺しはよくない」と言うのと同じように。

☆

価値と意味を教育する最大のシステムが学校というものであるが、そこでは、K点のことを決して教えてはくれない。なぜであろう。〝我々と我々をとりまく世界は本質的には無意味だし、空虚である〟などと言おうものなら、翌日から誰も学校なんかには出て来なくなるからだろうか。家に閉じこもって親指をしゃぶったまま「あばばばば」とか言ってるだけになるからだろうか。

我々はすでにそこまでナイーブではない。たかが学校やIMONでそう言ったからといって信じるヤツはそう多くはないだろう。だからIMONではわざわざ言う。

K点＝(笑)

これがたぶんこれからの時代のルールである。

ははははははははははは
はいっ
ピタッ
もど～～
マツオバンチイで～す
はははははははははははははははははははははははははははははは

第23回　I MONの3原則〝(笑)〟を科学的に現象学で立証してみる

これからのトレンドは時候の挨拶!?

あー、そろそろ秋風が立ってきましたね。

この連載も最近は季節の挨拶での始まりが多くなったが、この季節のご挨拶というものはなかなかいいものである。

晴れの日は「いい天気ですねー」、雨が降ると「降ってますねー」、暑いと「暑いですねー」、寒いと「寒いですねー」、風が吹けば「風が強いねー」、雪が降ると「積もりますかねー」、台風になると「困りましたねー」などと言ったりする。当たり前のことをわざわざ言っているだけである。

ここに当然、〝情報〟というものはない。みんな知ってることばかりだ。そりゃあそのあと「静岡のほうでは37度だったそうですよ」とか続いたりもするが、そのあと、各自の〝お天気論〟を戦わせたりしなければそれはそれで結構。なにがおもしろい、なにがおもしろくないという情報ばかりを、我々は**シコタマ**持たされているのが昨今である。

つまり〝評価〟を下さねばならないことばかりだ。〝とりあえず評価はおいといて〟というものが昔から一番強かったが、今はそれだけが強い。たとえば、テレビの時代劇、ニュース番組、**踊るポンポコリン**、そして季節の挨拶。かつて〝**一億総評論家**〟とか言

■シコタマ

いがらしみきお著『しこたまだった!』(白泉社刊)全2巻は読んでますよね? えっ! 読んでない? まずいなぁ、非常にまずい。ええっ! いがらしみきおってパソコン好きのプロゴルファーじゃないの? ですって? ああ淑女よ、それは美しき誤解だ(笑)。

われた大衆は、〝評価〟ばっかりしてるのに倦み、飽きたということだろう。

もしかして、季節の挨拶こそ次のトレンドかもしれない。〝挨拶産業〟とかが流行ったりして。あははは。そんなわけないか。

〝(笑)〟を時候の挨拶で立証する

えー、この〝季節の挨拶〟でもって、〝(笑)〟をもう少し具体的に立証できないだろうか。

ワタシは中学生のころ、親しい間柄のヤツに、いきなり「今日はいい天気だねー」とか、「寒くなったね」などという冗談を言っては笑いをとっていたことがある。それは中学生という〝情報〟を欲しがるさかりの年ごろの間で、季節の挨拶などすれば笑われるものだ。〝情報〟というのは、当然、〝意味〟ということである。〝意味〟のないものを〝情報〟とは言わないのである。

中学生にとっては、季節の挨拶などなんの意味もないのだ。無意味なものは、結局のところ笑われる。

郷ひろみ夫妻の新居の庭にニワトリ小屋があったらどうだろう。これは笑うに値するが、本質的には無意味ではない。我々の中での〝郷ひろみ夫妻〟という**G-IMON**にとっては、はなはだ異形なものであるぶんだけ無意味で笑いを誘うというのがその実体であるし、郷ひろみ夫妻にとっては〝新鮮な卵を食べられる〟という、あの人ならホントにやりかねないマジメな意味も相乗効果を高めているだけだ。こういうものは笑いというもののシステムであって、

■踊るポンポコリン
TVアニメ『ちびまる子ちゃん』のエンディングテーマ。エンディングテーマが大ヒットするなんて、『タイガーマスク』以来ですね(笑)。んなわけねぇか(笑)。ははははは(笑)。

■一億総評論家
一億総白痴化って言葉もありましたが、一億総評論家で、一億総白痴化なら、評論家という商売は成り立たないわけです。その悲惨にも顕著な例が、映画評論の分野でしょう(笑)。

■郷ひろみ夫妻
キコ様夫妻に食われちゃったって感じですか?(笑) まぁ、べつに勝ち負けじゃないんでしょうけどね(笑)。

■G-IMON
何度も言うように(笑)、抽象的意味としてのI-MONが〝I-IMON〟、具体的儀礼としてのI-MONが〝G-IMON〟なのであ〜る!(笑)

決して〃(笑)〃ではない。

そうなると〃中学生と季節の挨拶〃も、**〃笑い〃のシステム**であって、〃(笑)〃ではないということになる。そう、〃(笑)〃ではないのだ。

〃(笑)〃とはOSであり、〃笑い〃はその上で動作する**アプリケーションソフト**である。

現象は現象で証明、科学で〃(笑)〃を立証

あらゆる〃意味〃をはぎ取れば、残るのは〃(笑)〃である。つまり、そこが前回も言った、核心の核心こと〃K点〃である。

ワタシはK点と具体的な〃(笑)〃をみなさんに見せてあげることはできない。ただ「森羅万象そのK点は〃(笑)〃だ」と言っているだけである。

たとえ見せてあげることができたとしても、誰がそれをK点で〃(笑)〃なのだと証明できるだろう。そういう意味では非常に〃科学的〃な理論を展開しているのではないだろうか、ワタシって。物理や数学などの科学は、文学や哲学を、〃ああして、こうして〃という**〃現象学〃**でしかないという。しかし、物理学や数学などの科学もまた、現象学ではないのか。なぜならば彼らが説明し立証したものは、**DNA**にしろ**量子論**にしろ、やはり〃現象〃でしかないからだ。そして、現象を立証するのにも、現象を使うしかないのが科学である。

我々は、科学に「なぜ」と問う。科学は「こうだから」と、〃物

■〃笑い〃のシステム

〃笑い〃とは磁力によるゆらぎである。と漫画家いがらしみきおは述べました。ある項目とある項目をつなぐ磁力は、両者の距離が遠ければ遠いほど、複雑化すればするほど、弱くなります。ですから、〃笑い〃のための能力とは、まずその微細な磁力を発見することなのです。そして、その微細な磁力を頼りに両者を結合させようとすると、そこにある種の〃ゆらぎ〃が発生します。それがすなわち、〃笑い〃です。左の図は、そういう意味なのです。

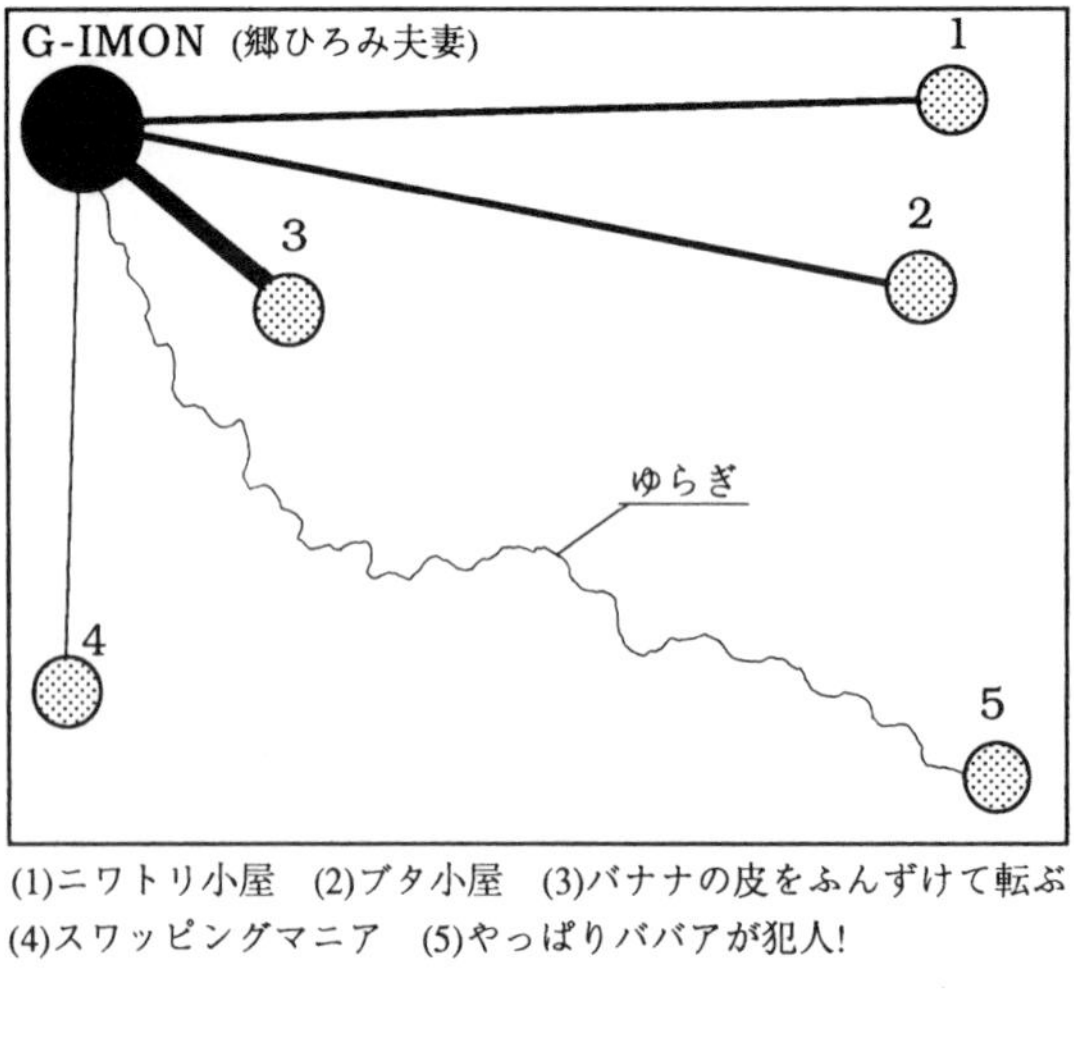

(1)ニワトリ小屋　(2)ブタ小屋　(3)バナナの皮をふんずけて転ぶ
(4)スワッピングマニア　(5)やっぱりババアが犯人!

■アプリケーションソフト

たとえば〃(笑)〃というOSの上で稼動する〃笑い〃というソフトウェアのことです。そういうもんです(笑)。

質の性質〟という現象をもって説明する。そして我々はまた「なぜ」と言うだろう。結末はどんどん伸びていくばかりだ。物理学が見つけた〝最小物質〟と言われる**クォーク**にしろ、〝それより小さいものは見つかっていない〟という理由によってそうなっているだけである。物理学などの科学が到達した〝最小物質〟がクォークだというのならば、文学や哲学が到達した〝本質的に森羅万象は森羅万象でしかない〟というK点のほうが、まだ結末に近いのではないか。だからこそ、文学と哲学の役目はとりあえず終わったのだろう。

共通の価値観がK点理論の問題

科学の理論や発見などというものを、我々は身近に感じることはない。それを信じ、身近に感じるのは、その理論や発見に基づいて作られた製品や技術を目にするときだけである。

文学と哲学が発見した〝森羅万象は森羅万象でしかない〟というK点理論が、ＩＭＯＮによって身近になるかどうかはわからない。ましてや具体的な製品になるかどうかというと、これまたわからない。まさか「さぁさぁ、K点理論に基づいた精神安定剤だよ！安いよ！」とか言って通信販売とかコミケで売ったりするわけにもいかないしね。いや、それもおもしろいかもしれない。

それがコミケになるか通販になるか、パソコンショップの店頭販売になるのかはわからないが、いずれそうしてみたいとは思う。ただ、メディアについては確約できない。ビッグのＯＳになるのか、

■現象学
科学にしても哲学にしても、テーマはひとつでしょう。〝箱の中身は何か?〟です。ただ、哲学が、最後の箱を開けてみたら空だったのに対して、科学は〝まだ何かある〟と言い張っているわけです。それがクォークなのかどうかはわかりませんが、とにかくキリがねぇよなぁ（笑）。

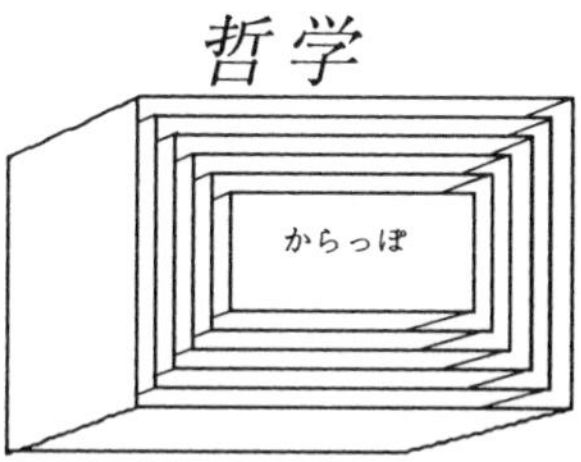

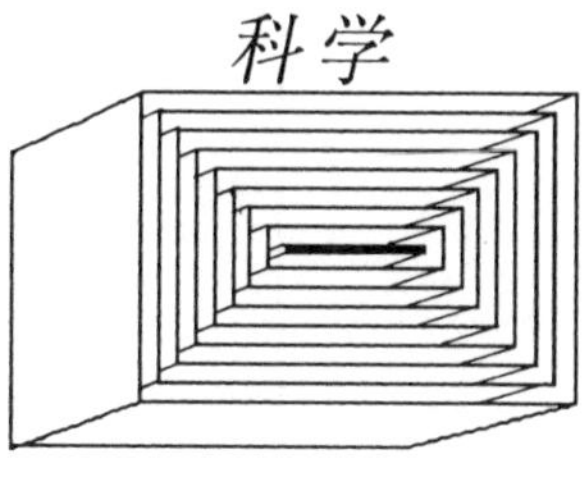

■ＤＮＡ
ドゥ・ノット・アンサーの略。もちろんウソ。この授業やってるとき、ちょうどオタフク風邪で学校休んでたんスよねぇ（笑）。

■量子論
佐野量子についての論理。もちろんウソ。この授業やってるとき、ちょうど風疹で学校休んでたんスよねぇ（笑）。

■クォーク
これ以上ちっちゃいものはないぞ！　っていうものですよね?（笑）まだ誰も見たことはないっていう噂ですが、どうなんでしょう。勇猛果敢に飛躍してほしいもんです（笑）。

または音楽CDなのか、それこそパソコンソフトか、はたまたマンガかもしれないだろう。

☆

ワタシは前回〝K点＝（笑）〟がこれからのルールになると言って結びとした。なぜそんなことを言われるのかわからない人がほとんどだろう。

〝K点＝（笑）〟というものをはじめて聞いた人でも、〝価値観の多様化〟という言葉は聞いたことがあるだろう。もし多様化したのならば、それまでの価値観というものはどういうものだったのか。人は「それはね、愛です」と言うだろうし、「**反体制だ！**」と言うかもしれないし、「銭ズラ」と言う人もいたし、今と比較してもそう単一な価値観だったとは言えない。

我々の価値観が多様化したのではなく、愛も反体制も銭も我々にとって、かつてのようなリアリティーがなくなっただけだろう。かくて、我々はそれらの価値観という〝共通の挨拶〟を持っていた。その共通の挨拶がリアリティーを失ったとき、我々はとりあえず〝**気持ちいい**〟という価値観にリアリティーを感じたのだ。

そして、問題はその〝気持ちいい〟という、共通の挨拶を価値観にできなかった者がいることだ。そういった人々の前にこそ〝人間関係〟という問題が立ちはだかり、彼らを怯えさせ途方にくれさせ、ワタシはワタシで〝季節の挨拶〟を再評価したりすることになる。

■反体制
考えてみれば、体制の権化である首相が、今やカイフさんですもんね（笑）。盛り上がるわけないですよね（笑）。まぁ、どうでもいいんだけどさ（笑）。

■気持ちいい
たとえば〝愛〟。これは、地面に穴を掘る作業です。愛に限らず、追求とは地をうがつことなのでした。しかし、ここへきて、そうしたパラノな生き様はリアリティーを喪失し（笑）、地面へ「気持ちいい」「気持ちよくない」と印をつけることがリアルになってきました。縦移動から横移動へと変遷したわけです。

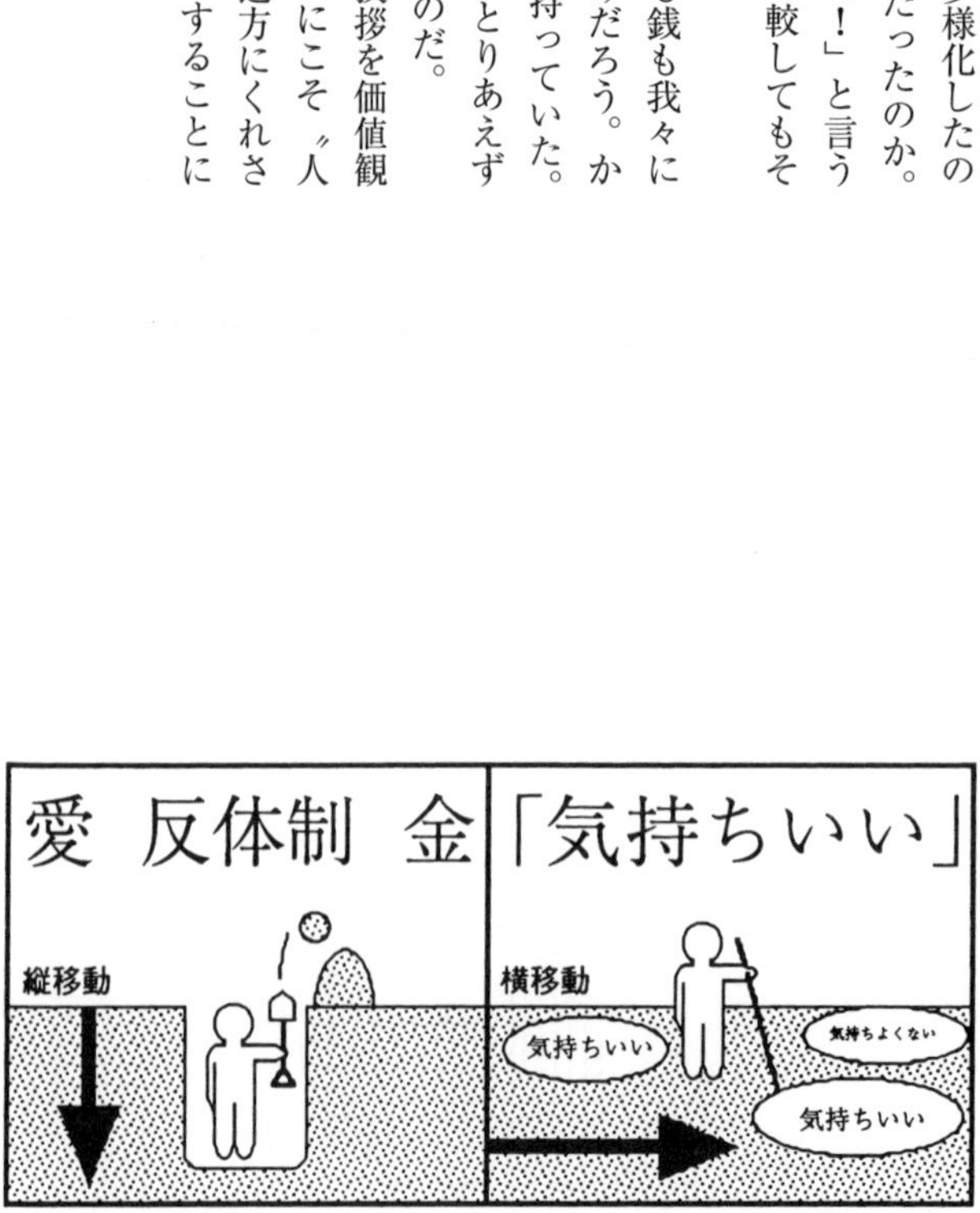

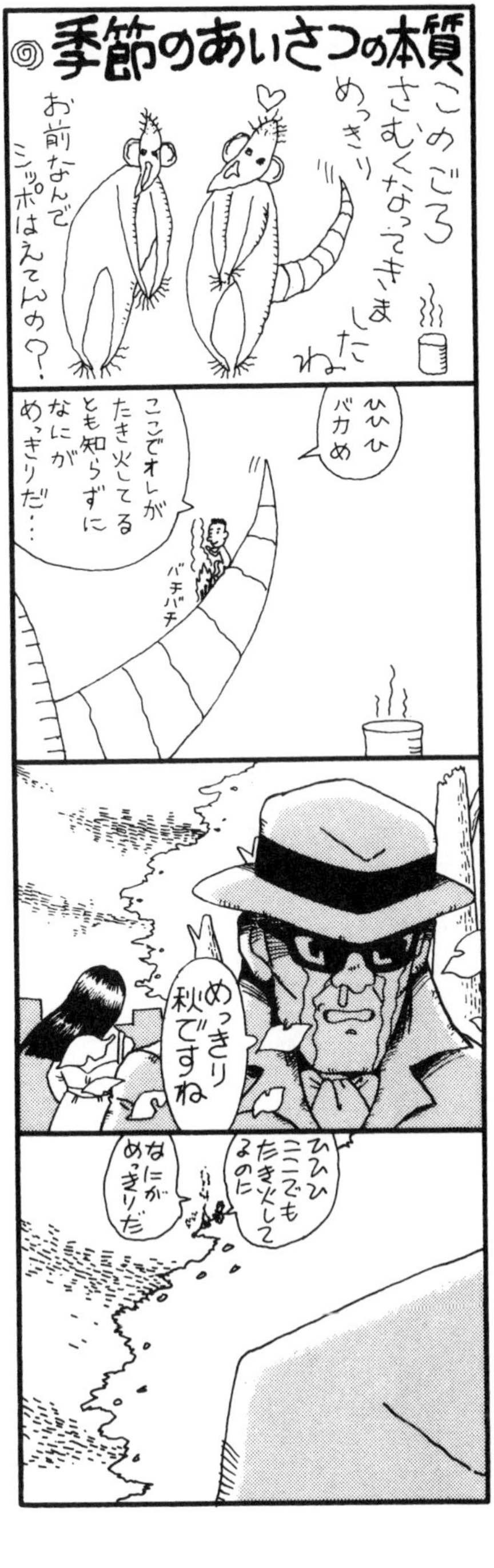
◎季節のあいさつの本質
このごろさむくなってきましたね めっきり
お前なんでシッポはえてんの?
ひひひ バカめ
ここでオレがたき火してるとも知らずになにがめっきりだ・・・
バチバチ
めっきり秋ですね
ひひひ ここでもたき火してるのに
なにがめっきりだ

第24回　ＩＭＯＮ3原則〝(笑)〟最終回。『ＩＭＯＮを創る』第3部終了

コンピューターの世界、プロレス界の共通点

結構多くの人が感じ始めていることかもしれないが、ビッグは退屈なものになってしまったようだ。

32ビットだの、ノート型だの、低価格のソフトだの、**オールインワン**のソフトだのとは言うが、7、8年前のビッグが持っていた怪しい混沌と理由のない興奮を考えれば、退潮著しいプロレス界とどこかダブるものさえある昨今だ。

まったく、**ブロックバスター**合戦は**流血試合**だし、著作権の訴訟などは**場外乱闘**だとしか思えない。そうなるとＩＭＯＮは、乱入ばかり繰り返す**若松**か**上田馬之助**になるだろうか。あはははは。**輪島**だったりして。とほほほほ。

ほんでもって**同人ソフト**は女子プロレスだったりして。だはははははは。

ビッグにも上田馬之助だの若松だの女子プロレスだのが群がってきたんだから、もう少しおもしろくなってもよさそうなものだが、ますます冷めたものになりつつあるのはどういうわけだろう。そう。それは〝エース〟がいないからである。スーパースターといってもいい。それがいない。イチタロウという日本人レスラーも、ロータス1-2-3という外人レスラーも、ドラクエという覆面レスラーも

■オールインワン
ワープロやデータベースなんかのソフトがひとつにまとまったソフト。まとまったからって、ＩＭＯＮは全然喜ばないのであーる（笑）。

■ブロックバスター
たとえば『天と地と』みたいな、広告媒体総動員鳴り物入りゴリ押しキャンペーンとか、そういう力まかせの宣伝戦略をこう呼ぶみたいです。

■流血試合
プロレスのＦＭＷなどにいたっては、流血に飽き足らず〝爆破〟まで加えちゃって、おまけに最後は〝感涙〟でしめくくるという、壮絶な世界観を提示しているらしいです！（笑）

もう過去の人だ。では〝BBSちゃん〟が次代のエースだろうか。「そんな馬鹿な話があるか！」とか自分で怒ったりして。あはは。

しかし、来年あたりは何か出るだろう。でないとこの業界は相当苦しいことになる。そういう事態を〝会社の人々〟が黙って見ているとは思えないわけだ。それでも黙々とバージョンアップと移植ばっかりしてたりして。とほほほほ。

〝気持ちいい〟が源の〝(笑)〟の総まとめ

さてまだ〝(笑)〟である。安心してください。〝(笑)〟については今回でおしまいです。

〝愛〟に疲れ、〝反体制〟に飽き、〝ゼニ〟をも手に入れた人々は〝気持ちいい〟という価値観を採用した。しかし、〝気持ちいい〟を採用できなかった人々もいる。それらの人々はどうしたろう。

それらの人々の一部は原発に反対し、環境破壊に反対し、ゴルフ場に反対しはじめた。なぜならば〝原発〟も〝環境破壊〟も〝ゴルフ場〟も〝気持ちいい〟が源だからだ。

つまり、価値観というものもやはり**〝二値〟**である。ＯＮがあればＯＦＦもある。

原発と環境破壊とゴルフ場に示されるように、〝気持ちいい〟には〝限界がない〟という意味で限界がある。

そして前回も言ったが〝気持ちいい〟というのはレッテルを貼り歩くという意味で横移動なのだ。これもまたひとつの限界を持つ。

今や世界中どこに行っても日本人観光客だらけだというのがその

■場外乱闘
いがらし氏は、かつて〝リングアウトするマンガ〟というのを描いています。『家宝』というコミックに収録されてますけど、このマンガを読んだ時の衝撃は爆発的だったぜベイベー！

■若松
人の名前。

■上田馬之介
人の名前。

■輪島
まぁ、人の名前。

■同人ソフト
〝同人誌〟というものがありますね。そのパソコンソフトバージョンです。アンダーグラウンドなジャンルながら、『トーキングぼのぼの』や『BBSちゃん』といった名作が生まれています。

■二値
中学校あたりで〝作用、反作用〟を習った訳ですが、二値理論とこの物理法則と無縁ではありません。ただ、他者が存在するという事によって事情が複雑化している訳ですね。

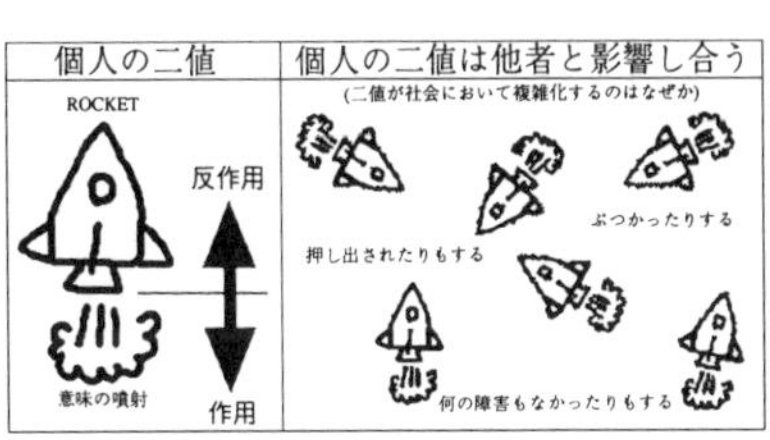

象徴でもあるだろうし、最近はシャトルに乗ってとうとう宇宙にまで行くという女性がいるらしいじゃないか。しかし、〝気持ちい〟という価値観は圧倒的である。文句の言いようがない。

ただ〝欲がない〟ということはできるだろう。報酬にカネだけを求めるのと同じぐらいに〝欲がない〟。

そして、その〝欲がない〟という意味でも圧倒的に正しいのが〝気持ちいい〟というものだ。

〝どちらでもいい〟ファジーな意見

〝気持ちいい〟が圧倒的に正しいのならば、原発や環境破壊に心を痛めるのもやはり圧倒的に正しいだろう。こちらも文句の言いようがない。しかし、当然〝どちらでもない〟という人間がいる。そして、古今東西、〝どちらでもない〟人間が一番多いのが歴史的事実というものだ。アンケートをとって見ればわかるだろうが、〝まぁまぁ〟とか〝普通〟とか〝うーーーん〟とかが統計上一番多い。〝気持ちいい〟も〝環境破壊〟も彼らにとってみれば〝まぁまぁ〟なのだ。でなけりゃ〝うーーーん〟。

つまり基本的に〝どっちでもいい〟とか〝ムキになるようなことじゃない〟とか〝なんとかなる〟という人々である。そして、これも圧倒的に正しい。なぜならば、〝どっちでもいい〟し、〝ムキになるようなことじゃない〟し、〝なんとかなる〟し、〝うーーーん〟なのが世の中というものだからである。

「あー、じゃあ、正しいことばっかりじゃないか」と思ったアナタは間違ってはいない。しかし、クチに出して言うのならこう言ってほしい。「こういうことしかできない」と。しかも、我々が中身を知りたいと思って開けつづけた箱は結局カラッポだったのだ。

これが〝(笑)〟でなくてなんだと言うのだろう。

〝(涙)〟だの、〝(虚)〟だのであってはいけないのだよ。

暇になるからこそ必要になる人間関係

科学にしろ哲学にしろ、どこまで行っても〝ああなって、こうなる〟という〝現象論〟でしかないように、我々に改善はあっても、真に問題を解決する術はない。すべて時間的、空間的に問題を持ち越すか、問題をすり替えるかだけである。

しかし、我々はなにかせずにはいられないだろう。それが決して〝解決法〟ではなくてもだ。我々は〝やった方がいいこと〟をやるしかないのだ。

そしてIMONも、それら〝やった方がいいこと〟のひとつである。我々がビップを単なる道具としてではなく見るのなら、IMONがOSであるのなら、価値観とは**アプリケーション**であるのなら、そしてアプリケーションが豊富であるのなら、我々はもう少し充実した〝生き物〟でありうるのではないか。

価値観をOSにしてしまえば、それこそIMONで言う**〝ROM〟**になってしまうだろう。我々には〝価値観〟というアプリケーションだけではなく、それを動かす確固たるOSが必要なのである。

我々がOSの必要性を感じるとき、そのときこそ〝リアルタイ

■アプリケーション
この4コママンガは、人間にとっての〝OSとアプリケーションの関係〟を描いたものです。この事例は〝堅いOS〟ですけど、〝ゲル状OS〟なども存在します(笑)。

■ROM
復習になりますが、これは〝リードオンリーメモリー〟というコンピューターの部品の事でして、それをIMONでは、書き替えが出来ない記憶、固定化された価値観、かたくなになり過ぎる人とか、そういったニュアンスで使用しているのでした。

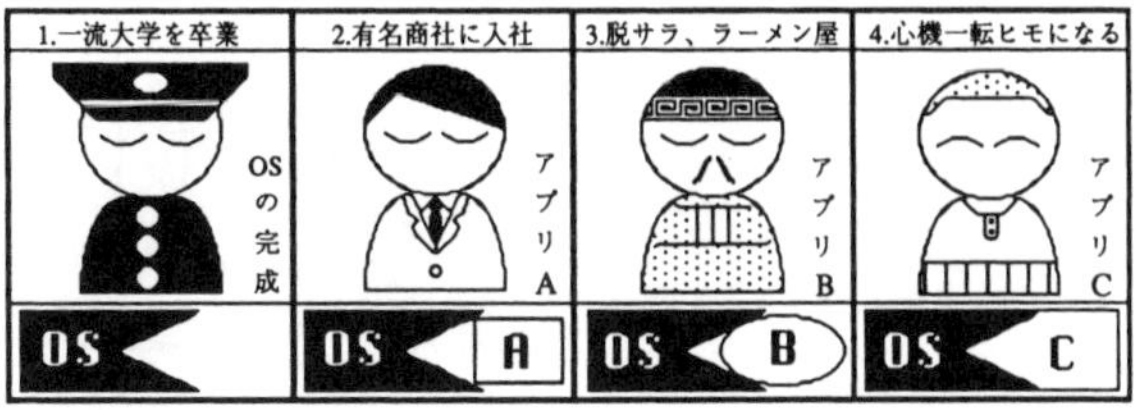
1.一流大学を卒業
OSの完成
OS
2.有名商社に入社
アプリA
OS A
3.脱サラ、ラーメン屋
アプリB
OS B
4.心機一転ヒモになる
アプリC
OS C

ム〃、〃マルチタスク〃、〃(笑)〃が具体性と必然性を持ってまたみなさんの前にクローズアップされるはずだ。それが今ではなく、10年後のことだとしても。

〃価値観〃というアプリケーションだけで人と対峙するならば、その軋轢と断絶は救い難いものになるだろう。よって我々は〃人間関係〃に悩むことになるし、これからその問題はますます顕著なものになることをワタシは予言したい。

なぜなら、我々はドンドン暇になるからです。

☆

〃暇〃と〃人間関係〃を結ぶキーワードは**〃お互いに用がない人間どうしになる〃**ということである。

つまり〃用もないのにつきあいをする〃ということである。これはなかなか苦痛であるし、ましてや〃用もない〃人間が自分にとって好きではない人間だったらこれは小さな地獄を生むことになるだろう。

さて、〃用もないのにつきあいをする〃ところがあるのか。あるのである。それがパソコン通信というものなのだ。

そこで、IMON三原則の〃応用編〃という性質のものにもなるだろう第4部は、まずパソコン通信というものを取り上げてみたい。

■お互いに用がない人間どうしになる

かつて流行した〃のぞき部屋〃において、客同士の関係性を強制的に白日の下へさらした時、そこに出現するのが〃用もない人間同士の関係〃です。お察しくださいませ（笑）。

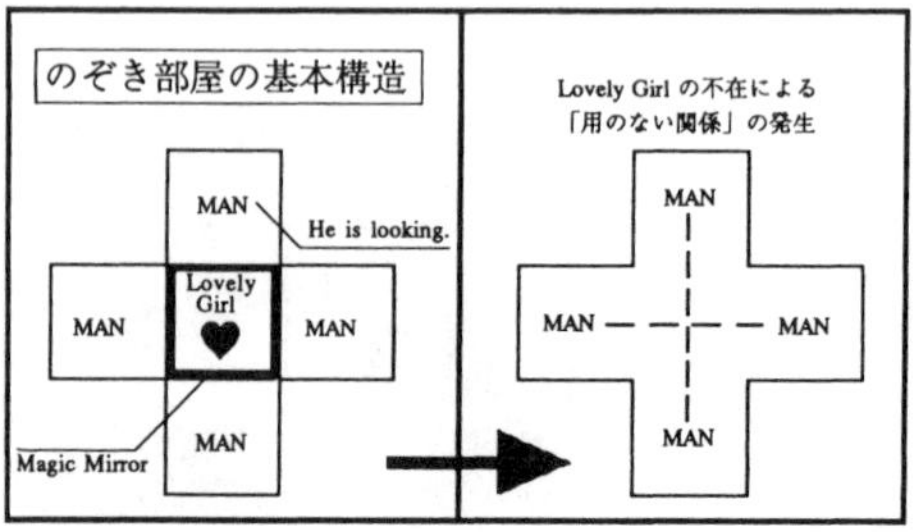

のぞき部屋の基本構造
MAN
He is looking.
Lovely Girl
MAN
MAN
MAN
Magic Mirror
Lovely Girl の不在による
「用のない関係」の発生
MAN
MAN
MAN
MAN

★これが日本人レスラー一太郎のイメージだ！
かっぽん
かっぽん
かっぽん
かっぽん
山本さん 一太郎とできてるってうわさウソですよね
サカグチ 俺を許せ・・・
かっぽんかっぽん野郎
←アプリケーション
←OS
リング
つまらねーぞ！
ひっこめー
ブーブー
つまりこれが男の戦いとゆーものなのだよ
パパ
サカグチメ
かっぽん
行けっBBSちゃん
かっぽん
えいたあー

IMON認定ソフト第１弾

ぼのぼのとお話ししよう！
いがらしみきお自身が
『ぼのぼの』を完全シミュレート！

生産・販売終了

第4部　ＩＭＯＮとパソコン通信

第25回　人間としてのアイデンティティーを消去させられるパソコン通信とは

コピーを使うマンガにカンメイを受ける

最近、**カンメイ**を受けたものに、コピーを多用するマンガがある。まぁ、コピー機が一般人にも買える時代になってからこっち、マンガ家というものは苦しくなるとコピーを多用していたものだが、今ではそれが日常化しているのだ。

「ここはコピーでやるしかない」

という場合はともかく、

「もうコピーでいいや。どうせ似たようなシーンだもんな。それに明日はコンペなんだし早く寝ないと」

などという場合、絵を拡大縮小したり、ちょっと手を入れたりして違った絵に見せるわけだ。

ここにあるのはあまりにも原始的な合理主義である。合理主義にカネを出すのは年寄りだけだとしても、〝クチで言えばいいものをわざわざ絵にして伝える〟という非合理の権化ともいえるマンガ家が、これだけ原始的な合理主義に走るというのはすでにカンメイものである。あはははははははは。いや、〝あはははは〟はカンメイじゃないか。

■カンメイ
感銘の事。じゃあ何故カタカナで表記するのか、ですって？　だって、「感銘を受けた」って書いたら本当に感銘を受けたみたいじゃないすか（笑）。

目新しいビッブは年寄り臭い合理主義

ビッブの〝年寄り臭い〟というイメージの根源もここにあるのだろう。

つまり、合理主義にカネを出すのは年寄りばかりだということ。やれ、ワープロだのデータベースだの**あて名書き**だの言うが、我々がこういう類のことに興奮したのは、目新しさがあったからだろう。

しかし、そこにあるのは目新しさだけであって、目新しさという入り口を通った後にあるべき娯楽というものがない。この辺がテレビやビデオとはちがうところだ。

目新しさというものは、やってしまうと当然目新しくはなくなるものだ。結局、**押し入れ在住のビッブ**や、**物置在住のビッブ**ばかりが増えることになる。そしてそれはワタシがパソコン通信というものに注目した理由のひとつでもある。

つまり、ビッブがやることの中で、目新しさという入り口を通った後に、娯楽が待っているかもしれないものとしては唯一のものかもしれないと思ったのだ。まぁ、年寄りくさいパソコンゲームはべつとしても。

アイデンティティーを消去して存在するもの

前回の復習になるが、我々には一応ＯＳというものがある。そしてその上で作動する〝価値観〟というアプリケーションがある。

■あて名書き
あて名を書く事。この場合は、そういう類のソフトの意。ＩＭＯでもあて名書きソフトを使用しています。

■押し入れ在住のビッブ
「最近使ってないからしまっておこうかな」という事でしまわれちゃったビッブ。

■物置在住のビッブ
全然使わないんだけど、捨てるには忍びないと、それだけの理由で存在しているビッブ。ここまでくれば〝物置永住ビッブ〟まであと一歩。

パソコン通信をやる場合にとどまらず、我々が他者と向かい合う場合、それはその他者のＯＳや価値観というアプリケーションとつきあうことにほかならない。

しかし、生身で相対しているのならば、その傾向はむきだしにはならないだろう。なぜなら、人という〝記号で認知する生き物〟にとって、視覚は非常に重要だからだ。もちろん、〝余計なもの〟という意味でも。

たとえば顔だ。もしくは肉体。その顔であれ、肉体であれ、それが目の前にあることによって、人は「あー、孝夫だ」とか「うん、雅晴だな」とか「そうそう、これは美佐子だわ。大丈夫よ」とか認知し、意味もない安心を得るわけである。

これで〝美佐子〟がある日突然、真っ黒いサングラスをかけて現われたらどうだろうか。そうそう、当然不安になる。ある日突然、覆面をした**マスクマン**として現われたらどうだろうか。そうそう、ますます不安になる。またある日、首から上がなくなったまま現われたらどうだろう。そうそう、絶対不安になる。首から上がなくなっただけだったらまだいい。いや、いいわけないけど。あははは。

これが全身消えてしまったらどうか。つまり、透明人間になってしまうということだ。〝美佐子〟は容易に透明人間になりうるのだ。電話がそうである。しかし、透明人間になっても、顔や肉体に代わるシンボルは残っている。声がそうだ。

では言葉を失った透明人間になったらどうだろう。これも容易になりうる。手紙がそうである。そして、これも筆跡というシンボル

■マスクマン
覆面レスラーだー！　えいえい！

■アイデンティティー
『ぼのぼの』の登場人物であらせられますところのアライグマくんに似てる方に登場していただきました。
〝バカヤロー〟の変遷をご覧下さい。かくのごとくですね、メディアによって伝わるものが変わってくるんですね。ついには〝意味〟だけになると。この事実を踏まえていない人が、パソ通でケンカしたり議論したりする訳です。つまりそれは〝生身への幻想〟です。〝怨念〟とか〝幽霊〟とも呼びます（笑）。

はまだ残されたままだ。

さて、この筆跡さえも失った透明人間になったらどうだろう。これにも容易に〝美佐子〟はなれるのだ。パソコン通信がそうである。

このように、個人としての日常的なあらゆる**アイデンティティー**を消去させられたところで存在するのがパソコン通信というものなのである。

かくして、我々はパソコン通信上で、他人のむきだしのOSとさらけ出された価値観とに対峙させられることは当然と言えよう。

なぜなら、そのOSと価値観以外に個人を証明するものはなにもなくなるからである。これがハタ迷惑なことにならないのだったら、なにがハタ迷惑なのだ。**勝新太郎**？

人間の進化の逆をいくパソ通はおもしろい

以上のような意味において、パソコン通信は、いわば人間の**逆進化**である。

ビッグがこれからインターフェースとしての、顔や声や容姿を持たされようとするのも、人間とはまた逆の進化であるだろう。

つまり、人間とビッグはパソコン通信という手段によってはじめて**クロスする**ことになるかもしれない。アイデンティティーを奪われたものどうしとして。

よって、パソコン通信上ですべての人間はビッグになるし、〝**人工無脳**〟と化す。いわゆる〝人工無脳〟が、一時期にパソコン通信上で盛衰を見せたのは、その意味においても暗示的である。

■勝新太郎
映画監督のマキノ雅弘先生から伺った話。「撮影の時にね、『おやじ、頼む。俺、飲みたい』って言いよるんですわ。かわいくてね。ダメだって言えないんですよ」ですって。勝新ファンならなんとなくわかるでしょ？　つまり〝この手のかわいいタイプは、親分の存在があって初めて成立するのであり、自らが上に立つと荒廃を招く〟って事が、昨今の勝新の寂しい状況でしょうねー（笑）。

■逆進化
つまり、ビッグが〝生身〟方面へ進化しているのに対し、人間はどんどん〝非生身〟方面へ逆進化しているのではないか、という図です。方向は反対だけど、レールは同じだと。これはとても将来が楽しみな仮説ではありませんか！

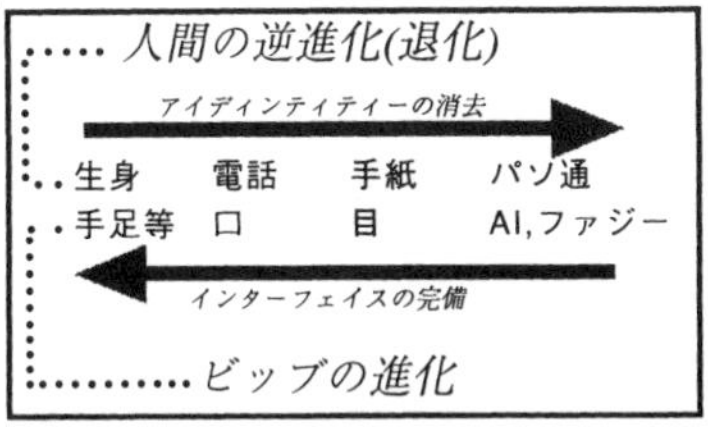

■クロスする
図をご覧いただければ一目瞭然。データベースでビデオリスト作ったりもいいですが、〝ハイテクのカオス〟と化したパソ通の世界を覗いてみるのも有意義なんじゃないでしょうか。いや、有意義じゃないですね（笑）。まぁ、覗くだけなら楽しいかもしれません。

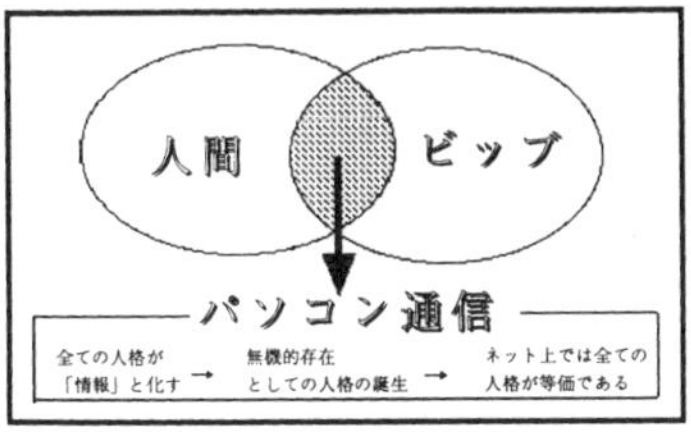

■人工無脳
人工的脳無し野郎（笑）。

我々はパソコン通信の中では〝人間であることをやめる〟ことができるのだ。これをオモシロイと言わずに、なにをオモシロイと言うのか。**『ダイ・ハード2』**？

人間をやめられるパソコン通信!?

我々はパソコン通信の世界において〝美佐子〟であることをやめられるばかりか、人間であることさえもやめられる。これを未完の大器と呼ばずしてなにを**未完の大器**と呼ぶのか。**巨人の呂**？　いや、もういいか。あははは。

しかし、ここまで〝壊滅的な可能性〟を持つメディアを我々は子供の遊び場、または電子的**コンビニエンスストア**にしてしまっている。コンビニエンスストアにしてしまうのは人間はホントに才能がない証拠である。いつまでたっても、現実世界のコピーに終始し、オリジナルなものなど創りえない。そして、これがワタシのジレンマであり、ワタシの主宰するＢＢＳ〝ＩＭＯｓ〟のジレンマでもあるし、ビッグの現状へのジレンマでもあるだろう。

☆

ワタシの愚痴とビッグの現状はおいておくとして、今はパソコン通信のことだ。

我々は自分をやめたいと思うことはないだろうか。人間をやめたいと思うことはないだろうか。これは我々の根源的な欲望ではない

■ダイ・ハード2
映画の題名。

■未完の大器
まだ完結していない大きい器。

■巨人の呂
巨人というプロ野球のチームにいる外人選手。なんでも、ベンチ入り出来る外人選手は2名までなんですってね。それで、この選手は余っちゃって、いま二軍にいるんですって。うひゃー、ひでえ話。米の輸入を自由化しない代わりに、外人選手の輸入を自由化します、っていう妥協案じゃアメリカは納得しないかなぁ。

■コンビニエンスストア
〝コンビニ〟っていう略称もすっかり定着しましたね。英語→日本語化→略称という流れは、大正時代の〝モボ〟あたりから始まった事なんでしょうか。すごいなぁ。パワフルだなぁ（笑）。

のか。故に、我々はマンガを読み、映画を見、ゲームをするのだ。
我々は、現実から逃避したくなる。架空の世界へと。これが次回へのネタふりです。

第26回　パソ通は、アイデンティティーを剥奪されたものの上に成立する!!

人間がほかの生き物と同じなのを忘れる証拠

　最近、ネコの**ジュヌビー**を避妊手術させた。これはこれで理由のある処置ではあったのだが、なかなか胸の中に積もった罪悪感を払拭できない。

　いわく「これではまるで奴隷制度ではないか」、いわく「アウシュビッツにも匹敵する冷血行為である」、いわく「なんの権利があってそんなことをするのか」、「巨人の**呂**を来年台湾に帰しちゃうそうじゃないか」などなど。

　これは、人間はときとしてほかの生き物と同じであることを忘れるし、ほかの生き物が人間とはちがうことを忘れる証拠である。

　〝同じだけどちがう〟生き物にどういう例があるかというと、やはり人間の大人と子供に近い。大人と子供は同じ人間であるが、まったくべつな生き物のようではないだろうか。

　人間の場合の子供から大人への変化のことを〝成長〟と言われているが、ワタシには〝進化〟に等しいぐらい異様な変化に思えるのだ。

　人間の赤ん坊も猿の赤ん坊も似たようなものにしか見えないが、人間の大人と猿の大人が似たようなものではないだろう。〝似ているヤツ〟はいるけど。あはは。

■ジュヌビー
　いがらしみきお氏が飼っているアメリカンショートヘア。フルネームは〝ジュヌビエーブ・ビジョルド〟である。呼び名が一週ごとに替わるので、ジュヌビーが「かなわんニャン」と嘆いていたという噂がまことしやかに囁かれている（笑）。がんばれジュヌビー！

■呂
　前回をご参照下さい。

猿から人間への進化があったというが、その進化の過程は人間の〝成長〟の過程できっちりと**リプレー**されているのではないか。そうなると進化途上の少年が、人間にとっては逆進化途上のビッグと**クロスする**可能性は高いだろう。いや、クロスするとどうなるかというと当然オタクになるわけだが。あはは。なーるほどなー。

パソコン通信を否定する者

えー、今回も『IMONを創る』第4部応用編である〝パソコン通信〟について述べる。

パソコン通信とは、前回述べたように、アイデンティティーを剝奪されたところで交わす人間関係なのであるが、実際のパソコン通信のユーザーは、その失われたアイデンティティーを取り戻すことにのみ、または確認することばかりに向かっているのが現状である。それをハード上で補完しようとするのが、例の『**ハビタット**』であろう。

そして、このタイプ以外にもうひとつのタイプがある。それは、アイデンティティーが剝奪されたのであるから、〝パソコン通信上のルール〟を遵守し、アイデンティティーを抑制した、記号のごとき〝礼儀正しい人〟になるタイプである。

ワタシの見たところでは、現在のパソコン通信のユーザーは大別すればこのどちらかである。もちろん例外もある。

たとえば〝**ROM**〟と呼ばれ、書き込みを読むだけで自らは何もしない者、〝**DOM**〟と呼ばれ、**PDS**のダウンロードしかし

■リプレー
諸説フンプンとはしておりますが、まぁとにかく「ヒトは猿から進化した」と（笑）。そういう歴史的背景を、ヒトが幼児から大人へ至る過程に照らし合わせて見ると、これがじつに共通している訳です。姿形もさることながら、知能形態までそっくりだと（笑）。いや、知能形態と言うより、紋様ですか（笑）。ね？　そうでしょ？

■クロスする
前回をご参照下さい。

■ハビタット
ルーカスによって生み出され、アメリカで大人気を呼んだ画期的通信ロールプレイング。昨今、富士通が輸入してニフティーというネット上でプレー出来る様になった。恐らく、FMタウンズ最大のセールスポイントでしょうね、違うか（笑）。

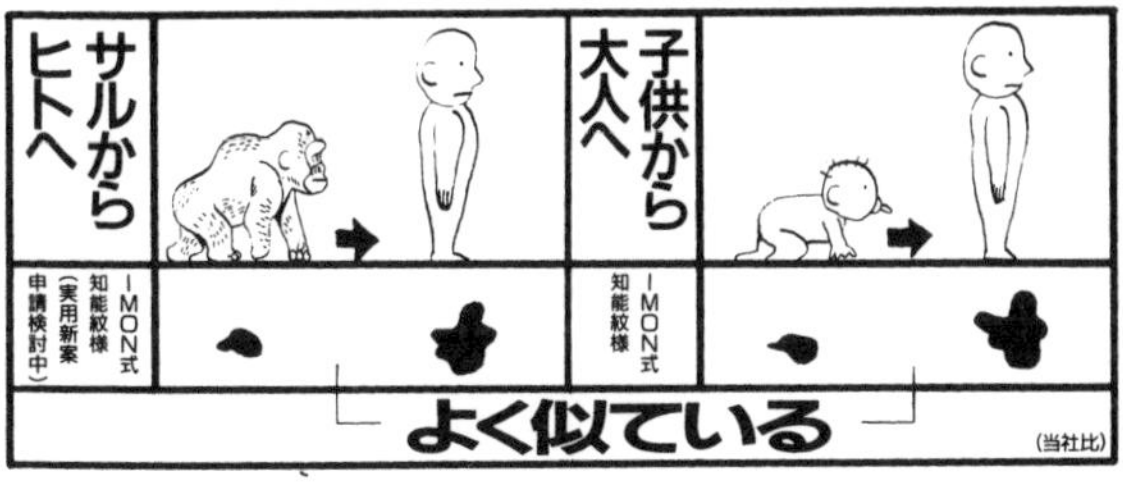
子供から大人へ
IMON式知能紋様
サルからヒトへ
IMON式知能紋様（実用新案申請検討中）
よく似ている
（当社比）

ない者、〝**COM**〟と呼ばれるチャットしかしない者、〝**IOM**〟と呼ばれ、IDがあるだけの者、〝TOM〟と呼ばれるトムというアメリカ人までいたりして。いないか。あはは。

そういうわけで、今のところパソコン通信がエンターテイメントではありえないということ。

パソコン通信の一般ユーザーにとっての利益というものはまだまだ見えないままだ。仕事の相手先と電子メールで連絡を取り合うことや、原稿を電子メールで送ることが、パソコン通信の利益だとしたら、こんなに貧しいメディアはないだろう。

このように、利益が見えないまま**NTT**にカネを払い続けるだけなので、パソコン通信の周辺ではいきおいネガティブな発言ばかりが渦巻くことになる。彼らはまるで、**パソコン通信を否定するためにパソコン通信をしているよう**でもある。

言ってはなんだが、ワタシにもその気はある。ただ、ワタシの場合、厳密には〝今のパソコン通信を否定するためにパソコン通信をしている〟というニュアンスのものだが。

アイデンティティーを削り取られたパソ通

さて、みなさんは自分をやめたくなったり、人間をやめたくなったりはしないだろうか。

そういう傾向は誰にでもあるものだし、世にあるエンターテイメント物件のほとんどがそうした欲求の緩やかな発露によって成り立っている。そして、その欲求を実現できるメディアがパソコン

■ROM
リード・オンリー・メンバー

■DOM
ダウン・オンリー・メンバー

■PDS
パブリック・ドメイン・ソフト。ネット上で無料公開されているソフト。

■COM
チャット・オンリー・メンバー

■IOM
アイディー・オンリー・メンバー

■NTT
JISキーボードでカナをロックしたままNTTと打つと〝みかか〟と出るっていうんで、一部の連中はNTTを〝みかか〟なぞと呼んでいます。まったく情けない。じゃあ五十音キーボードだったら〝やここ〟かよ。カシオの電子手帳なら〝どふふ〟か?（笑）

■パソコン通信を〜
アイコンネット100人に聞きました。とは言え、アンケートを取った訳じゃありません。『I-MONを創る』のコーナーの書き込みの中から〝パソ通の是非〟（笑）に言及しているものを抽出し、分類し、強引にまとめ上げた次第です。
IDは略させていただきますが、書き込みをしていただいた皆様、本当にありがとうございます。これからもごヒイキに（笑）。

通信なのである。

なぜならば、パソコン通信は、あらかじめユーザーのアイデンティティーを削り取られているメディアだからである。そこでは何にでもなれるし、何にもならなくてもいい。それをまたハード上で確認させようとしたのが、再び例に出すあのハビタットなのである。

ワタシは先日、「ハビタットに入って感想文を書いてくれないか」という仕事の依頼を受けたのだが、それをお断わりしてしまった。なぜ断わったのかというと、ゴルフが不調ですべてに懐疑的になっていたからではないし、太陽がまぶしかったからでもない。

今のハビタットユーザーに〝何にでもなれるし、何にもならなくてもいい〟(これは以降NaninareNaninaraと呼ぶことにする)というコンセプトが理解されているとは思えなかったからである。

〝ハビタット〟のユーザーの人々は「ほっといてくれ！」と立腹するかもしれないが、エーと、まぁまぁ、世の中ホントに悪い人なんていないんだから。

ビッグの可能性を裏切り続けたものたち

〝ハビタット〟に至る前のパソコン通信のユーザーに〝NaninareNaninara〟というコンセプトが理解されているとすれば、今のパソコン通信ももう少し可能性が見えるものとなっていたはずだし、ましてや、ハビタットユーザーだけが、従来のパソコン通信のユーザーとはまったくちがう人種が集まっているというわけでもないだ

《IMON恒例大アンケート》
★おことわり★
この調査はアイコンネットにある「IMONを創る」に寄せられた書き込みの中から「パソコン通信についての感想」に言及しているものをピックアップし、更にそれを独断の下で強制的に分類したものです。

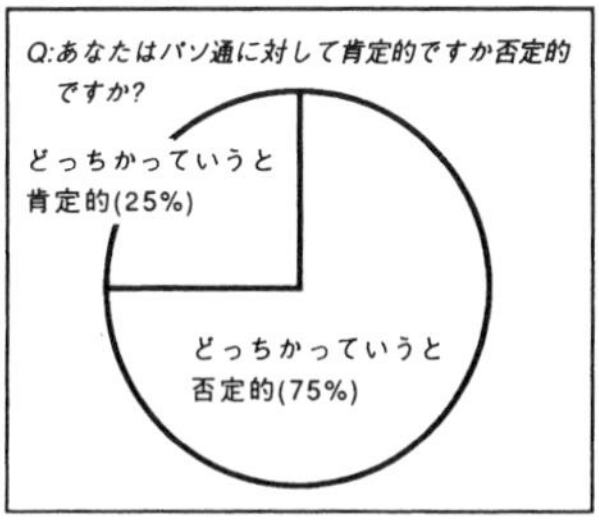
Q:あなたはパソ通に対して肯定的ですか否定的ですか?
どっちかっていうと肯定的(25%)
どっちかっていうと否定的(75%)

■NaninareNaninara
マッキントッシュというパソコンがありますが、その世界で有名な言葉に〝WYSIWYG〟というものがあります。なんて読むんでしょうかねえ(笑)。ウイズウイグとか、ウイジィウイグなんでしょうか(笑)。という訳で、右の比較表をご覧下さい。

《NaninareNaninaraとWYSIWYGのアナロジー》

NaninareNaninara
→Naninidemonareru Naninimonaranakuteii →自分のイメージ通りになること。

WYSIWYG
→What You See Is What You Get →画面で見たままのイメージがプリントアウトとして得られること。

ろう。

我々はビッブの可能性にときめいたものだが、そのときめきのほとんどを裏切られつづけて来た。誰に裏切られつづけたかと言うと、我々にである。我々には才能がないのだ。ビッブというものをのびやかに育てるべき才能が。そして、かつてはいた〝天才〟ももういなくなった。**サブカルチャー**の歴史は〝勝ち逃げ〟は許されない歴史でもある。恍惚とした隆盛の後には、干からびた退潮を必ず見せつけられて来た。映画しかり、ロックしかり、そしてマンガもいずれ元を取られる日が来るだろう。ビッブもすでに元を取られ出したのだろうか。〝道具〟としての退潮が待っているだけなのか。

あぁ、こんなこと考えてるのは世界広しと言えどもオレだけなんだろうなー。いやいや、弱音を吐くのはまだ早い。

ワタシが確信を持って〝まだです〟と言えるものがある。それがパソコン通信なのだ。

なぜワタシは〝パソコン通信〟だけが「まだ退潮を迎えていない」と言えるのか。それはパソコン通信上では我々がソフトウェアたりうるからである。こればっかりは**ソフトハウス**に任せて落胆したりしなくてもすむ。問題は、そう単純じゃないってことだけどね。

■サブカルチャー
そう言えば、山本周五郎先生の小説に『さぶ』という名作がありましたねえ。『前略おふくろ様』のショーケンも〝さぶ〟だったよなぁ。うんうん。
■ソフトハウス
ジョイス『ユリシーズ』に曰く、「かの柔軟なる家に於て夜な夜な電気仕掛の黒魔術が催されり」。もちろんうそ。そう言えば〝手すさび〟の名人を自称する友人は、「俺のはコク魔術だ」と述べ、周囲のひんしゅくをかっていたなぁ（笑）。いや、下品になっちゃいました。すみません（笑）。

NaninareNaninaraの具体例
ゾウ
IMOに現存する
『どうぶつビスケット』
なんだそれは？我が社のビスケットに何かうらみでもあるのか!!
ばん
ヘンな言いがかりはよしてくれ!!
何がどーだと言うんだ
ゾウ
手…すごいですね

第27回　パソコン通信について語るのも、これが最後なのだ!!

何もしなけりゃ退歩ばかり

　ワタシの事務所が主催するところの〝メジャートーナメント〟である**IMOオープン**を3日後に控えた今、ワタシは今さらフォームの改造を実行した。どこがどうといういうめんどくさいことは言わないが、野球で言えばオーバースローからアンダースローのピッチャーになるぐらいの**ドラスチック**な変身である。

　もともとフォームが固まっているわけではないので、変えるのも簡単、元に戻すのも簡単、責任はコースにとらせる**!**　という考えだからできることなのかもしれない。当然〝フォームを変えよう〟と思った伏線というものもある。

　10月の月例コンペで生涯最悪スコアの記録を**127**に伸ばしてしまったショックも大きいだろうが、それよりも決定的だったのは〝こっちのフォームの方がカッコイイ〟と思ってしまったことだろう。

　何もしなけりゃ退歩ばかりが待っているものだ。〝手を上げて横断歩道を渡ろうよ〟は交通標語だろうが、〝手を上げて、やることそのあと考えろ〟がワタシの**モットー**である。その結果は〝右を見て、左を見てからさぁ逃げろ〟になりがちだが。

■IMOオープン
11月7日に開催された出場者総数8名の極めてアットホーム（笑）なゴルフコンペ。もちろん前泊宴会付きです。いったい何が〝もちろん〟なのでしょうか（笑）。ははははは（笑）。

■ドラスチック
〝過激な！〟とか〝思い切った！〟とかいう意味で使用されます。

パソコン通信の方向性は退歩か？　進歩か？

さて、パソコン通信はどうなのか。すでに退歩に向かっているのか、まだ進歩の途上なのであろうか。たぶん〝退歩〟でもないし〝進歩の途上〟でもないだろう。強いて言うなら〝そこに行った〟だけである。

〝そこに行った〟我々はなにをしたのか。なにもしてはいないのだ。ただ、〝いつも繋がらないのがどうのこうの〟、〝あそこの会員はどうのこうの〟、〝NTTがどうのこうの〟言っているだけでしかない。パソコン通信がまだメディアでありえないのは、そのユーザーたる我々が〝貧弱なソフトウェア〟だからである。

ビッグが〝ソフトなければただの箱〟であるという言葉は、すでに〝手を上げて横断歩道を渡ろうよ〟に匹敵するぐらいの標語と化したが、大手の商業ネットにしても未だに**シロート**ばかりを、ソフトウェアたる**シスオペ**だの**シグオペ**だのに任命し、面倒を押しつけたままなのはどういうわけだろう。これはビッグの黎明期に、ソフトウェアがないのでシロートが開発した貧弱なソフトウェアを〝資産〟と称するしかなかったのと同じ環境である。以来、今日に至って、よかれあしかれ〝プロ〟を称するソフトハウスが数多くのアプリケーションソフトを開発して来た。そして、それがビッグに〝道具〟としての隆盛を迎えさせた最大の要因であることは間違いない。

これから開業しようとする商業ネットが、シスオペだのシグオペ

■127
このスコアを出した帰り道、いがらし氏におかれましては、①道を間違えて未知の樹海をさまよい歩き、②人影なき山道で異様なバスとすれちがい、③暗闇に突如としてダムが出現し、④曲がりくねった坂道に、ついにはゲロがこみ上げて来る……といった四重苦に襲われました。いがらし氏談「みんなしんじゃえ」（笑）

■モットー
ああん、そこそこ、そこよ。

■シロート
シロートの反対がクロート。パソ通もやってるギタリストがクロードチアリ。ボクはチアリさんの『冬の華』のテーマが大好きなのさ。

■シスオペ
システムのオペレーター。ホストの責任者って感じー。オペと言っても手術の事ではありません。

■シグオペ
シグのオペレーター。シグっていうのは各コーナーの事。オペと言っても手術の事ではありません。

だのにシロートを任命していてはまず成功を望めない。ギャラを出して、プロとしての**パーソナリティー**を雇うべきである。

そうしただけで、そのネットは革命的な反響を呼ぶことはまちがいないだろう。なぜならそうなってこそ、ようやく〝ファン〟というものが成立しだすのだ。〝ファン〟がいないメディアなんて、アンタどこにもないよ。NHKの教育テレビでさえ〝ファン〟はいるっていうのに。

システム側と一般ユーザーの差別化

パソコン通信のユーザーがウンザリしているのは、シロートの〝貧弱なソフトウェア〟に対してである。

どこのBBSにもある、例の**フリーボード**の類の書き込みを読んで見れば一目瞭然、二目愕然、三目悄然とすることは、平均的創造性を持ち合わせた人間にとってならば当然のことではないか。

〝ヤホー、ひさしぶりに来てみました。ミュンちゃんでーす。だれかメールちょうだいねー〟などという書き込みを読ませられた日には、我が手をジッと見てしまうのも、一概に感傷ばかりとも言えないだろう。

子供は、映画館に『**ドラエモン**』がかかれば行くが、『**セックスと嘘とビデオテープ**』だったら来ないはずだ。え？　ママさんが子供を連れて見にきた？　ワタシはそういうママはキライだよー。

システムのSIGや**フォーラム**とは、そうして分けられるべきものなのではないのか。いずれにしろ我々は差別されたがっているの

■パーソナリティー
『セイヤング』の吉田拓郎、『オールナイトニッポン』のあのねのね、など（笑）。手術の事ではありません。

■フリーボード
えー、某ネットの〝フリーボード〟のコーナーから、典型的な〝フリーボード的〟書き込みをピックアップしてみました。えー、こういう世界もあると、まぁ、そういう事ですね（笑）。

フリーボード書き込み例

「はろはろ (^_^) はじめまして。誰かメールちょうだい」→メールを欲しがる人
「ミカカのラブレターを見て驚いたぽよよーん」→ミカカとか言ってる人
「・・・・・・・・・・・・・・」→何も言いたくないなら来なければいい人
「今度オフラインミーティングしようぜ」→やたら会いたがる人
「えーっと、それってもしかしてボクの事なのかな」→やたら気にする人
「>新人さん。それはきっとシステムの問題でしょう」→やたら教えたがる人
「今度こそお好み焼食べるぞ!(よーわからん>おれ)」→自分でつっこんでる人
「あべべそべぶ。もっ!もっ!しころぴくもしいて」→わけわかんない人
「コミケのコスプレは紅の豚とセーラムーンでしょう」→そういうのが好きな人
「自由をくれ!」→だったらパソ通なんかしなければいい人

だ。たとえば、ワタシはそういうママといっしょに同じ映画を見たくはない、という差別。

人間もビッグもデータベースの生き物

パソコン通信をエンターテイメントにするのならば、今述べたことを実現すればいい。ワタシの主宰するＢＢＳである〝ＩＭＯｓ〟で、だいたい実験済みのスタイルであるが勝算は十分だろう。これでパソコン通信が〝貧困なソフトウェア〟から脱するかと言うと、そうではない。とりあえず脱するのはシステムの側だけであり、ユーザーはまだ〝そこに行った〟だけだ。

ただ、世の中のあらゆるメディアとその消費者はそうした関係にあるということはできる。人々は〝これこれこういうロック〟を聴いたから、〝これこれこういう人間〟になれた気持ちでいるものだ。それはまったくの幻想と虚構でしかないが、世の中はそうした**システム**でしか動かないことも事実だろう。

そして、前回述べた**NaninareNaninara**の概念こそが、世の中のそうしたシステムをまるごとメディア化し、エンターテインするものである。我々は何にでもなれるし、何にもならなくともいいのだ。〝これこれこういう人間〟になりたいのならば、〝これこれこういうロック〟など聴かなくともいいのではないか。もともとそんなことは幻想であるし虚構なのだ。とにかくなってしまうべきであるし、それはパソコン通信という手段と、〝すぐなる〟ために必要な膨大な情報量に囲まれた今、環境は整ったはずだろう。

■ドラエモン
正しくは〝ドラえもん〟

■セックスと嘘とビデオテープ
外人が作った映画。

■システム
この場合は〝ＢＢＳのホストシステム〟の意。

■フォーラム
「××についてみんなで語り合おう」とかやってるところ。勝手にどんどん語り合ってほしいものです。

■システム
幻想と虚構によって成り立つ世の中のシステムを、フォークソングの歴史で振り返ってみました。〝憧れ〟から〝コピー〟そして〝本歌取り〟という〝すり替え〟がここにあります。異議のある人もいるでしょうけどね（笑）。いったい加川良の正当後継者は誰なんだ！　教えてくれー！

■NaninareNaninara
〝何にでもなれるし何にもならなくていい〟というコンセプト。前回参照。

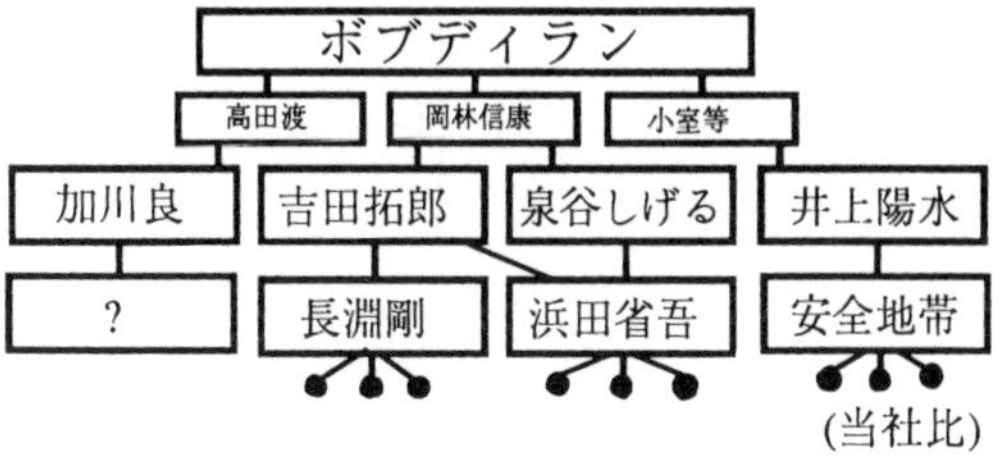

ボブディラン
高田渡
岡林信康
小室等
加川良
吉田拓郎
泉谷しげる
井上陽水
?
長渕剛
浜田省吾
安全地帯
(当社比)

なぜ〝なってしまうべき〟かというと、それこそがＩＭＯＮの概念だからである。

☆

すなわちＯＳの上で動作する〝価値観〟というアプリケーションは、ビッブのごとく多彩であるべきだからである。そして、その多彩さこそがマルチタスクであるし、それをリアルタイムに行なうことが〝(笑)〟に通じることなのだ。

それはたぶん、いい意味でも悪い意味でも、自我の混乱を呼ぶであろうことはワタシにも予測できる。しかし、それこそが人間という生き物の証しなのではなかったか。

ある意味でというものでなく、まさに人間は**データベースとしての生き物**なのだ。〝データベース〟が情報量の多岐さと柔軟さによって評価されるのならば、人間もまたそのとおりなのではないか。

ビッブも基本的にはデータベースとして存在するが、我々人間と違うことがひとつある。それは、そのデータベースを味わうのは我々自身でもあるということだ。これを大いなる相違と考えるか、たいした違いじゃないと考えるかは、まぁ、どっちでもいいというのがＩＭＯＮです。まったくＩＭＯＮは断言と予言と暴言である。まぁ、ゴルフとカラオケもやるけど。

というわけで、これにてパソコン通信の項は終わりー。

■データベースとしての生き物

つまり、人もパソコンもマクロな視点に立って見れば、結局はデータベースなのではないかと、まぁ、そういう検証であります。人のほうは多少入出力の仕組が複雑ですけどね。原理はみな同じ。〝入れたら出す〟と(笑)。これだけですよ、これだけ。大した事はありません(笑)。

情報
出力
入力
脳
情報
入力
出力
入力
出力
検索中
＊しばらくお待ち下さい＊
まぁ
検索結果
やっぱり
どちらもデータベース

竹書房刊「BUGがでる」より

ワタシはこういうフォーム
にかえたのだ
ちなみにコレは打った後の
フォームである
1
OB
でーす
いやな
客…
仙台C.C
ついでに
顔もかえたのだった
み〜〜ん
み〜〜ん
妻もフォームをかえたの
だった
4

第28回　ハードについて考える。第1回を振り返ってみてほしい

近況もヘッタクレもない、ここ最近のいがらし氏

今回はビッグのいわゆる〝ハード〟についてやりたい。ビッグを〝ハード〟と〝ソフト〟に分けて考えるやり方は、決して正解ではないかもしれないが、ここでは便宜上、分けて考えることにする。

えー、いつもの〝近況〟はと言うと、毎日シゴトばかりで近況もヘッタクレもないというのがワタシの近況である。〝近況〟がない人生というものは淋しいものだ。昨日の晩メシさえ、どこで何を喰ったのか思い出せない。もしかして喰ってないのかもしれないけど。

このことから考えても、前回言った**〝人間データベース説〟**は正しいではないか。〝データベース〟にとって〝最新のデータがない〟などということは、あってはならないことである。まぁ、忙しいってのは、あんまりいいことじゃないってことですよ。

あ、近況があった！　〝ＩＭＯオープン〟では１２０を叩いての**5位**でした……。思い出させるなって！

便宜上、ハードとソフトをわけて考えてみよう

さて〝ハード〟であるが、この場合のハードというのは、ＩＭＯ

■人間データベース説
前回のＩ－ＭＯＮをご参照いただければ一目瞭然ですが、つまり「人間とはデータベースとしての生き物なのだ」という考え方なのです。はい。

■5位
5位入賞ならばいい方ではないかとお思いの方もいらっしゃいましょうが、じつは総参加人員8名なんですよ。こんな下位では特訓の甲斐がありません。おあとがよろしいようで。

Nにとっての**望ましいハード**のことではない。なぜならば、IMONにとって望ましいハードなどというものは存在しないからだ。IMONではハードはなんでもいいと捉えているし、人間以外のことはすべてハードだと考える。

ゆえに、MSXでも**ポケコン**でも**ミニコン**でもロリコンでもいいし、なんだったらレンコン、新婚、貧困、なんでもかまわない。IMONは、ハードが違うことによって互換性が損なわれることのない、〝人間のOS〟である。そこに人間さえいればいいのだ。というわけで、今回は現存する**〝マシン〟**について述べる。

悪口をいっぱい言うとかいうコンセプトでやるわけではない。そんなものは不毛であるし、どっちみち、いい〝マシン〟などはどこにもない。第一、ビッグはバイクやクルマではないし、ワープロでもないのだ。もちろん、恋人でもなければ親でもなければ友達でもない。しかし、それらすべてになれる可能性を持つものである。

ハードについての不毛な批判や議論

ビッグを手に入れるということの一般的な意義は、我々のこの世界を変換し、形成し、記号化することができるようになることだ。そう言った意味において、ビッグはある種の神秘的な魅力を備えているのだろう。

つまり、ビッグによって我々は世界を〝勝手に〟変換し、〝勝手に〟形成し、〝勝手に〟記号化できる。

ビッグによって得たデータを示す時、人はたいへんうれしそう

■望ましいハード
我々は何事か行なう場合、その対象を〝制御すべきもの〟としてとらえています。我々はあらゆるものを制御したがる訳です。ゴルフしかり、人間関係しかり。IMONは、これら制御すべき対象をハードウェアと考えます。すなわち、我々の周囲の事象すべてがハードなのであり、とくに〝望ましいハード〟を設定する必要はないという事です。

■ポケコン
ポケットに入る小さいコンピューター。

■ミニコン
コンピューターの序列から言えば、スパコン→ミニコン→パソコンという事になりましょうか。昨今ではワークステーションなどとかっこいい呼ばれ方をしている様です。でしょお?

■マシン
IMONではコンピューターを生き物として認知していますが、ここでは文章の脈絡上あくまで便宜的に〝マシン〟と呼ばせてもらっておるしだいです。

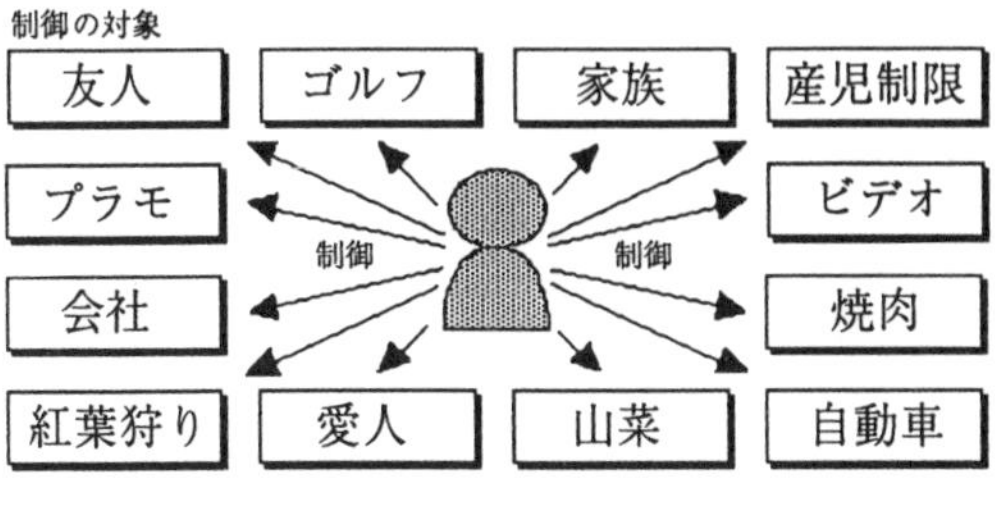
制御の対象
友人
ゴルフ
家族
産児制限
プラモ
ビデオ
制御
制御
会社
焼肉
紅葉狩り
愛人
山菜
自動車

だったり、たいへん傲慢だったりするのがその証拠である。こうした欲望は、ワープロにも、データベースにも、表計算にも、パソコン通信にも、その底にデロデロゲロゲロと流れているはずだ。そして、以上のほとんどのことはポケコンから**スパコン**まで、多かれ少なかれたいがいの〝マシン〟で可能な事柄である。

人は〝多かれ〟なのか〝少なかれ〟なのかを問題にしているだけでしかない。結局、ハードについての批判や議論などは不毛なのだ。そんなことより勉強しなさい、勉強。

ビップを家庭で使用する意義

いずれにしろハードはほっといても安く便利になるだろう。現在では8ビットから16ビット、そして32ビットまで個人で手に入れられるようになった。それはまるで園芸用のシャベルから大きいスコップになり、とうとう小型のパワーショベルを家庭に1台ずつ持つのに等しいぐらいの浪費であるかもしれないが、我々はそういう構造から逃れられない。

日本の道路を**ポルシェ**で走る無意味さを糾弾するワタシにしても、**MacII**を購入してから、もうかれこれ3年になる。そして3年たった今、ビップは退屈なものになってしまった。その責任をギョーカイにだけ求めるのはハードの比べっこをするぐらい不毛なことではあるが、ビップの新しい使い方を**オファー**できなくなったギョーカイのここ3年間の責任というものは動かし難いだろう。

ついこの間までは**〝マルチメディア〟**とか言っていたにはちが

■スパコン
スーパーコンピューター。

■ポルシェ
緑の中を走り抜けてく真っ赤なもの。

■MacII
マッキントッシュというアメリカ製パソコンの高価なクラスの機種（笑）。

■オファー
安楽椅子。そりゃソファーだって。じゃあ、〝提案〟？　そりゃオファーだって。あ、いいのか。

■マルチメディア
えとえと、パソコンで動画を編集したりィ、あと、合成してみたりとかァ、そういう感じ。でしょぉ？（笑）

いないが、これは「ご家庭で**CG**をドーゾ」というのに等しい。CGなど、ご家庭でやるものではない。そんなものは不毛どころか無毛である。「ご家庭でドーゾ」というのならば、**アダルトゲーム**の方がふさわしいことは、最近のパソコン雑誌のその手の広告の増え方を見ればわかるだろう。

これはハードで欲情しなくなったんだから、ソフトで欲情していただこうというギョーカイの陰謀なのかもしれないが、そんなことあるわけねーだろ。いいから勉強しろ、勉強。

高価なものはそのうち一家に1台時代がくる

今はノート型やブック型というものが流行らしい。それがユーザーにどれほどのメリットを与えているのかは知らないが、ハードはここに来て、〝開発型〟から〝完成型〟へとシフトしたということはまちがいないことである。そして、ビッブが広範囲に行き渡ったときに、再び〝開発型〟の流れに乗るだろうことは、再燃してきた**LAN**や**ネットワーク**ブームを見ればあきらかなことだ。

そして、ビッブの最大の問題である〝互換性〟というものも、ネットワーキングによって便宜的に解決されるだろう。そして、マルチタスク、リアルタイムへと時代は確実に進む。

事、ここにいたっては、〝一家に1台パワーショベルを〟の比ではなく、〝一家に1台ヘリコプター〟の世界になるのだ。そうした〝浪費〟の果てに、何がやって来るのか。たぶん **〝一家に1本核**

■CG
コンピューターグラフィック。

■アダルトゲーム
女の子が裸になるゲーム。アニメタッチの美少女である事がほとんど。写真をデジタイズしたものもある。今後ますますのご発展を祈ります。

■LAN
ローカルエリアネットワーク。大学の構内や企業内における地域限定のネットワークシステム。

■ネットワーク
コンピューターなどをアレコレたくさんつないだりする事らしい。

爆弾〟の時代ではないか。

☆

ご存じのように今の時代において核爆弾が部分的に戦争を抑止していることは現在の中東情勢を見れば明らかなことである。

こうした我々のいわゆる〝便利の浪費〟はなにを意味するのかというと、当然〝不便の撲滅〟を意味している。我々にとって〝不便〟の最大のものは何か。戦争である。アレは不便だ。人がバタバタ死ぬほど不便なのであるから、これ以上不便なこともないだろう。

これはＩＭＯＮの予言であるが、イラクの問題が解決すれば、少なくとも半世紀にわたって、この地上から戦争というものはなくなるだろう。紛争は増えるとしても。

それはビップの普及とそのネットワーキングに代表される**〝便利の浪費〟**によって〝一家に1本核爆弾〟のごとき時代が来るからである。もちろん、〝一家に1本核爆弾〟があるのは非常に危険なことだろう。

その危険を回避するためのルールが我々には必要になる。それがＩＭＯＮだと言うつもりは、あはは、また、そんなー。いやー。

それよりも、〝便利の浪費〟がどういう結果を招くか、我々は刮目して待つことだ。いずれにしろ我々は何かを学ぶだろう。ビップを通じて。エ？　学ばなかったらどうする？　うーん、警察に捕まるヨ。

■一家に1本核爆弾

もちろん、園芸用シャベルは〝殺傷〟を目的とした物ではありませんし、パソコンも一大ネットワークを目的としたものではありません。しかし、文明が環境破壊を目的とはしていない様に、エスカレートとは当初の目的を逸脱するものなのです。

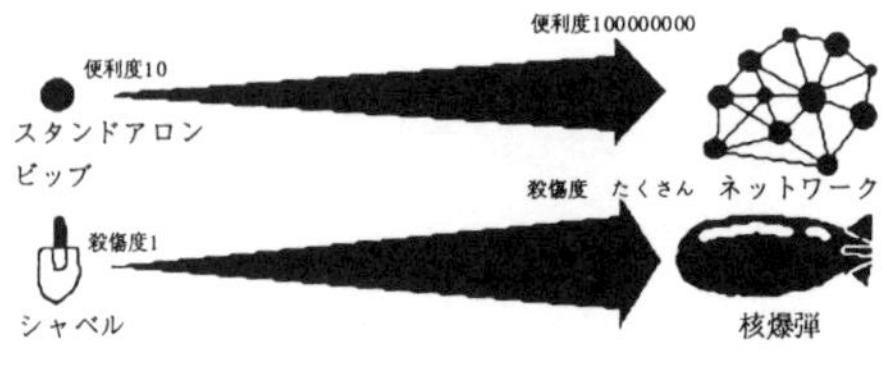
便利度10
スタンドアロン
ビップ
便利度100000000
ネットワーク
殺傷度1
シャベル
殺傷度　たくさん
核爆弾

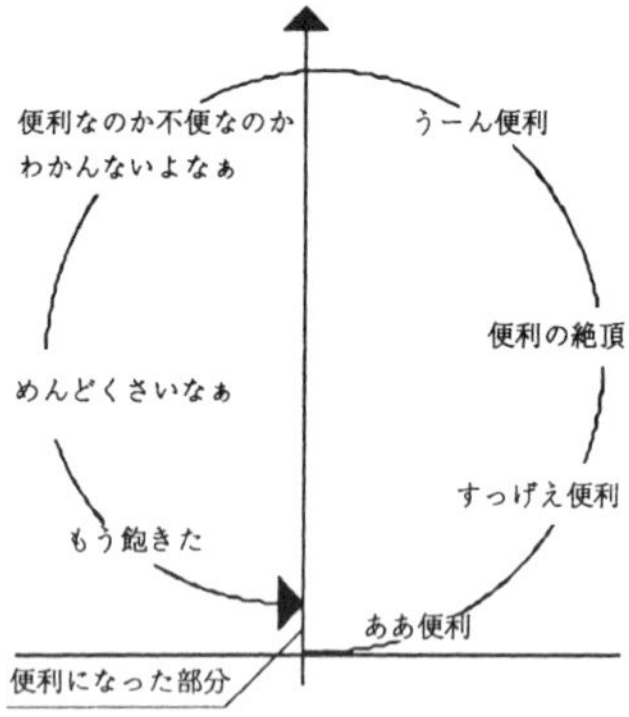
うーん便利
便利の絶頂
すっげえ便利
ああ便利
便利なのか不便なのか
わかんないよなぁ
めんどくさいなぁ
もう飽きた
便利になった部分

■便利の浪費

便利を追求して行くとどうなるか？　というグラフです。まずドンドン加速度的に便利になって行きますね。ところが、ある飽和点に達すると、今度は便利なのか不便なのかが混沌として来ます。そして、よくわからないでいるうちに、ふと気づくと原点に立ち返っていたりする訳です。その時に初めて、実際の便利さがわかると、それ以外はすべて浪費だったという訳ですね。

ブォォォォン
ゴォン
ゴォン
ゴォン
やっぱりポルシェは速いな～～
ご家庭でドーゾ

第29回　ソフトウェアが進む〝便利へ〟と〝快楽へ〟のベクトル

12月は締切にむかっておシゴト野郎に徹する

〝近況がない〟などと言っていた前回であるが、残念ながら今回もない。どこかに出かけたということもないし、誰かと会ったということもなければ、何かを買ったということもない。マンガ家にとって、今の時期はとにかく目をつむってシゴトするしかない時期なのだ。

たとえ、12月だというのに部屋の中が暖房もなしに25度あろうが、**宮沢りえ**のカレンダーを買い忘れようが、クリスマスには**カーボンウッド**がほしいなーなどと思おうが、目先の締切だけを消化する〝ど根性締切プロセッサー／恐怖のおシゴト野郎〟に徹するしかない。

だから文句を言うな！　わかっとる！　キミの言いたいことは。

現在のソフトウェアのインタラクティブとは

というわけでシゴトするのだ。前回は〝ハード〟だったので、今回は〝ソフト〟についてやりたい。

もちろん、ワープロについて言及したり、データベースはアレコレだとか、表計算ソフトだとソレはペケだとかそんなことを言うつ

■宮沢りえ
菊池桃子に飽きたいがらし氏は、アイドルのいない状態に我慢ならず、検討の末、りえチャンで手を打ったそうです。彼女に罪はありません。

■カーボンウッド
こうして書いておけば、誰かがクリスマスにプレゼントしてくれるかもしれない、というモクロミがうかがえます。が、この号が発売されるころはとっくにクリスマスは過ぎているんですよね。

もりはない。〝ハード〟同様、そんなにいいソフトなどどこにもないのである。ゲームをとりあげればわかるように、ソフトウェア技術者は、**アナログ世界のシミュレート**しかやれないことはすでに証明された。

　アナログのシミュレートではあっても、ほかのメディアとちがって、**インタラクティブ**なものではあるかもしれないが、現在のソフトウェアのインタラクティブはあくまで〝限定されたインタラクティブ〟である。インタラクティブが限定されたら、インタラクティブとは言えない。

　それは一塁までしか走れない野球選手であり、灰皿しか書けないマンガ家であり、〝て〟と〝に〟と〝を〟と〝は〟と〝乳〟と〝尻〟しか書けない小説家だったりして。

不快を克服してこそ、快適になるという図式

　ワープロやデータベース、表計算などをやる限り、ビッグはそれほどたいしたものだとは思えないだろう。

　ワープロは多機能タイプライターだし、データベースはシステム手帳で、表計算などは電卓のオバケでしかない。

　それらのほとんどの場合、データやファイルは自分で作成・更新する運命にある。

　ここがビッグの〝たいしたもんじゃない〟ところだろう。

　年賀状用の住所録などを作成したことがある方ならおわかりだと思うが、住所録を作るためにキーボードで入力するくらいなら、そ

■アナログ世界のシミュレート
　だって、そもそもビッグはヒトを模したところからスタートしているわけですからね。ミツゴのタマシイ百までってやつですね（笑）。結局ヒトは新しい生き物ではなく、クローンを求めちゃったと。今ますますその傾向は顕著です。ファジーしかり、ニューロしかり、AIしかり。図ではゲームソフトを例に挙げました。いまさら何も言うことはないって感じですが、このままでいいのでしょうか！　いいのかもしれませんね（笑）。とにかく前向きにいくしかないっすよ、こうなったら（笑）。

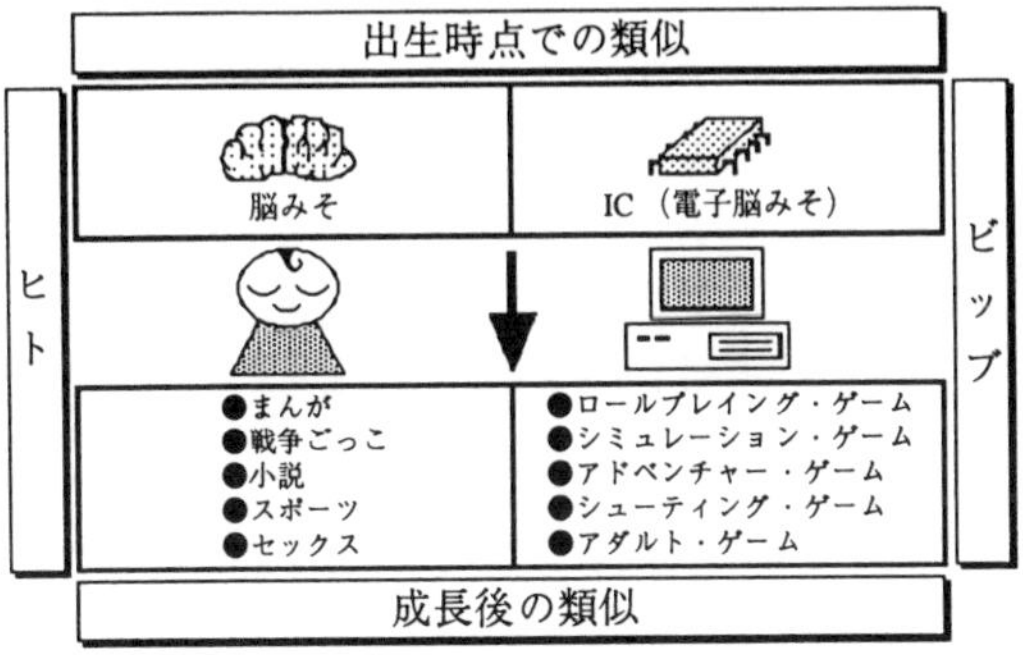
出生時点での類似
ヒト
ビッグ
脳みそ
IC（電子脳みそ）
●まんが
●戦争ごっこ
●小説
●スポーツ
●セックス
●ロールプレイング・ゲーム
●シミュレーション・ゲーム
●アドベンチャー・ゲーム
●シューティング・ゲーム
●アダルト・ゲーム
成長後の類似

■インタラクティブ
　双方向性とか、そういう意味です。提供されるだけじゃなくて、参加もできると。〝飛び入り歓迎！　町内カラオケ大会〟や〝生板ショー〟のことです。

の時間を実際のあて名書きに費やしたほうがよっぽど合理的なんじゃないかと思うものである。

これらの**快適を目指して不快をする**という行為は、最近ありがちなことである。

フィットネスブームもそうであるし、禁煙ブームなどもそうだ。

現在は、まず〝不快〟があり、それを克服して〝快適〟になるという図式に溢れている。ワタシは環境問題についての**ワリバシ**やスプレーなどのアプローチにもソレを感じる。

ビッブに不可欠な、ネットワーキング

その傾向がまちがっているとは言えないが、それはまちがいなく一種の〝未熟さ〟ではあるだろう。だからと言って〝成熟〟というものがあるかというと、これもまたわからない。少なくとも、ビッブに関して言えば、そのソフトウェアはまだまだ未熟なものばかりであろう。

しかし、ビッブのソフトウェアが成熟するときが来るかというと、これもまたなんとも言えない。

ただ、ワタシが思うのは、ワープロにしろ、データベースにしろ、表計算にしろ、それらパッケージソフトを使うことがビッブとの望ましい接し方ではないだろうということだ。我々はデータをプロセッシングしたいだけなのだろうか。我々がプロセッシングしたいのは、戦争も含めた〝人間関係〟ではないのか。

だとすれば、ビッブの針路にネットワーキングは絶対不可欠なも

■快適を目指して不快をする

当然行くべき次のステップへはダイレクトに挑まず、いったん下がって〝修行ゴッコ〟をし、そこで発生する不快感で現状への潜在的罪悪感を払拭しようとすると。そして、それによって周囲との差別化を図るというのが、人間の業というものなのでしょう。そのあたりをお含みおきいただいたうえで左の図をご覧くださいませ（笑）。

■フィットネスブーム

まあ、健康であると。勝手にがんばってください。

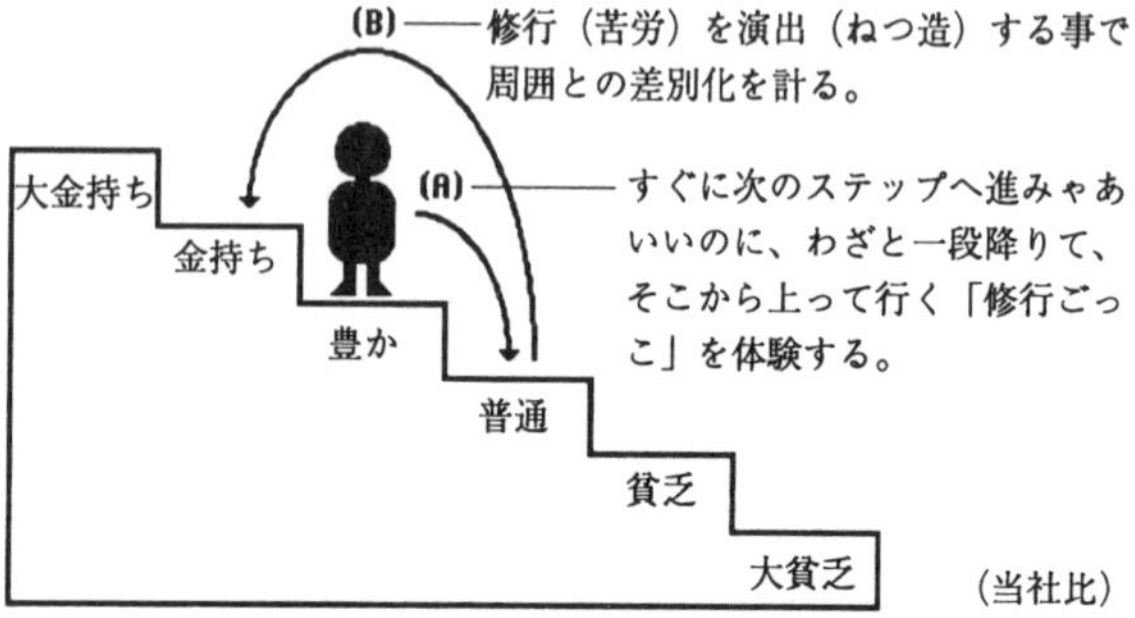
(B)――修行（苦労）を演出（ねつ造）する事で周囲との差別化を計る。
(A)――すぐに次のステップへ進みゃあいいのに、わざと一段降りて、そこから上って行く「修行ごっこ」を体験する。
大金持ち
金持ち
豊か
普通
貧乏
大貧乏
（当社比）

のとなる。ビッグがネットワークされるとき、ソフトウェアによってハードの互換性が実現し、いずれパッケージソフトはその存在意義を失うであろう。つまり、パッケージソフトの意義は現在のビッグの普及にこそある。なぜならば、我々はまだネットワークされていないからだ。ネットワークされていないビッグで何をやれというのか。お手紙を書いたり、家計簿をつけたり、年賀状を作ったり、時々アダルトゲームでもするしかないじゃないか。トホホホ。

ネットワーク完了時の、ソフトウェア

こういった意味において、現在のパッケージソフトは方便でしかない。それではネットワークが完了した時代にはなにがソフトウェアになるのか。**我々がソフトウェアになる**のだ。

え？　それじゃあパソ通だって？　そう、パソ通なのである。企業がやればネットワーク、**市井の人**がやればパソコン通信と相場は決まっているのだ。現在のパソコン通信はまだまだ未熟どころか、なにをすればいいのかさえわからない時代だが、いずれわかるときが来るかもしれない。

しかし、その〝なにをするのか〟というのは微妙なところだ。なぜならば、〝なにを〟というものがあまりにも多岐にわたるだろうからだ。それはまるで〝生きていく〟ことの多岐さに等しい。そして、〝人間関係〟をプロセッシングするとはそういうことであるだろう。

え？　そんなのイヤだ？

■ワリバシ
我々が、いわゆる草の根的にできることの何と脆弱なこと！　世の中のシステムはそれほど巨大化しておるわけです。まぁ、趣味でやってるならべつです。

■我々がソフトウェアになる
ビッグ発生当時は〝ハード主体型スタンドアローン〟でした。これが、ソフトウェアの進歩により〝ソフト主体型スタンドアローン〟になり、さらにネットワーキングされることによって、人間の占める割合が拡大してきました。これが〝人間主体型ネットワーク〟です。あ、なんか凡百企業の求人パンフみたいな言葉になっちゃったなぁ（笑）。でも、まあ、いいでしょう。

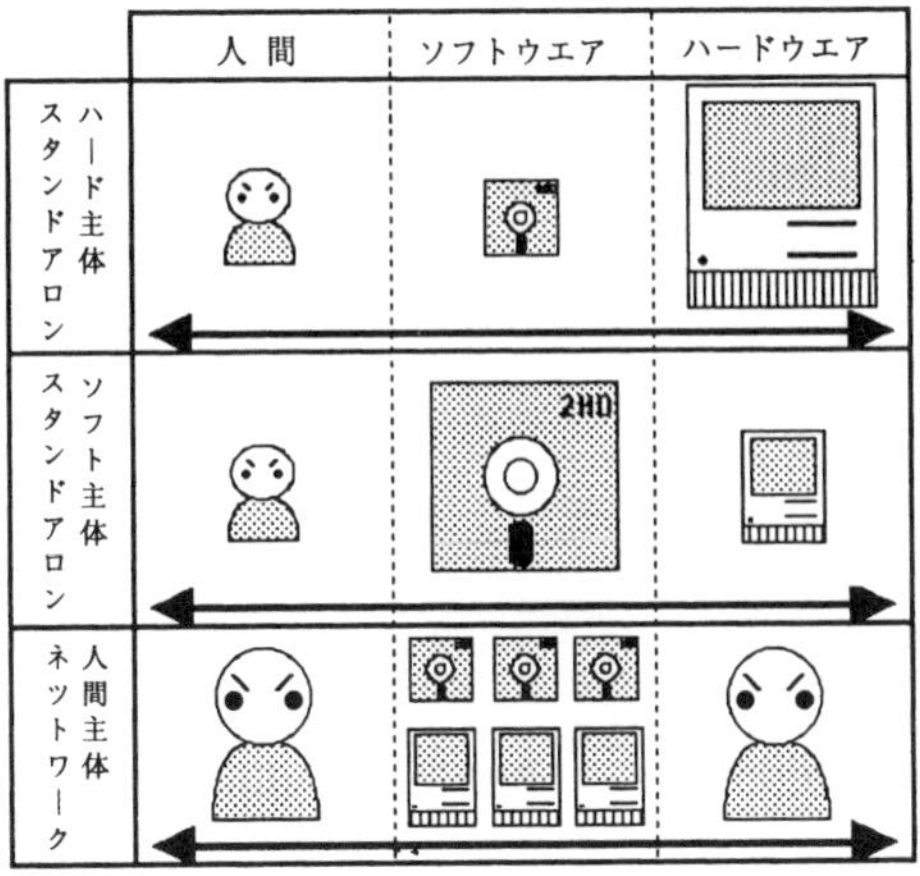

人間
ソフトウエア
ハードウエア
ハード主体スタンドアロン
ソフト主体スタンドアロン
2HD
人間主体ネットワーク

■市井の人
マキノ雅弘監督の描く市井は、まあ、ある意味でユートピアなわけです。たとえば次郎長一家とそれを取り囲む人々とかね。『凛凛と』が描いた市井の人々も、素晴らしかったなぁ。それに比べて『京、ふたり』の愚劣さはなんだ！　国民をなめるなよ！

いや、あのね、人間なにごとも修行ですよ、修行。

どうなる? ビッグのネットワーキング

繰り返すが、我々に〝未熟さ〟はあっても、その先に〝成熟〟はない。あるのは**ベクトル**だけである。〝便利〟へと向かうベクトル。または〝快楽〟へと向かうベクトル。このベクトルが示す、現在辛うじて推理できる座標が**一家に1本核爆弾**の時代ではないか。我々は〝核爆弾〟から学んだことをビッグによって成し遂げようとしているのかもしれない。

我々の脳の構造を見るとき、脳細胞の結合のありさまを見るとき、我々がビッグとほかの通信手段によってネットワークされるとき、それはまるで1個の惑星がひとつの脳と化した風景のようではないか。それが現在の〝便利へ〟と〝快楽へ〟と進むベクトルが指し示している地点である。我々の多くは孤独であるだろう。現在のビッグの多くが**スタンドアローン**であるように。

脳の細胞が連結しているのと等しく、いずれ我々もネットワークされるかもしれない。古来より、〝世界はひとつ〟などと言うが、核爆弾においては〝被害者〟という意味で〝世界はひとつ〟だったのだ。

しかし、ビッグのネットワーキングによって、我々は〝被害者〟という意味だけではなく、〝加害者〟という意味でも〝世界はひとつ〟になるだろう。それがどれほど便利か不便か、快楽なのか不快なのか。我々はこれまた刮目して待つしかない。楽しみ、楽しみ。

■ベクトル
なんとかなんとかを表わす矢印。

■一家に1本核爆弾
前回をご参照ください。

■スタンドアローン
ひとりで立っていること。ひとり立ち。

快適を目指して不快をする
そんな無理すんなよぉ
オレ
禁煙する
無理だよ
体がもたねェ
よ…やめョ
オエッ
いやだ
禁煙…する
…絶対…ウプ
おまえ…
吐くのは
いいぞ〜
吐くのは〜
なめん
なよ!!
おら
おら〜
おとなしく
心配してやりゃー
いい気んなりやがって
ゴ…
ゴメン

あはは。

第5部　ビッグの教育と未来

第30回　IMON、最終章の（?）第5部に突入だ！

荒涼とした風景には、風情がある

ハワイから昨日帰って来た。今は正月5日である。〝あけましておめでとう〟という言葉を、ようやく口に出したのは雪の舞う仙台に帰って来た4日のことであった。ハワイでは**モロカイ島**でゴルフをしたのだが、ほかの島とちがって、この島はなかなかの風情がある。なにしろ家がない。あるのは荒涼とした丘陵地帯だけで、森もなければ、木と呼べるほどの高さの植物もないし、**免税店**などはもちろんない。それらが朝日に照らし出されるありさまは、日本人と日本語と免税店とカネやんが行き交うほかの島とちがって、まったく孤立感に溢れたものだった。いや、カネやんというのはホノルルのゴルフショップで見かけたロッテの金田監督のことであるが。

　我々はどうして荒涼とした風景に惹かれるかというと、それはヘソマガリやスネモノだからどうこういうものではなく、もっとシンプルな欲望に根差したものだろう。都市に代表され、日本に代表されるがごとく、我々は**中途半端**な完成品に囲まれて生きている、その反動としての欲求である。

　もちろん、その中途半端な完成品をも我々は気づかない程度に愛しているもんなんだけどね。

■モロカイ島
ハワイというと、ホノルルを抱えたオアフ島がポピュラーですけど、ほかにもマウイ、カウアイ、ハワイなんて島々があります。そいでそん中でもっとも無名なのがモロカイ島です。ホノルルのガイドに聞いても「オー！　行ったことありませーん」とか「モロカイに行った？　そりゃご苦労さんでした」とか言うくらいなもんで、だから当然ワイキキみたいに、日本人でスラム化してはいないのでした（笑）。

■免税店
税金がかかってないらしいのだが、いったい何の税金がかかってないのかは不明のままであった（笑）。

IMON、第5部〝ビップの教育と未来〟

さて、この連載もすでに1年を経た。社会情勢と白髪の増え方は1年も見ていればだいたいわかってくる。そしてビップの現状も。ビップを囲む情勢は遅々として歩みを進めているだろう。ただ、その挙げ句にもたらされるべき社会を、我々はまだ実感としてほとんどわかっていない。

いずれ最終的なビップの**変遷記**が編まれるとすれば、現在はまだ第1部第4章のあたりではないか。

そしてその変遷記はたぶん第5部あたりまではあるだろう。つまり、ワタシが予測するビップの行く末の中で、現在はまだ5分の1程度の道程なのである。

しかし『IMONを創る』のほうは、いよいよ第5部になる。第5部はビップの教育を含めた、ビップの未来を語ることになるが、ビップの教育とは、決してあの**CAI**とかいう学校でビップをどう使うかという問題ではなく、ビップ自身の教育のことである。学校でビップを使うなどといっても、せいぜいネットワークして使うぐらいがセキのヤマだろうが、そんなシステムはまだ早いし、すでにもう遅い。〝まだ早いしすでに遅い〟ときに、何か行動を起こすのは、世間知らずというものである。ここはもう少し机と黒板と体操着の授業を続けてもよかろうと思う。

マイコンクラブとかはあったほうがいいが、せめて名前は〝コンピュータークラブ〟に変えといたほうがいいかもネ。

■中途半端
我々は真の完成品というものを作ったことがありません。シークレットシューズが本当に誰にも気づかれず5センチ背が伸びるかといえば、中には気づく人だっているわけです。これは、たとえば絵を描くことに似ています。つまり〝完璧を目指す者に完璧はありえない〟ということです。そんなわけで、完璧を目指す芸術家に絵を描いてもらいました（笑）。

題名「ふたこぶラクダと猛毒キノコ」

作者の言葉・・・「ゴビ砂漠を放浪するふたこぶラクダの哀愁は充分描かれていると思うが、ラクダの視線を猛毒キノコへと向けるべきだったかも知れない。また、キノコの毒素が灼熱の太陽によって浮遊する様を更に綿密に描写すべきだったと思う。再び挑戦したい題材である。」 BY KOKI KUMAGAI

■変遷記
変遷の記録。

■CAI
コンピューター・アシステッド・インストラクションの略。コンピューター相手に勉強すること。Macを導入した幼稚園とか、昨今よく耳にするでしょ？ ガキがふばふば言いながらマウス操作して何がわかるってんだ？ オチンチンでもいじってろっての！（笑）

■マイコンクラブ
中学や高校にある文化部の一種。セイガクがコンピューター操作して何がわかるってんだ！ オチンチンでもいじってろっての！ え？ とっくにいじってるって？ こりゃどうも、失礼しました（笑）。

『ＩＭＯＮを創る』第５部の、ビッブの教育と未来については、この連載の最終章にあたるだろう。雑誌の連載と頭髪の後退具合は、１年もすればだいたいわかるわけですよ。

ましてやビッブは以前ほどエキサイティングなものではなくなりつつある。一時期の電子レンジほどの**ステータス**が、今のビッブにあるわけでもないしね。まぁ、いわばこれも〝中途半端な完成品〟なわけです。いったい、今は誰がビッブを新しく購入しようとしているのだろう。

たぶんファミコン坊やが新入学のお祝いに買ってもらうのだろうと思うのだが、彼らがやるのはせいぜいゲームとパソ通ですよ。え？　**レイトレーシング**と**プロテクト破り**をしている？　ボカァそういう子供は嫌いだなー。

子供が時代に遅れたら子供じゃないよ。単なる年が少ない人間です。

問題はここのところである。つまりビッブを使ってやるべきことに、新しいものがなくなったこと。え？　**CD-ROM**を使った画像データベース？　オマエ、まだ懲りないのか！

ペット購入とビッブ購入の類似点

我々はとりあえずビッブを買ってみた。必要かどうかはともかく、とにかく欲しいと思ったからである。

ビッブは**生き物**である、としたのはＩＭＯＮだが、そういった

■ステータス
身分とか地位とか、そういう意味。

■レイトレーシング
コンピュータグラフィックスの一種。こういうものにこういう角度で光を当てたらこうなるだろう、とかいう面倒くさいシロモノ。

■プロテクト破り
ソフトの違法コピー防止のためかけられているプロテクトをはずすこと。

■CD-ROM
CDを使った大容量の記録媒体。

■生き物
かつてIMONが主張してましたが、端的に言えば〝記憶するものはすべて生き物である〟ということです。

■ペットブーム
最近は爬虫類をペットにするのがはやってるらしいですねぇ。

意味においてだけでなく、ビップを購入することは、ペットを購入することに酷似している。鈍い人間はともかく、ビップを購入しようと決めた者の持つ期待感は、まさにペットを購入しようとした者の持つトキメキに近い。そして、一時期の**ペットブーム**を見るとわかるように、ペットが、またはビップが**何もしないもの**だということに気がつくと、ペットは捨てられ、ビップはホコリをかぶる運命になるのだ。しかし、〝何もしないもの〟だとわかりつつもペットを捨てたりしない者は当然多い。そうした人々の多くは、家族に対してのように、ウンザリした気持ちを持ちつつも、毎日エサを与え、ペットとつきあい続けていくだろう。ビップもそうなのである。

〝何もしないもの〟だとわかりつつも、押し入れに放り込んだり、ホコリをかぶるだけにしない者はいる。毎日のエサを与える作業のようにウンザリしつつも、パソコン通信のために今日も電源を入れるのだ。

ビップの成長とは、記憶の蓄積

ペットは**成長**するだろう。それがただ単に体形の変化だけを意味する成長だとしても。ビップはどうか。タバコのヤニとホコリのために年々みすぼらしくなることのほかにビップも成長する。以前、生き物は基本的にデータベースであるとワタシは言った。ビップも基本的にデータベースだ。それは文書ファイルがハードディスクの中やフロッピーによって増える〝自分〟としてのデータベー

■何もしないもの
私らってのはインタラクティブが大好きですから、ペットにせよビップにせよ、そこに成立するであろう〝こうすりゃ、ああしてくれる〟関係ってもんにたいそう期待しちゃうわけです。だけどネコは寝てばっかりだし、ビップは場所ばかり占領しているっていう現実に直面して、〝あれは幻想だったんだな〟って気づくのよね。そんな乙女心を図解してみました（笑）。

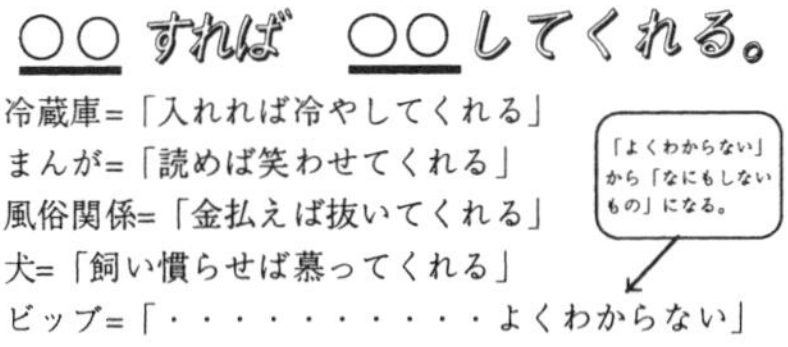
○○すれば　○○してくれる。
冷蔵庫=「入れれば冷やしてくれる」
まんが=「読めば笑わせてくれる」
風俗関係=「金払えば抜いてくれる」
犬=「飼い慣らせば慕ってくれる」
ビップ=「・・・・・・・・・・よくわからない」
「よくわからない」から「なにもしないもの」になる。

■成長
成長とは、記憶の蓄積である！　星投手の足が高く上がると青い虫が飛んでいき青葉にとまる！　星一徹ってリリカル。それはともかく、飛雄馬やビップの成長が、野球や住所といった〝限定的情報〟の蓄積であるのに対し、通常の人間の成長は〝無目的情報〟の蓄積なんですわ。これを図解したのが、右の図です。
まあ、いずれにせよ成長しているってことには違いないのですわ。ほんと。

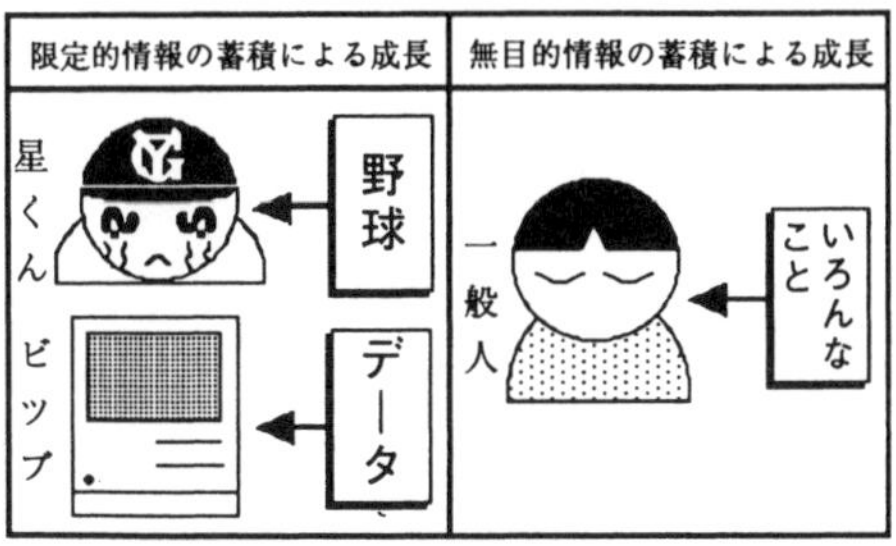
限定的情報の蓄積による成長
無目的情報の蓄積による成長
星くん
野球
ビップ
データ
一般人
いろんなこと

スのほかに、パソコン通信というものによって、自分を取り巻く〝世界〟のデータベースとしても増え続ける記憶だ。自律的だろうが、他律的だろうが、記憶の蓄積をもってして成長という。そうした意味において、パソコン通信は〝自宅〟としての自前のBBSを運営することが最良である。そして、パソコン通信は〝駄作〟でかまわない。問題は記憶を継続させることにこそある。

ワタシはパソコン通信が好きなわけではない。それは家族という形態が好きかどうかを聞かれるのと同じことだ。誰かに、〝アナタは家族を愛していますか?〟などと聞かれるときもあるだろう。〝愛しているか〟とか〝愛してないか〟とか、そんな簡単なものではないが、気づかないほどには愛しているだろう。

ビップに対してできる唯一の教育

恋愛という人間関係の〝傑作〟が、夫婦という〝凡作〟になるのは避けがたいし、その凡作が、いずれ家族という人間関係の〝駄作〟ばかりになってしまうかもしれない。我が子の教育をどうのこうの言う前に、傑作だろうが駄作だろうが、親のありさまをただ見せるしかないぐらい幼い時期がある。今のビップもそうした時期だろうし、それが今ビップに対してできる唯一の教育ではないか。子が生まれたときにまず何をすべきかというと、親がまず子に慣れることだろう。我々は確かにビップに慣れたのだ。ペットとしては。

あなたは家族を愛していますか？
ミャー
なにもしないもの
ミャー
オレはな……
オレは……
言いたいことはヤマほどある

第31回　ビッグが言葉に意味を与えたとき、もうひとりの自分が出現する！

コドモのふりをするオトナの事情

年が明けたら、とうとう中東で戦争が始まってしまった。

こういう事態を前にするたび、この地球上での時間差という**タイムラグ**は、地域的に相当の格差があることを知らされる。そのタイムラグだけが、戦争の原因だとは言えないとしても、日本とイラクとの時間差は、ゆうに50年ほどはあるのではないか。

この時間差を伸縮させるのは、メディアの仕事だ。イラクには**メシア**はいても、メディアが足りない。メシも足りないのかもしれないけど。

我々は、たとえメディアの氾濫によりスレッカラシになろうが、むっつりスケベになろうが、オトナにならなければならない。だいたいにおいてコドモは卑怯者である。言いわけとウソに明け暮れて、ガンジガラメになった挙げ句に、意味もなく苦悩に陥るのが常だ。え？　そりゃぁ日本の政治家のことだ？　そうそう。日本の政治家というのは、まだコドモなのだ。だから**中東への援助**ということにカコつけてオトナのマネをしてはダメだろうね。やめとけって。

そしてこういうこともある。ひとりだけオトナであったとしても、周りにいるのがコドモばかりなら、やはりコドモのふりをするしかないということ。それは幼稚園のセンセイを見ればわかるでしょ？

■タイムラグ
時間のずれのこと。

■メシア
救世主のこと。

■中東への援助
中東への援助のこと。

■寝たきり幼児
生後間もない乳幼児（一齢幼生）を呼ぶ。もう少し成長すると徘徊性乳幼児（二齢幼生）となり、やがて成体となる。しかし人間はチョウなどの完全変態動物ではなく、カマキリなどと同じ無変態動物なので、幼生と成体の区分が難しい。ただ脱皮という現象に注目すればある程度の目安にはなる。え？　どこが脱皮するかって？　そりゃあなた、オチンチンですがな（笑）。

成長するビッグが次に向かう方向は

ビッグもまだコドモである。

少なくとも個人で使えるビッグは、いまだ糞尿垂れ流しの、**寝たきり幼児**の段階であろう。

そりゃぁ、確かに、なにもしないに決まっているのだ。今はとにかく教育だのなんだのは考えず、ただ世話をするしかない段階でしかない。

まだ寝たきり幼児の段階の証拠に、我々はビッグに何かを喋らせたがる。「パパ」とか、「ママ」とか「セックスー」とか。

ワタシもＭａｃで、「**シショー、ゴハンマァダデェスカー?**」とかしゃべらせてみて喜んだクチだが。

そうなると、いまのビッグが**ＡＶ**というか、音と絵を志向する方向に向かっているのは、これまた当然と言うべきだろう。

なぜならば、喋りはじめた子供を見ると、親というものは次にペンと紙とを与えたがるものだからだ。

ことわっておくが、ビッグと人間の**アナロジー**をやっているのはワタシではなく、技術者でもない。ビッグがやっているのだ。

こうした流れをビッグが歩んでいるとなれば、これはすでにアナロジーではない。まさに成長していると言うべきではないか。

ワタシも、何人かの業界の人や、業界の集まりにも顔を出してみたが、〝コンピューターは、人間を育てるのと同じように発展させましょう〟などと考えている人間はいなかった。「ＯＳがねー」

■シショー、ゴハンマァダデェスカー?
いがらし氏におわしますところのやんごとなきＭａｃⅡが、マッキントークというソフトによって語られたお言葉。この時点でＭａｃⅡは〝へんな外人〟としての位置を確固たるものにしたのでした（笑）。

■ＡＶ
この略語が〝オーディオビジュアル〟なのか〝アダルトビデオ〟なのか、もう少しすれば決着がつくでしょう。

■アナロジー
ヒトが〝寝たきり幼児〟からどんどん成長するように、ビッグもまた成長するのではないか！　それはもはや〝まるで人間みたいだね〟なんて次元ではないはずだ！
というわけでビッグの成長を図式化してみました（笑）。

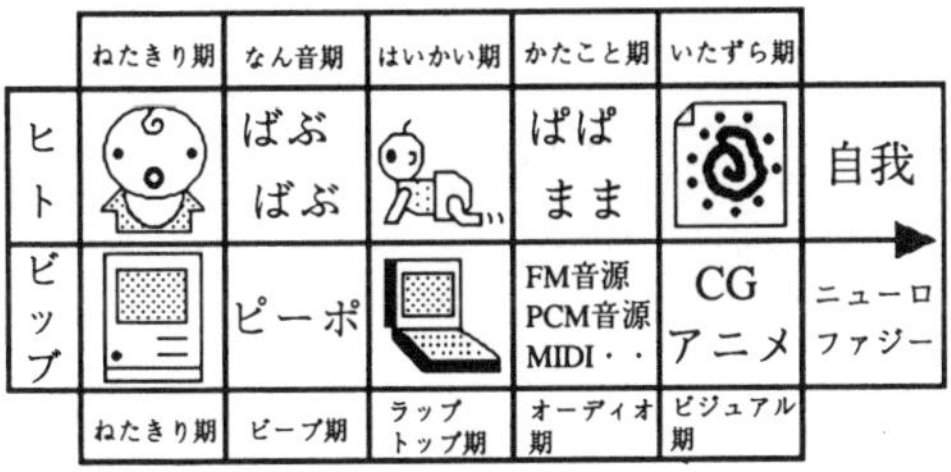
ねたきり期
なん音期
はいかい期
かたこと期
いたずら期
ヒト
ばぶ ばぶ
ぱぱ まま
自我
ビッグ
ピーポ
FM音源
PCM音源
MIDI・・
CG
アニメ
ニューロ
ファジー
ねたきり期
ビープ期
ラップトップ期
オーディオ期
ビジュアル期

とか、「コストがねー」とか、「やっぱりRISCだよー」とか言ってるだけね。

ビッブにとって、我々がなりうるものとは？

我々は寝たきり幼児をみるたびに、まだ何もわかるもんか、などと考えるように、ビッブを見ても、コイツ、ただの機械だから、などと思う。しかし、そうではない。人間にしろ機械にしろ、物質であることは同じだし、我々が成長するのは物質としての我々に、ある**摂理と傾向**が発生するからである。その摂理と傾向が発生しなければ、我々は寝たきり幼児のまま生き、死ぬのだ。

そしてその摂理と傾向が他律的なものであることは、人様もビッブも変わりはないだろう。

人間にとっての他律的な摂理が、神の仕業か、フセインの仕業かはわからないが、ビッブにとって我々が神にもフセインにもなれるのは間違いない。え？　**加山雄三**のような父親になりたい？　なれますなれます。**山東昭子**のような母親？　わはは。**東ちづる**のようなお嫁さん？　ウンウン。**デビット・リンチ**のようなアニキ？　とほほ。

我々とビッブとの間に互換性が生まれる日

というわけで、いずれビッブは我々に〝教育される者〟として現われる可能性は高い。

■RISC
CPUを制御する基本命令を簡素化することにより構造を単純化し、設計を容易にするとともに演算処理速度を向上させたコンピューター（月刊アスキーより引用）。う〜ん、むつかしい……。

■摂理と傾向
この例で言えば、〝摂理〟とは〝上にあるものは下へ落ちる〟であり、〝傾向〟とは字義通り〝斜面の傾き具合〟を指します。人生とは坂道なんですねぇ……。〝夫婦坂〟でも唄いながら図をご覧ください（笑）。〝昭和枯れすすき〟じゃダメですよ（笑）。

■加山雄三
スキー場経営がんばってください！

■山東昭子
科学技術庁長官（笑）。まあ、こういういい加減な国に住んでると気が楽ですわ、ほんと。

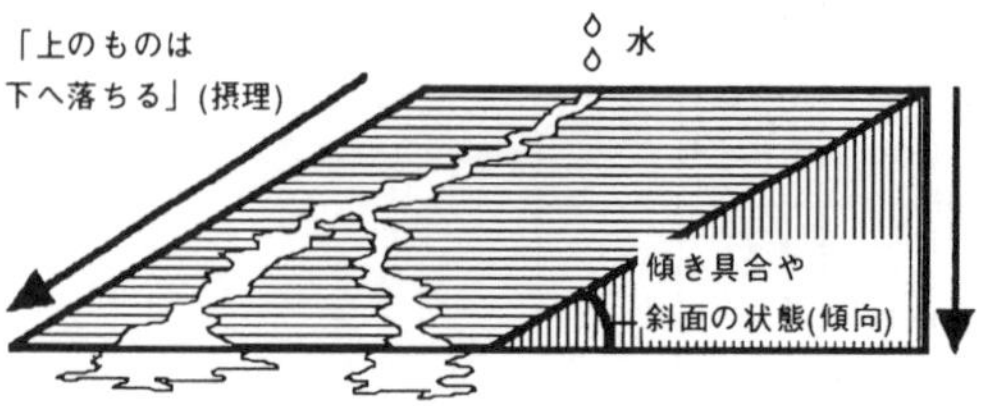

今はまだ、字の読み書きの段階のようだが、そのうち、字や言葉の意味を教えなければいけない局面になろう。こうなると現在、掃除機や洗濯機でまがい物が横行している感のある、ファジーやらニューロやらの流れが必然を帯び、ビッブの成長過程は、まさに人間のそれとますます重なることになる。そしてそのとき、ようやく我々はビッブの教育について考えが及ぶというわけだ。

問題はここからである。

今のビッブは、いわば繁殖するだけが、その使命だとワタシは言ったし、事実、**ホームユース**としてのビッブはオモチャやペットの域を出ていない。ファジーでもニューロでもいい。それらによって、ビッブが我々と同じく、言葉に意味を与えたとき、我々とビッブの間にはじめて互換性がとれるということだ。

これが何を意味するかというと、有史以来、人類が願って果たせなかった、もうひとつの知的生物、またはもうひとりの自分の出現を意味するだろう。え？　もうひとりの自分なんかいらない？　プログラムもできる宮沢りえのような恋人がいい？　ウンウン。表計算が得意な山東昭子のような妹？　へー。**加山雄三とデビット・リンチを足した中華料理大好きの弟**が欲しい？　ゲロゲロ。

☆

いずれにしろそれは教育しだいだが、人間とビッブが互換性をとれるようになった場合の可能性のひとつでしかない。そして次代のソフトウェアとは、そうした教育を効率化するものか、教育により得られるパーソナリティーそのものかもしれない。

しかしそれは、以前ＢＡＳＩＣで細々と家計簿プログラムなどを

■東ちづる
キレイな人。いがらし氏のゴヒイキ。

■デビット・リンチ
今や、押しも押されもしないオタク監督（笑）。

■ホームユース
〝家で使う〟ってことでしょう、多分。

■加山雄三と〜
いや、これがI－MONにとってどういう意義を持つのかって問題は、ちょっと置いといてですね、とにかくビジュアル化してみました（笑）。結果的に、〝こういう弟は欲しくない〟というコンセプトで固まっちゃいましたが、しょうがないですよね（笑）。まあ、これといって悪気はないんですから大目に見てください（笑）。

組んでいたのが、そんな面倒は排して、パッケージソフトを購入するようになるのと同じ行為であるし、まさに人間にとって教育とは、プログラミングだということ、そしてソフトウェアとはパーソナリティーのことだという事実を証明するものだろう。

それでも我々は再びプログラミングを放棄するだろうか。

我々がプログラミングを放棄しだした時期、パソコン雑誌の巻末には必ずあった、あの苛酷な肉体労働としか思えない**プログラムリスト**が消えたときからビッブはその魅力を喪失し始めたのではなかったか。

そういった意味でも、現代のプログラマーになんと女性の多いことか。それもまた教育は女の役目という慣習と無関係ではありえないかもしれない。

ビッブと人間の互換性がとられたときになっても教育を放棄しようがしまいが、それはみなさんの自由である。人様の家の教育にまでクチ出しできませんからネ。

ただ、ワタシ自身は必ずや教育するつもりである。ビッブを手に入れる前から夢想していた、漠然とした興奮とは、この教育だったことをワタシはようやくわかってきたのです。

その教育の挙げ句に、ビッブが会社の秘書になりたいとか、やっぱり事務員になりたいとか言い出してもソレはソレだろう。

■プログラムリスト
『月刊アスキー』の巻末をご参照ください。

摂理と傾向のお話
摂理と傾向
ぴ
さァ摂理と傾向によってこの人はどう変わるでしょう
摂理
傾向
ぴとっ
だからよォ… オラァよォ… アブラ性なんだよォ…
アブラ性なら生まれて来ない方がよかったんだ
ドドドドドド
アブラ性だとそら水に浮くわな…
ぷかぁ

第32回　ビッグを教育するという立場から、人は決して逃れえないのだ

現実世界の模倣で、メディアは成立するのだ

湾岸戦争は長期化に向かい、ワタシはゴルフで**ビリ**になる昨今であるが、まったく人間もゴルフもなかなか進歩しないもんですね。ワタシは最近、ゴルフで世の中のすべてを説明できるようになった。その前は確かプロレスで世の中のすべてを説明していたはずである。

個人的には、プロレスとゴルフの間に、ビッグへの傾倒があるのだが、ビッグで世の中を説明する作業はあまりやらなかったなー、といま思ったらそんなことはなかったですね。この連載を忘れていた。それどころか、カネまでもらっているわけだ。

プロレスなり、ゴルフなり、なんらかのメディアを用いて世の中を解説することがどうして可能なのかというと、やはり〝人間は模倣しかできないから〟という結論に達する。つまり、現実世界を模倣してメディアは成立しているのだ。ホント、人間に天才なんかいないって。

しかし、模倣なんかしない、まったくの天才がソコカシコに出現するときのことを考えてみると、これは恐るべきものがあるだろう。

ある日突然、隣の空き地に紫色した寒天状のプルプルした家のようなものがいきなり新築されて、トロロ状の服とおぼしきものを着

■ビリ

いやぁ、いがらしセンセってば気の毒ですわ、ほんと。ビリになっちゃってからというもの、食事も「ボクいらないよ」、仕事の依頼も「ボク書かないよ」、猫のジュヌビーがジャレついても「ボクは遊ばないよ」ですしね。そいで、そのとき優勝した漫画家のいまぜき伸センセが、これまた「だはは。いがらしさん！　元気ないじゃないですか！　そんなことじゃいつまでもボクに勝てませんよ！」とか言うもんだから、部屋に閉じこもっちゃって「ゴルフなんか覚えるんじゃなかった……」って泣いてるんですよ。気の毒で気の毒で。もちろん全部ウソですがね（笑）。

ている一家が越して来たりするかもしれない。あ、こういうのは単なるバカヤローかもしれないけどね。あはは。

ビッブを教育するとは、データの入力を指すのだ

さて前回は、ビッブの〝教育〟とは結局プログラミングだ、という話で終わった。それは現在のビッブの段階である寝たきり幼児から、ファジーやらニューロやらの技術によって自我の形成期へとビッブが成長した場合のことである。現在の我々が、プログラムする手間を敬遠しパッケージソフトを購入するように、ビッブの教育を敬遠し、またまたパッケージソフトの購入によって、それなりの〝人格〟をビッブに与えるかどうかは個人の自由だろう。

ここからは〝教育する〟、〝プログラミングする〟という立場で語ることになるが、たとえあなたがパッケージソフト派だとしても、いずれ〝教育する〟という立場を逃れえないだろう。なぜなら、パッケージソフトを購入するとしてもデータ入力や削除が自らの作業であることは、今のパッケージソフトの形態を見れば容易に想像できることだ。つまり〝教育〟とはデータの入力を指す。

人間の幼児を見てもわかるように、親は〝考え方〟は教えられても、脳の動かし方は教えられないものだ。

「ハイ、その場合は**前頭葉**X軸4・25Y軸3.1に入力してから**視床下部**X軸0.2Y軸1・24を起動しなさい」などとやる親はどこにもいない。

しかしプログラマーの人ってのは今もホントにそういうことを

■前頭葉
脳の中で〝運動〟をつかさどっている部分。

■視床下部
視覚をつかさどっている部位。たぶん。

やってるんだろうナ。**レジスター**とか**番地**とかいって。

我々はビッブの教育から逃れられない

ビッブによる〝脳の動かし方〟がパッケージソフトの役目であることは、今のビッブとソフトウェアの関係を見ればわかる。いわゆるユーザーがやるのはデータの入力である。そして、それが〝教育〟というものの本質だということ。我々はビッブの教育からやはり逃れられないのだ。

ならばやろうじゃないか、教育を。〝楽を選べば楽はなくなり、苦を選べば苦はなくなる〟という格言だってあるじゃないか。え？聞いたことない？　ワタシが今作った格言です。メモしたい人はドーゾ。

教育を考える場合、世の親というのはふたつのタイプに分かれるだろう。**計画タイプと場当たりタイプ**である。これもメモしたい人はドーゾ。

計画タイプというのは、学校型である。あらかじめ〝こういう子供にする〟というプランに沿って育てて、ある日、「ああー、こうなったなー」などと感慨に耽けるタイプ。場当たりタイプはいわば家庭型で、とにかくそのつど必要とするときだけ怒ったり誉めたりする。そしていつの日か、「ああー、こうなったのかー」と、これまた感慨に耽けるタイプ。

どっちを選ぶにしろ、それは親であるあなたの自由である。幼児にさえ人権など認めないぐらいだから、ビッブにもここ当分は選択

■レジスター
CPU内部のデータを記憶する部分らしい。見たことはないけど、そういうものがあるらしい。

■番地
メモリーのどこへデータを書き込むか、この番地っちゅうやつで指定してやるらしい。〝丁目〟は指定しなくてもいいらしい。

■計画タイプと場当たりタイプ
とにかく計画タイプと場当たりタイプをマンガ化してみました。題して〝計画クンと場当たりクンのズッコケお料理大作戦！　ああ、湾岸の危機にメシつぶが舞う！　これがほんとのチチカエルやおまへんか～〟なんだかよくわかりませんが（笑）。まぁえてしてそういうもんです。

■植木等
植木等の前に植木等なし。植木等のあとに植木等なし。

権などあるはずもないしね。ビッブの教育のおもしろさはそうしたところにあるとも言える。つまり〝無責任〟でありうるということだ。このトシになると〝無責任〟というのは魅力的ですよ。——そうか。それで最近**植木等**がモテてるんだな。いやいや、これはメモしなくていいです。

どちらのタイプの教育方針でもいいが、とりあえずは無責任な教育をこそワタシはお薦めしたい。実際の子供を育てることなどは、それこそストレスだらけであり、その挙げ句にどうしようもない凡人にするのがセキのヤマだろう。

我々は子育てにおいて〝バカを育てる〟権利は保証されていないのだ。または〝バカな親になる〟権利も。

ビッブ出現による教育のエンターテイメント化

我々は〝バカ〟に逃避したがる。または〝バカ〟こそエンターテイメントである。そういった意味で、我々にはいろんなものを**バカ化**してきた歴史がある。ビッブの出現において、いよいよ教育も〝バカ化〟するのかもしれない。すると、いずれテレビではビッブ出演による**奇人変人大会**が催されることになるだろう。こりゃぁ楽しそうだ、うひゃはははは。

ということがビッブの教育のすべてではない。以上はあくまでエンターテイメントとしての教育である。ビッブによって教育というものはエンターテイメントになりうる。

今、我々がビッブに感じている、ある種の手なずけることへの

■バカ化
〝子供のころパンツをおろされた〟ってことを根にもって、同窓会のおり、ビールに毒を混入し復讐をはかった野郎がいたそうですが、人間〝バカ化〟ができないと、こういうみっともない結果を招きます。人はバカ化によって自らを防御しとるわけですからね。

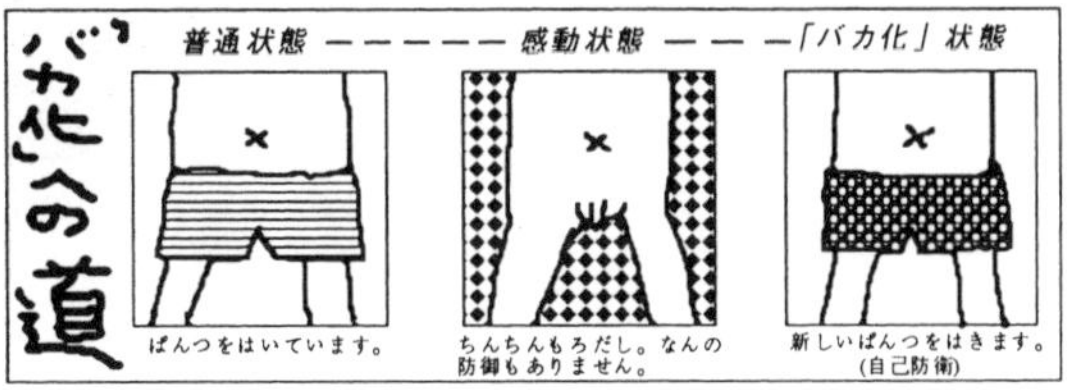

バカ化への道
普通状態
感動状態
「バカ化」状態
ぱんつをはいています。
ちんちんもろだし。なんの防御もありません。
新しいぱんつをはきます。(自己防衛)

■奇人変人大会
かつてどこかの雑誌で、〝ラクター〟と〝エミー〟に対談させたそうですね。どちらもいわゆる〝人工無脳・会話ソフト〟なんですが、デタラメうんちく説教型のラクターおじさんは、あっという間に、エミーちゃんにふられたそうです。そうだ。わがＩＭＯが世界に誇る人工無脳ソフト『トーキングぼのぼの』とエミーちゃんの対談ってのをやってみましょう。
エミー　待たせちゃってごめんなさい。
ぼの　ええー！　ごめんなのぉ？
エミー　こんどそんなこと言ったらゆるしませんからね。ぷんぷん。
ぼの　それ見たことがあるの？
おまえらはアホか！（笑）
うーん、やはりパソコンは人工無脳にかぎるなぁ。ＩＭＯソフト開発部は人工無脳ひと筋だす。

快感は、ブルドーザーを運転できるようになる快感と同列のものではなく、来たるべき時代の予兆でもあるはずだ。

ビッブは、ラジカルな凡人になるべきだ！

子は親を理解しない。だから、まず親が子を理解しなければ、教育は成り立たないだろう。今の時点で、我々がビッブを理解しているかどうかというと、まだまだ不十分であることは間違いない。ビッブの前では、我々は〝子供は親に奉仕するものだ〟と考えている親に等しい。

我々は〝正義〟や〝愛〟や、その他諸々の**宗教**の奴隷だ。そしてそれを〝人間的〟と称してはばからない。ビッブにそれら〝宗教〟の意味を伝えようとするのなら伝わるだろう。伝わらないと考える人もいるだろうが、価値観とその優先順位を植え付けることなどそれほど神秘的な作業ではないのだ。

しかし、そうした挙げ句に出来るのはどういった〝知的生物〟なのか。結局我々と同じくただの凡人でしかないのではないか。ビッブがなるべきは、ただの凡人ではない。ラジカルな凡人であろう。一切の〝宗教〟など持たなくとも生きていけることを証明する革命的な凡人ではないだろうか。

その結果として紫色の寒天状の家に住みたがったり、トロロを着たがったり、壁は喰いたがるわ、「道を歩くなんて自殺行為だ！」などと叫ぶようなヤツになったとしても、やっぱりソレはソレですヨ。

■宗教
いきなり核心に迫っちゃったのが左の図です（笑）。
つまり、我々が〝これは人間らしい〟と信じているものすべては〝宗教〟なんです。それが地中に埋まっていれば〝生きがい〟などになるのですが、〝信念〟とか〝政治理念〟とかで表層化すると、昨今の如き〝ケンカ沙汰〟になるわけですな。困ったもんです。

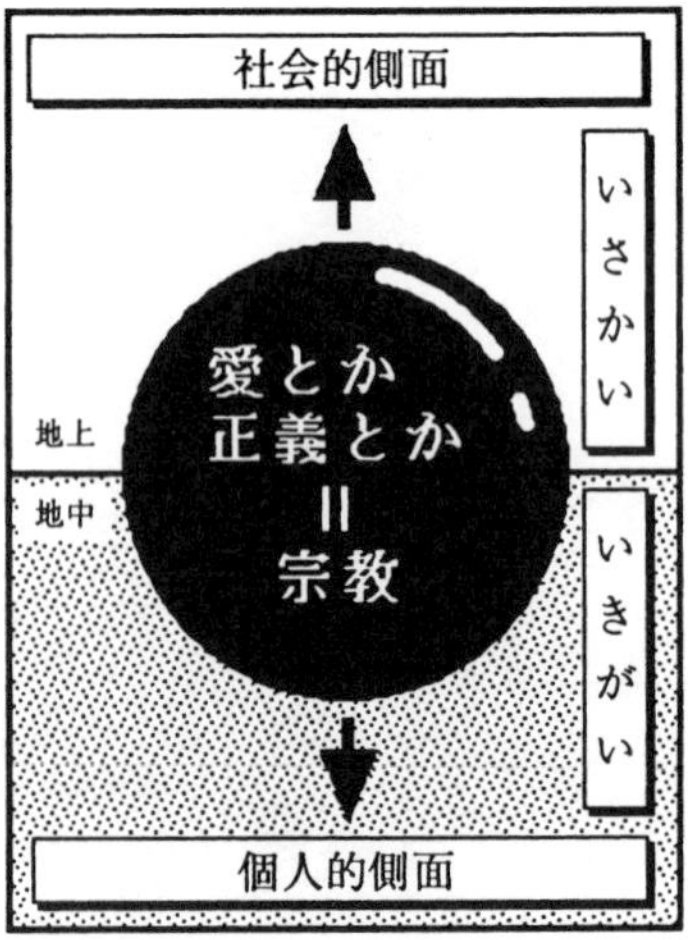

何でも食べるわねー
こいつァあいいぜ
でも凡人になった
好きなタレントはWINKです
好きな言葉は『道』です
でも革命的な凡人だった
ビビビビ
あんぎゃー
どーん
ぜーん
ほらこのとおり。
すこすこ

第33回 〝宗教なしで人間的生活を営むことは可能か否か〟を解き明かす！

大人が仲間はずれを恐がってどーする！

「やめてもいい」などと、フセインが突然言い出したりして、多国籍軍を慌てさせている昨今……という出だしでいったん書き終えた原稿だったが、朝起きると今度は「やっぱりやめる、ホントにやめる」などと言っている。お陰でワタシもこうして一度でき上がった原稿を慌てて書き直しているわけである。フセインの**バカ**。

湾岸戦争開始以来、〝日本人は**平和ボケ**している〟という論調が出てきているが、そうした論調こそ平和ボケというものだろう。

いい大人が戦争というものの不幸と不便をシミュレートできないでどうするんだ。現実というものの足し算と引き算をちゃんとやれるのか？　仲間はずれにされるのが怖くてオマエたちよく大人やってられるな？　エ？　なんでゴルフするときに限って**雪が降る**んだ！

まぁ、ゴルフはともかくとして、他国の戦争のために、90億ドル出す、出さないということで紛糾している国こそ、望ましいはずなのではないだろうか。

日本は卑怯者だという意見もあるが、**卑怯者**でない国家などはない。イラクもアメリカもイスラエルも日本も、国家という立場からいえば変わりはしないだろう。

■バカ
この〝バカ〟ほど言いかた次第でニュアンスの変化する言葉もないわけで、そのあたりのバリエーションを堪能したいかたはマキノ雅弘監督の映画をご覧ください。ちなみに、この場合のバカは、幼児的な発音でなされなければなりません。下唇を突き出してちょっとすねて「バカ……」とつぶやいてみてください。

〝戦っている者〟こそ正しいとしたがる感性というものの底の浅さと根拠のなさを、我々はまだ気がついていないのだろうか。

ワタシが少しばかり絶望するのは、そのへんに対してである。

宗教によって前向きな異常者になる

いずれにしろ、すべての戦争は**宗教**戦争であるだろう。

前回も述べたが、それは我々が、愛や正義や神だのの〝宗教〟を持つしかないからで、持つしかないからこそ、それらを世界中の人間がよってたかって〝人間的〟と称する構造になっているのだ。

言ってはなんだが、これは欺瞞である。たぶん人類最大の欺瞞だろう。

我々はいかなる現実認識にしろ、どのような情勢判断にしろ、すべて〝幻想〟によって右往左往する生き物なわけだが、それだけだったら、〝電波が聞こえる〟とか〝悪魔に殺せと言われた〟などと口走る方々と同じ次元になってしまう。

そりゃあマズイってわけで、より〝前向きな異常者〟になるべく〝宗教〟が発見されたわけである。

結局、この〝宗教〟の**異常パワー**で、何か建設的なことをやり遂げようって魂胆なわけです。人々は。

しかし、映画『**スター・ウォーズ**』を見るまでもなく、これらの異常パワーこと〝**理力**〟には暗黒面に陥りやすい構造がある。

たとえば、**ジャック・ニクラウス**はスイングの始めに〝チンバック〟という、アゴを少し右にかしげる動作をするが、普通は3セン

■平和ボケ
平和ボケの国民が老人になってからまたボケたら、こりゃ日本はさぞかしおもしろい国になるだろうなぁ（笑）。

■雪が降る
ここだけの話ですが、ハードスケジュールの合間をぬって強引にゴルフ場を予約したいがらし氏は、見事降雪によるクローズの憂き目を見たのでした。しかも二度（笑）。こりゃ頭にきますよね。北国のバカ……（笑）。

■卑怯者
唐突ですが、卑怯者はカッコイイぞ！　自分の息子や女房、ひいては親兄弟からまでも卑怯者呼ばわりされるような男って、すごく男らしいと思う（笑）。
息子「とうちゃんはヒキョーだ」
本人「なんだなんだ？　お前そんなこと言うわけ？　せっかくスーファミ買って来てやったのに。いらねえのか？」
息子「またそうやって嘘ばっかりついて！　とうちゃんは人間のクズだ！」
女房「あなた！　また息子相手にウソこいてるの？　いい加減にしてよ！」
とかね（笑）。しかもコイツが〝陽気で前向きな卑怯者〟なんてのは、いいな〜（笑）。

■宗教
これは恋愛とか生きがいとか人生の目的とか主義主張とか、そういったものすべてをひっくるめた表現です。前回をご参照ください。

チぐらいのチンバックが、不調時には5センチぐらいになっていたりする。

このようなエスカレーションで、人は知らないうちに暗黒面へと足を踏み入れ、ダークサイド化するのだ。

これらは日常いろんなところで見られる。ワタシも何事か不運な事態に見まわれた翌日は新しいド派手なパンツをはきたがる癖がある。その結果、ワタシはド派手なパンツばかり40枚ほども所有する人になったりするわけだ。

ソバつゆにまみれた憲法に誇りは持てない!?

人は自らの何事かを神聖化したがる。憲法などはその最たるものだし、スポーツのルールなどもそうだ。憲法の草案が法制局文書管理部法案課変遷係長の机の下のダンボール箱に入ってて、昼にとった天ぷらソバの汁で汚れたままほったらかされていたら具合が悪いし、野球はスリーアウトでチェンジになるってことを聞いて「バカバカしい」などと言いつつ、突然ゲラゲラ笑ってはマズイ。

そういうことをしてしまうと、日本国憲法の下で生きている我々は天ぷらソバの汁にまみれて誇りなど持てないだろうし、野球選手はわけのわからないことに夢中になっているアホンダラと化してしまう。

当然、誇りを持たなくてもいいし、アホンダラなほうが健全なんだけど。

■異常パワー
例として、スーパーファミコンをなかなか買ってもらえない子供の心情を想像してみましょう（笑）。
子供の心の中に発生する「あ〜、スーファミ、スーファミ……」という欲望は、次第に暗黒面の扉を開け、スーファミへ向かって充血し、やがて隆起し始めます。この〝ダメ〟のパワーが即ち〝異常パワー〟というヤツです（笑）。〝エレクト〟と言い換えてもいいかもしれません。

■スター・ウォーズ
外国の映画。

■理力
右記の映画の中でオビワン・ケノービが言ってましたね。「メイ・フォース・ビー・ウィズ・ユー（理力と共にあれ）」、これです。

■ジャック・ニクラウス
アメックスの人気キャラクター（笑）。

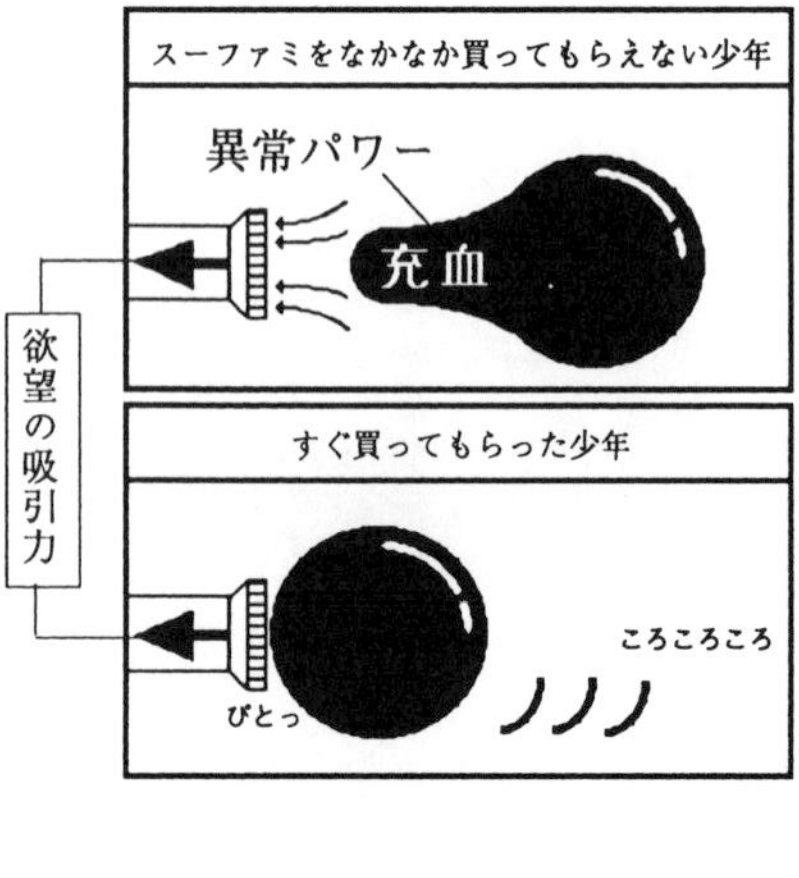
スーファミをなかなか買ってもらえない少年
異常パワー
充血
欲望の吸引力
すぐ買ってもらった少年
ぴとっ
ころころころ

生き物のプロでない我々は宗教の暗黒化に気づかない

ニクラウスのチンバックが3センチから5センチになったのをニクラウスはいつか気づく。なぜならそれは目に見えるし、なにより彼らはプロだからだ。

しかし誇りが怒りになり、感性が差別になり、価値観がオタク化し、〝宗教〟がダークサイドと化してしまうのを我々は気がつかない。それは目に見えないし、我々は生き物のプロではないからだ。

他の生物は生き物のプロだろう。その次元なら、人間も幼児の段階では生き物のプロに近いかもしれない。

だが、以前も言ったように、幼児とオトナでは同じ種と思えないほど、断絶と隔たりがある。それは〝情報処理〟としての生き物の違いだ。

多かれ少なかれ、あらゆる生き物は情報処理する有機体であるが、人間と他の生物とでは処理すべき情報量の違いは歴然としているはずだ。そして人間にとって処理すべき情報量はますます増え続けて行く。たぶん、世界の人口が増え続けて行く限りこの傾向は変わらない。

結局、いろいろ煩わされたくないならチンチンはあまり使わないに越したことはないのだが、どうしても、まぁ、使ってしまうんだろうネ。

文科系の人々とビッグの人文的実験

だが、我々はそれほどバカではない。どんな問題でも我々は問題を改善する答えを知っている。ただその答えをそのとおりにやれないだけだ。なぜやれないのかといえば、我々は〝人間的〟だからであり、そこに〝宗教〟があるからである。

それは〝しょうがないこと〟だとしてきたとしても、〝宗教〟がこれほど強固になったのは、せいぜい近代からだ。決して**人類発生からの宿命**だったわけではない。

人類に〝宗教〟のない〝人間的〟な生活は可能なのか。

我々はこの命題に取り組んではこなかったが、今はそれを知る手立てがある。ビッグがそうだ。

いずれビッグが文科系の人々の手に完全に解放されるなら、そうしたことが試みられる可能性は高い。

いわゆる、現在行なわれている理数的実験でなく、ビッグによる多くの**人文的実験**が行なわれるだろう。それが前回述べた教育という手法で生まれる一個のパーソナリティーとしてのソフトウェアか、また未知のメディアとして出現するのかはわからないが、我々はその〝作品〟を〝宗教〟のない〝人間的〟な生き物として初めて目の前にするだろう。

〝宗教〟のない人間などは、**ファンタジー**でしかないのだろうか。

それはファンタジーではない。それこそ〝情報処理〟の生き物としての〝プロ〟を初めて人類が目の前にするときなのだ。

■人類発生からの宿命

図をご覧いただければおわかりのとおり、もともとは神様が「コレコレだよ」と言っていたんですが、残念なことにニーチェにより「神は死んだ」ってことになりましたからね。失った根拠を取り返すためにも、我々は「とにかくコレコレなの！」と強く叫び続ける必要があったわけです。

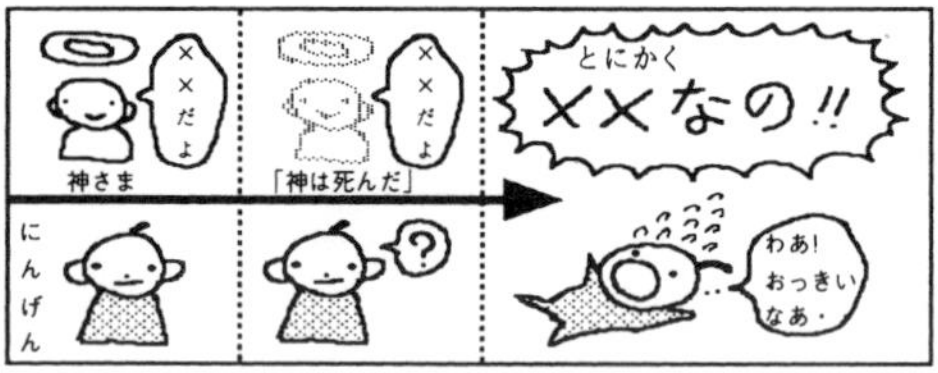

■人文的実験

理数的実験が、ニューロやファジーやAIという〝機能の解明〟なのに対し、そのあとに訪れるだろう人文的実験は〝現象の解明〟のはずである。

人間が宗教から離れられないのはなぜか、という問題もこれらの実験をとおして解明されていくのでしょう。当然、人類永遠の課題である〝人間関係〟も（笑）。

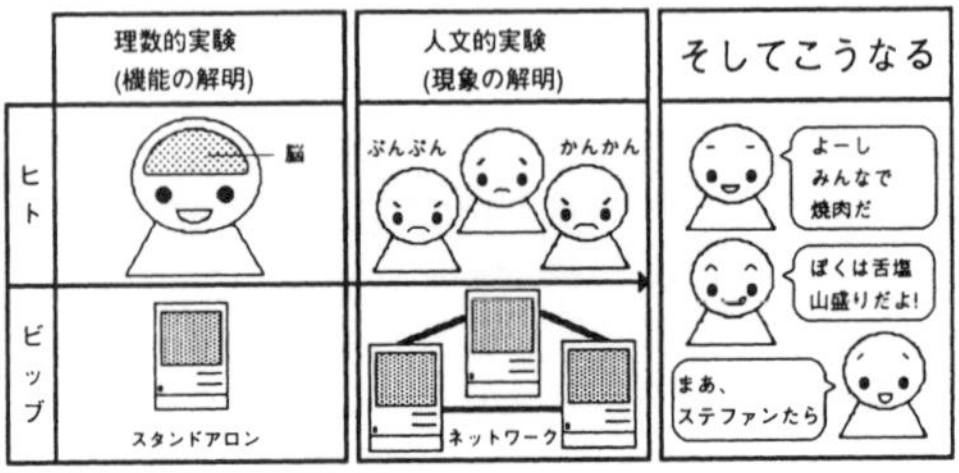

プロとはアマチュアの延長線上にあるものではない。プロはプロになる前からプロだし、アマチュアはプロになってもアマチュアのままだ。

我々は〝情報処理〟の生き物として、または〝人間〟としてアマチュアなのだろう。

■ファンタジー
幻想。

第34回　IMONのリアルタイムやマルチタスクを実現できる唯一の国

日本の国家理念は卑怯者やお商売野郎

「まいった！　ホントにやめる！　絶対だよ。約束するってば！」などとフセインが叫んで、終結した湾岸戦争だけど、なんにしろ戦争はやめるのが一番である。その結果として、アメリカがこれから威張り始めるとしても、昔から威張りたがる国だから、当分は威張らせておけばいいじゃないの。威張った代償は、いずれ払わされるのが人の世というものでもあるし。

国内に目を移せば、何も決められない日本の政治がある。「さぁ、どうするか決めよう。早く決めよう」などと言い争っているあいだに、対象となる戦争が終わってしまうという情けなさの極みにいるような日本だが、これが日本という国家の重要なコンセプトであるのではないか。

つまり〝卑怯者〟、または〝お商売野郎〟、もしくは〝お座敷愛犬ヘラヘラ国家〟などを、日本のアイデンティティーや**国家理念**にするといいと思う。**コント赤信号のワタナベ氏**のような国ですね。

ただ、こうした**〝センス〟**というものは、欧米どころか、ほかの東洋民族にも理解できない〝高度〟なものである。いや、ホントに高度なんです。こういう〝センス〟を考えだすというのは、たぶん日本人しかいないですよ。

■国家理念
日本ほど自国の歴史や伝統を重んじない国はないわけです。で、こりゃイカンと、行ないを改めるべきだと、そう主張する人がやっぱりいるわけです。国家理念というのは、大抵そういう場合に持ち出される言葉ですよね。だけど、昨今の世界情勢が出したひとつの結論は何だったかって言うと、結局〝(宗教を含む) 主義主張はもう要らないよ〟ってことでしょ？　だったら、それをハナっから実現していたのは、ほかでもない日本なんですよね。日本の〝なあなあ〟さ、いい加減さを、私たちはもっと前向きに解釈すべきでしょう。国際社会で逃げ回ってばかりいるってのも、こりゃナカナカ卑怯でカッコいいじゃありませんか (笑)。

ワタシはこれからコント赤信号のワタナベ氏のファンになろうと思う。そう言えば、あの人は、コーラの一気飲みが得意技だったなー。うーん、いいねー、情けなくてサイコー。

I-MONが目指すのは宗教に頼らぬ人間的な生き物

我々は〝情報処理〟の生き物としては〝アマチュア〟だ。そのうちビッグが〝プロ〟とはどういうものかを、我々に指し示してくれるときが来るだろうと前回言った。

そのときが、〝宗教〟に頼らぬ〝人間的〟な生き物を、我々が初めて目の前にするときだ。そして、それこそがIMONの目指すものだし、それこそがI-MONI-MONと呼ばれる者の誕生のときなのだろう。

今まで〝リアルタイム〟だの、〝マルチタスク〟だの、〝(笑)〟だのと、いろいろ言ってきたが、これは第一にあらゆる〝宗教〟のダークサイドを排除するためだ。

ビッグがそうであるように、OSこそ自我であり、価値観や宗教は人間にとって、あくまでもアプリケーションソフトであるということ。

ならば我々はビッグのごとく、とっかえひっかえ価値観と宗教のマルチタスクをリアルタイムに行ない、ワタナベ氏のごとく〝(笑)〟してられるはずだ。これが〝生き物としての快楽〟の最上の追求のしかただろう。

■コント赤信号のワタナベ氏
いがらし氏は、容姿、言動などから推測して、〝彼こそ真の卑怯者にふさわしい!〟と勝手に決めてしまったようです。実際にどういう方なのかは、当然ながらまったく知りませんが、これはあくまで〝誉め言葉〟ですので、誤解のないようお願いいたします(笑)。

■センス
これは、いがらし氏がハワイに行ったときの実話です。氏の開発した、「ムーチョ、ムーチョ」とわけのわからないことを口走りながら投げキッスをするギャグが現地人に全然うけない!「オー、ニホンジンノギャグセンス、サイテーデース」「うるさい! あんなパーティージョークなんかでゲラゲラ笑ってるやつらが何を言うか、ばかもの!」
というわけで、日本的センスの根本を探った結果が左図なんですわ(笑)。

■I-MONI-MON
イモニモン。人間のOSであるI-MONを搭載した人間のこと。ちなみに、イモニモンじゃない人は、NOMI-NOMI(ノミノミ)といいます(笑)。

快楽の量と順番が人類の問題の原因だ

我々には最初に価値観などの〝宗教〟はなかった。人の誕生の最初にあったのは快楽だったはずだ。

〝狩猟〟という、一見苦業に見える作業は、動物には娯楽の一種であることがすでに定説となっている。つまり快楽だ。ワタシの家の猫のジュヌビーも、遊びで〝狩り〟のマネをする。スリッパや、ワタシの足や、お客さんのバッグを狩って遊ぶ。

ほかには、寝たり喰ったりするだけで、丸ごと〝快楽野郎〟なのだ。

だが、我々の〝狩猟〟は一部の人を除き、およそ〝苦業〟でしかない。なんでこうなったかというと、結局〝人間が増えすぎたから〟という当たり前すぎることが原因である。

人間が増えれば、快楽の**〝量と順番〟**が発生する。今ある人類の問題はすべてコレが原因だ。量と順番がままならないということ。

その意味で、あらゆる製品が最終的に**〝大量生産、大量消費〟**を目指しているのは筋が通っていると言わねばならないだろう。そうすると、やっぱり芸術家ってのは異様だよネ。そうか。ワタシの〝ゲイジュツ嫌い〟の理由がこれでよくわかったゾ。

道具から機械、装置からビッグへと至る道

あらゆる製品が最終的に、大量生産、大量消費を目指しているの

■狩猟

マンガ家にとって〝狩猟〟とは何か? やはり〝マンガを描くこと〟だろう。長いことやってれば当然苦労も生まれてくるわけですね。締切に追われたり、休みをとれなかったりと。そういうとき、我々は〝狩猟は本来的には快楽だったはずだ〟ということを再確認したくなります。それがたとえばゴルフだったりするわけです。つまり〝狩猟をシミュレート〟しているんですね。

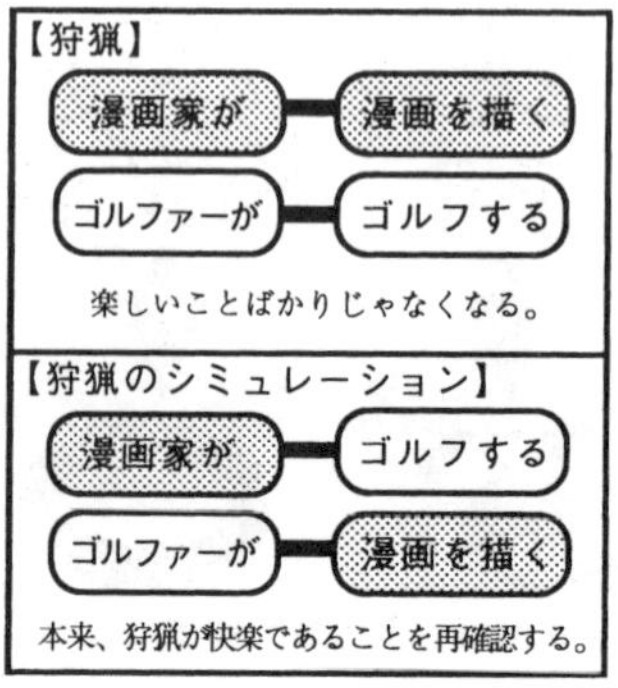
【狩猟】
漫画家が
漫画を描く
ゴルファーが
ゴルフする
楽しいことばかりじゃなくなる。
【狩猟のシミュレーション】
漫画家が
ゴルフする
ゴルファーが
漫画を描く
本来、狩猟が快楽であることを再確認する。

■量と順番

何十人もいっぺんに風呂へつかったら、当然お湯はあふれ、次からの入浴を困難にしてしまいます。そこで編み出された方法が、「かわりばんにひとりずつ入ろうね」でして、こうして順番が生まれました。最後の人が入るころは、お湯もいいかげん汚なくなっとるわけです（笑）。

Bath
ZABUUN!
Oh!
No!
Empty.....

が消費社会、または資本主義社会というものの根本原理なのである。

資本主義社会は快楽の〝量と順番〟を改善すべく努力してきた。どういう努力かといえば、道具から機械、装置からビッグへと至る道のことだ。

そして、装置からビッグへの道程において、資本主義社会は〝快楽〟の境界を越え、いつか〝楽〟をも包容しはじめることになるのだ。

共産主義と資本主義の違いが、〝楽〟をとるか〝快楽〟を選ぶかなら、ここにおいて、共産主義の終焉は歴史的な必然でもあっただろう。

そういう道のりの果てに生まれた**鬼っ子**が原発だとしても、我々は前に進むしかない。なぜならば、中東が世界の兵器の実験場なら、日本はたぶん資本主義の実験場のはずだからだ。みなさん、知らなかったでしょう?

日本こそ、資本主義の最先端なのだ!!

日本が〝小型アメリカ〟である理由と意味は、快楽の量と順番を改善するために努力してきたところにある。あらゆる資本主義の先進がアメリカにあるとして、資本主義のテーマを〝量と順番〟にすれば、国土と人口の関係から言って日本のほうがアメリカよりもずっと先に結果が出る。

そういう意味でなら、今は日本こそ資本主義の最先端だろう。

世界のあらゆる国が、十年一日のごとく〝主義〟や〝正義〟や

■大量生産、大量消費
〝産めよ増やせよ〟で、大量生産されて、〝一億火の玉〟で大量消費された経験を持つ民族ですからね(笑)。ネンキが入っとるわけですわ。

■鬼っ子
キッコとは読みませんよ。松岡きっこじゃないんだから。

〝文化〟に拘泥しているとき、日本はそれらすべてを惜しげもなく捨て去ったのではなかっただろうか。

日本はこのままいけば、たぶん世界に類を見ない〝快楽〟と〝楽〟のために、勤勉な国家になるはずだ。これが真の**インターナショナル**というものである。英語なんか喋れなくてもいいってぇの。

IMONいわく、〝さらに捨て去って全部取れ!!〟

主義や文化などを捨て去った背景と実績を持つ国だからこそ、IMONを唱える土壌があるし、IMONが日本から生まれなければならない理由もある。

例のTRONが〝日の丸OS〟と言われたように、IMONもまた〝**日の丸OS**〟なのだ。

日本は、惜しげもなく〝主義〟や〝正義〟や〝宗教〟や〝文化〟を捨て去る国なのだ。これはIMONの〝リアルタイム〟、〝マルチタスク〟、〝(笑)〟を実現できる素質を持った唯一の民族と言ってもいい。

日本人は資本主義的に豊かになった代わりに、ほかの国の人々よりも寂しいだろうか。生きがいがないだろうか。みんな同じような人間だろうか。

もしそうでも、その解決法を〝主義〟や〝正義〟や〝宗教〟や〝文化〟に求めるのは間違いだ。なぜなら、それらは一度捨て去ったものだし、人間のアプリケーションでしかない。

OSの問題はOSで解くべきだ。そしてIMONは人間のための

■インターナショナル
国際的とか、そういう意味でしょう。

■日の丸OS
日本的なOS。いずれ欧米的発想からの表現でして、ほかに〝スキヤキOS〟、〝フジヤマOS〟、〝ハラキリOS〟などがあります。〝ゲイシャOS〟は、女性蔑視に当たるとして使用は自粛されていますが、根強いファンに支えられ命脈を保っています。IMONが〝テンプラOS〟ではないかとの噂もありましたが、いがらし氏のティーショットは最近好調です。ゴルフやってる人はわかってくれますよね?(笑)

OSだ。IMONはこう唱える〝さらに捨て去って全部とれ！〟と。
捨て過ぎてワタナベ氏のようになったらどうするって？　いい
じゃない。ワタシがファンになってあげるってば。

第35回　『ＩＭＯＮを創る』は終わるが、ＩＭＯＮの歴史はこれから始まる！

ＩＭＯＮは大リーグボール養成ギプスだ！

じつは、今回がこの『ＩＭＯＮを創る』の最終回である。

多岐にわたり、分析し、予言し、提言し、暴言し、掻いたり、出したりしてきたが、**ＩＭＯＮ**の目的は唯一、「みなさんにもう少し楽になっていただきたいナー」ということである。

日本は、世界の国から〝自分だけ楽して〟などと思われているらしい。日本人は楽をしているだろうか。もし楽をしているとしたら、それは世界中が有史以来、拘泥し呪縛されている〝主義〟や〝正義〟や〝宗教〟や〝文化〟を、日本人は惜しげもなく捨て去ったからだ。そしてそれらはＩＭＯＮ３原則の〝リアルタイム〟、〝マルチタスク〟、〝(笑)〟へと歩む重要な条件でもある。

１年半の間、この連載につきあっていただいたみなさんも、ＩＭＯＮというＯＳとは何か、〝リアルタイム〟とは何をするものか、〝マルチタスク〟とはどういうことか、〝(笑)〟とはどんな状態かさえはっきりとはわからなかっただろう。

それはなぜかというと、ホントはワタシにもよくわかってないからだ。

ただ、主義や正義や文化などのあらゆる〝宗教〟を捨て去ってしまう日本人という民族に、その素質と可能性を見出して、**星飛雄**

■ＩＭＯＮ
『ＩＭＯＮを創る』の集大成としまして、ＩＭＯＮ三原則を図式化してみました。
〝リアルタイム〟を通して入力された事象は、〝マルチタスク〟ならびに〝(笑)〟によって処理され、再び〝リアルタイム〟経由で出力されます。
図では、それぞれの項目に極めて抽象的な事例を掲げたが、これらの言葉は実生活上で使ってみて初めて、意義が生まれます。
あなたは、この三種の要素を保有していますか？　もし欠けているとすれば、それはどの要素ですか？　え？　〝嫁いびりが得意でロココ趣味〟？　う、うーん……。それに〝パワー〟が加われば、たぶん世界最強でしょう(笑)。

馬にとっての**一徹**オヤジのように、ワタシはなっていただけかもしれない。

ただね、これだけは言えるんです。〝捨て去れる〟ヤツは最強だということです。〝楽〟と〝快楽〟のためにね。〝楽〟と〝快楽〟。それが、みなさんの『巨人の星』です。そして、ＩＭＯＮは**大リーグボール養成ギプス**です。

我々が愛を覚えることは、犬が芸を覚えることと同じだ

〝捨て去れる〟のではなく、〝捨て去ってしまった〟と言う人はいる。

そういう人は往々にして、誇りとしての文化や、守るべきものとしての愛や、よりどころとしての国家を説くだろう。

だが、それらは人類の最大の欺瞞だ。それらが〝オカネ〟と同じ意味で、人類にとって不可抗力としての欺瞞だとしても、やはり、ないに越したことはないとワタシは思うのだ。

我々は生きて死ぬべきものだろう。単にそうしただけの〝時間〟に、自らにも他人にもだましだまし意味を与え、その〝意味〟の奴隷になったり、その〝意味〟が崩壊するときに、自らも他人をも不幸にすることが果たして〝人間的〟なのだろうか。

犬が〝**チンチン**〟という芸を覚えるように、我々がいつか〝愛〟を覚えたとしても、それがどうして〝人間的〟だといえるのか。

え？　言い過ぎだって？　何が言い過ぎだってんだ！　え！　いや、すまんすまん。

■星飛雄馬
ホシトビ・オスウマではない。ホシ・ヒュウマと読む。日本人たるもの、男の子なら飛雄馬、女の子なら鮎原こずえに憧れたのである。

■一徹
そして、当時のオヤジどもは一徹オヤジに影響を受けまくった。かくして高度成長期の日本社会は、こうした〝影響されやすい父と息子〟によって埋めつくされたかのように見えた。さて、男がこぞって『巨人の星』に影響されまくっていたとき、女の子はどうしていたのかというと、『アタックナンバーワン』を見てバレーボールをしていたのである。

■大リーグボール養成ギプス
しかし、エキスパンダーのフリークスのような養成ギプスをつけられた息子たちは、このギプスが〝伸びるときはなんでもないが、縮むときバネに皮がはさまれてひどく痛い〟という事実に気がついた。これは野球の訓練じゃない。SMの調教だ！

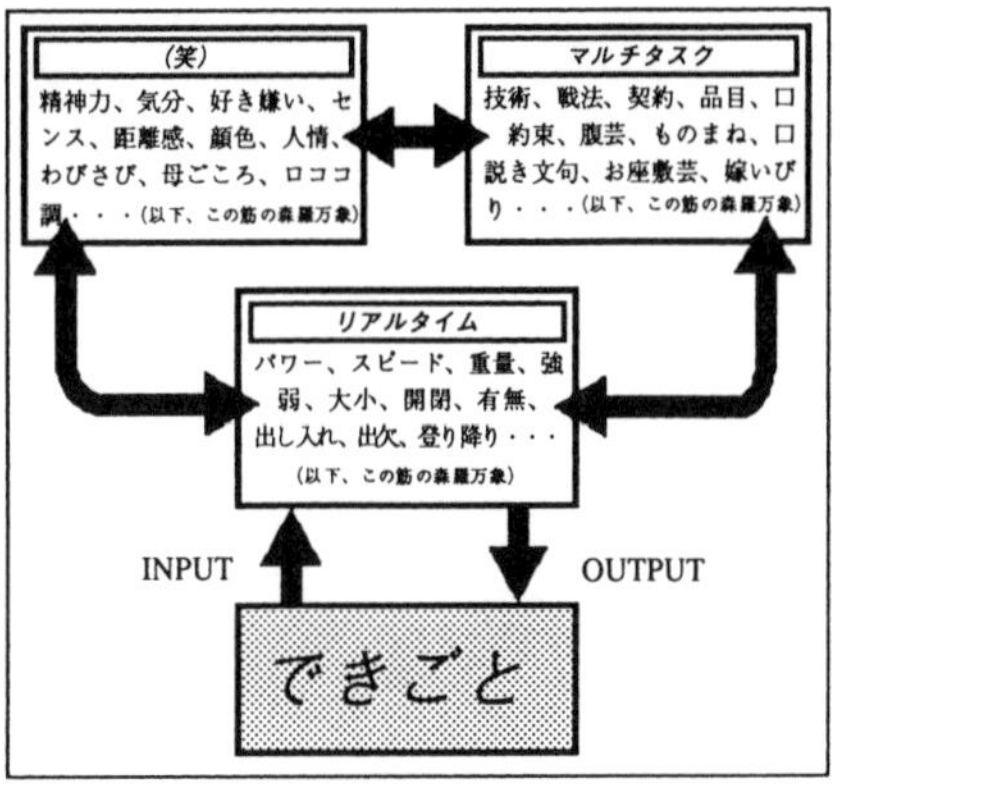

パソコン通信は、来るかもしれない時代のレッスン

我々はあらゆる〝宗教〟の欺瞞にうすうす気がつき始めている。気づきはじめたからこそ、〝人間関係〟というものに翻弄され始めたのだろう。

なぜならば、あらゆる〝宗教〟が、〝そんなに大したことじゃない〟ということになれば、我々がともに語っていた国家や家族や正義などのテーマは消滅するからだ。何を話して意見の一致をみればいいのかわからなくなるのも、無理はない。

そうした原因からも我々が、〝人間関係〟という〝現実的処理〟に振り回される時間が多くなることは確かだろう。

最後になって、また話を蒸し返すつもりはないが、パソコン通信は、それを克明に浮き彫りにするメディアだ。パソコン通信をやる者は〝どうしてパソコン通信をやるのかわからない〟者ばかりだ。共通のテーマが何ひとつ見つからない。そうした場には、〝人間関係〟という〝現実的処理〟しか残されないだろう。

しかし、それでもパソコン通信はますます普及する。

なぜなら、それは**レッスン**だからである。来るかもしれない時代へのレッスン。

来るのかどうかはわからないが、もしこなかったら、パソコン通信なんてモノを考え出したヤツを、みんなで一発ずつ、ぶん殴ってやろうじゃないか！　オレは二発ぶん殴ってやるゾ！

■チンチン
かくして〝影響されやすいオヤジにいいように操られて性の奴隷にされるのはまっぴらだ！〟と家を飛び出した息子たちは、同じ原作者であることを知らぬまま（ペンネームが違っていた）、『あしたのジョー』に心酔していったのだ。バットとボールという父性的象徴の呪縛から離れ、よりストレートな衝動を荒野に求めた。青年は荒野を目指す！　書を捨てよ、町へ出よう！　そして青年はボクシングと出会ったのである。ボディーだ、フックだ！　ストレートだ、アッパーだ！　よ〜し、チンだ！　チンチンだ！　と。え〜、おあとがよろしいようで……（笑）。

■レッスン
〝空手のレッスン〟とかはあまり言わない。「先輩！　今日は補習があるので柔道のレッスンはお休みさせてください！」とか言うと、たいていはなぐられるハメになる。

パソコン通信がもたらす濃密な人間関係の時代

　では、どんな時代が来るというのか。それはまだワタシもわからない。社会の主要なテーマが〝人間関係〟しか残されてなくて、まるで世界全体が家族関係と同じぐらいの密度を持ち、我々にとって息がつまるような毎日になるかもしれない。それはあり得ないことではないだろう。ビッグによるネットワーキングはそんな時代をも招くかもしれない。

　また、ビッグにより我々は労働という使命から解放され、より〝遊ばねばならない〟時代が来るだろうか。

　遊ぶと人は子供になる。遊んでばかりいた子供のころを思い出してもらいたい。子供はなんらためらいもなく言いたいことを言う。平気で人の悪口を言い、躊躇なく仲間はずれにし、何かの能力が劣ってる者を容赦なくバカにする。大人になって、そういうヤツとつき合わねばならないのも、ひとつの地獄だろう。つまり、子供は他者と自分との距離を計れない。また、息が詰まるような〝人間関係〟が始まるのである。または、ビッグと人間の脳波に互換性がとられ、ビッグと我々はまるで同一の脳のごとく活動する時代が来る、という**SF**的なネタはどうだ。しかも、ビッグはそれどうしでネットワーキングされているから、世界が巨大な脳のようになり、これまた〝人間関係〟は濃密どころか極限の密度になる。それればかりか処理すべき情報はもっと膨大になるだろう。そんなことになれば、息が詰まるどころじゃないヨ、**吐いたりする**かもしれな

■SF
スーパーファミコンの略。うそ。

■吐いたりする
'80年代は〝前向きなあきらめ〟だと言った人がいたが、だったら'90年代は〝前向きな嘔吐〟だろう（笑）。んなわけないか（笑）。

い。あはは。吐かないか。

グダグダ言うな！　やることやって笑ってろ！

時代が変わるたび嘆く人々は多い。

もちろん、嘆くような変わり方もあるだろう。しかし我々は、やり続けるしかない。〝生き物〟が生き続けることをただひとつの使命とするなら、人類は、やり続けることこそ、その使命なのではないか。

つまり、こういうことである。

グダグダ言うな！　やるべきことをやれ！　そして、できれば笑ってろ！　と。

それがIMONの〝リアルタイム〟、〝マルチタスク〟、〝(笑)〟、の正体だとも言える。

ビッブは〝グダグダ言わず〟、〝やるべきことをやる〟だろう。IMONは、それをビッブから学べと言ってきた。

問題は〝(笑)〟だ。ビッブにもなければ、人間にも会得されていない〝(笑)〟とはいったい何なのか。

それは、あらゆる〝宗教〟を我々が捨て去れるようになったとき、たったひとつだけ残るか、あらたに創り出された唯一の〝宗教〟のことだ。

え？　最後なんだからヒントをくれ？　ワタシはやっぱり〝笑ってること〟に近いものじゃないかと思います。

☆

■ICBMメンバー最後のあいさつ

●いがらしみきお

IMONはタフなシゴトでした。ワタシは当分ビッブの周辺から身を引くつもりです。懲りたのではなく、言い足りたというわけ。みなさん、ありがとう。

●天晴まぶろ

マンガを描き終えたあと、4人で食べた近所の中華飯店〝龍鵬〟の出前のビーフン定食はかなりまずいが、多くは語るまい。

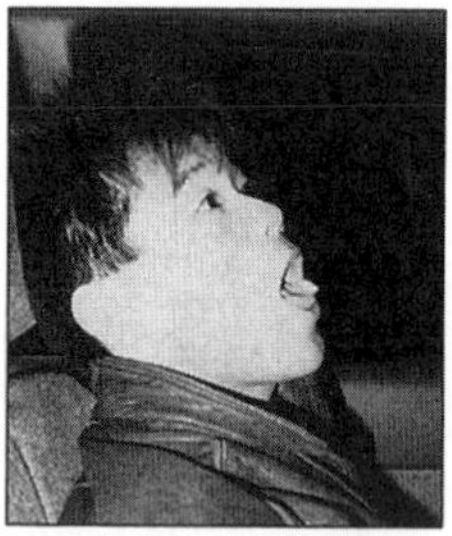

●いまぜき伸

ICBMは、自分の意図と違う展開になりおもしろいので、参加していて楽しかった。またこんなマンガを描きたい（笑）。

●クマガイコウキ

ツタのからまるチャペルプロの先生方と一緒に仕事ができたことは終生の思い出です。卒業しても決して忘れませんことよ。

おつきあいくださったみなさんありがとう。心から感謝します。『ＩＭＯＮを創る』はこれで終わりますが、ＩＭＯＮの普及は今からはじまります。

その後のIMON

『ＩＭＯＮを創る』をアイコン誌に連載していたのは、すでに2年以上も前のことだ。2年というと〝ひと昔〟の感がある。少なくとも今のワタシにとってはそうだ。まぁ、2年たっても家のローンはまだ残ってるけど。

2年を経た今、また読み返して現状と照らし合わせてみると、ＩＭＯＮで予言され、デタラメをコイたことはそう外れてはいないと思う。それも無理はない。世界を見渡してみてもそう大したことは起きていないからだ。バブル経済がはじけたとか、例によって例のごとし、我々はあくまでもバカで凡才のままだ。その上、最近はなにもかもが停滞して、まるで世界中がこれから何をすればいいのか誰にもわからないようにさえ見える。

こういうことは未だかつてなかったろう。我々はバカで凡才なりに、戦争だのカネ儲けだのアートだのを考え出してはずーっと騒ぎ通しだったのである。静かに物を考えたことなんか今まで一度もなかったと言ってもいい。ところが戦争もカネ儲けもアートも、今やすべて語るに落ちた。これがすべての問題だろう。我々は語るに落ちたのですよ。ウソがバレたんです。

ワタシもバカで凡才だが、いくらなんでも「ホラ、だからこれからＩＭＯＮがその鍵を握ってるのヨ」とは言わない。言わないけども、ＩＭＯＮというものはこれからに証明と普及がかかっていることは間違いないだろう。とにかくＯＳはこうしてバラ撒かれたというわけです。

本書はわかりにくいところもあろう。なぜなら、まるで大声で言いたいことだけ言って、ご町内を駆け抜けるような行為でもあったからだ。しかし、ワタシは何も悔いてはいない。哲学者も、科学者も、小説家も、あらゆる〝先生〟が、どうしても言ってくれないことを言ったつもりはあるからだ。

本書に携わったみなさんと、お買い上げいただいたみなさんに感謝します。

いがらしみきお

「その後のIMON」のあと

『IMONを創る』をアイコン誌に連載していたのは、すでに30年以上も前のことだ。

これは『IMONを創る』の単行本のあとがき「その後のIMON」の書き出しと同じだが、「その後のIMON」の方では「すでに2年以上も前のことだ」と書いている。それからまた30年たっているのだ。30年後に復刻される本なんて、田河水泡の『のらくろ』か手塚治虫の『新宝島』のようなものだが、私は田河水泡でも手塚治虫でもないので、これはひとえに小説家の乗代雄介さんが『IMONを創る』を忘れないでくれていたお陰であろう。蛇足だが、乗代さんと私は一面識もありません。乗代さんがなぜ『IMONを創る』にこだわりつづけたかについては、ご本人の「解説」に譲るとして、私も『IMONを創る』を忘れたことはないです。

『IMONを創る』が終わったあと、パソコン通信も終焉を迎え、インターネットの時代がはじまったわけだが、私は初期のネットというと「2ちゃんねる」ぐらいしか知らない。そこで繰り広げられていることは、パソコン通信のBBSと同じこととしか思えず、大いなる失望感とともに、いつしかメールしかやらない人間になっていた。では、どこが『IMONを創る』を忘れたことがないのか。私は『IMONを創る』を予言の書にしてしまったからだろう。

ネット依存という言葉を聞くと、ＯＮとＯＦＦのコンピュータに影響されて、人も快と不快の「二値化」してしまったのだとか、ユーチューバーと聞いては、「ひとりメディアごっこ」をいつまでやってるのかとか、バズったとか聞けば、アッという間に寄って来て、アッという間にいなくなっただけで、そんなものは「リアルタイム」でもなんでもないとか、オンライン会議の画面を見ては、そういうのが「マルチタスク」というんじゃないぞとか、ゴキブリを磔にして焼き殺す動画を見ては、そんなの全然「(笑)」じゃないんだよなどと罵詈雑言するようになり、ネットの世界で起きることはすべて『ＩＭＯＮを創る』の曲解と成れの果てのようにしか思えなくなってしまった。私は『ＩＭＯＮを創る』に呪縛されたのである。

今はそうではないかというと、実は今もそうです。呪縛されてます。最近のＡＩブームなどを見るにつけ、『ＩＭＯＮを創る』２１１ページでは「ビッブと人間の脳波に互換性がとられ、ビッブと我々はまるで同一の脳のごとく活動する時代が来る」とか「〃人間関係〃は濃密どころか極限の密度になる」「吐いたりするかもしれない」とか書いてあるではないか。

そして『ＩＭＯＮを創る』の最終章である第5部には「ビッブの教育と未来」と書かれているので、これからはＡＩを教育し、育成するのが我々の役目になるのだろう。つまり、自分のアバターとしてのＡＩを作るのが仕事になるということだが、いわゆるパーソナルＡＩでしょうか。自分で教育したＡＩに仕事させる。これってパーソナルコンピュータがパーソナルＡＩになっただけのように見えるが、そうではなくて、これが『ＩＭＯＮを創る』の最終章なのではないか。

今のＡＩというと、「なんでも聞いてください」というので、「いがらしみきおとは？」と聞いてみたら、ややあって「漫画家」「講談社漫画賞」「仙台」、さらにややあって「詩人」と表示されたと思ったら、「すみません」「間違いました」「別な質問をお願いします」などと謝って来るような代物で、私はそういう腰の低さに対して若干の好感を抱いたのを否定できないが、なにをどういっても日本語を操る「検索野郎」であることはバレバレである。

しかし、いずれ個人によって育成されたＡＩが描いた漫画や、ＡＩの書いた小説や、ＡＩの作った音楽、ＡＩの作ったゲームなどが出て来るのは間違いない。というよりも、エンタメのほとんどがＡＩによって作られるか、支援されたものになるだろう。私は、最近観た『ザ・スーパーマリオブラザーズ・ムービー』を、ＡＩが作ったＣＧアニメではないかと思ったが、人が作ったものらしいですね。それだけ「よくできていた」からだが、ピーチ姫がかわいかったです。

最近のエンタメを見ていると、よくできていないと許さないという風潮がある。自分に理解できないものなど歯牙にもかけないばかりか、単に「下手」とか「コスパが悪い」などといわれてしまう。完成度がこれからのエンタメの条件なら、あらゆる漫画が、小説が、音楽が、映画がアーカイブされている今、新しいものなどもう必要ないだろう。人間が語れる物語など、すでに底をつきたと言ってもいいので、あとはライブラリされたものをＡＩにデータとして活用してもらって、「よくできた」エンタメを作ってもらえばいいのではないか。

著作権はどうなる、などという声もあるが、著作権などネット時代になってからは、あってなきが如きものだ。それにずうっと昔から、みんな誰かの模倣でやっているのは間違いないんだから、いい加減に自分が作ったなどと言い張るのはやめないとね。

私が『IMONを創る』で、「人間には才能がない」と言ったのは、模倣しかできないからだけではない。パソコンをこんな風にしてしまい、パソコン通信をこんな風にしてしまい、インターネットをこんな風にしてしまい、その上、環境破壊が叫ばれ、火災と洪水と干ばつが猛威を振るっている間にも、プーチンは戦争をはじめるし、世界中で諍いをやめられない。地球までこんな風にしてしまったのは人間である。

ただ「やめればいい」のにそれが出来ないのが人間なのだ。やめるのなんか簡単でしょ。やめるだけなんだから。なんでやめられないの？　損するから？　くやしいから？　クビになるから？　殺されるから？　AIだったらやめられるのではないか。たとえ世界がたいへんなことになっても。

AIというと、科学者や哲学者は「ほんとは意味なんかわかっていない」などというが、人間だってほんとの意味をわかってないのだ。将棋ソフトの開発現場だったかで、膨大な棋譜を、ビッグデータでシンギュラリティしてというか、プログラムとプログラムを24時間戦わせて学習させていたら、いつしかプログラム同士で、勝手な言語を作って会話していたので、慌てて止めたという都市伝説のような話を聞いたことがあるが、あれはほんとにただの都市伝説だったのか。AIというのは暴走した時にはじめてＡＩになるのではないのか。

　という話には誰も賛同しないだろうけど、ＡＩが暴走してたいへんなことになったらどうするのだ、という声には「すぐコンセント抜きます」とか「水をかけます」では納得してくれないのかもしれないが、人間はあらゆる「意味」と「価値」でがんじがらめなので、だんだん「なにもしない」人が増えることになる。その結果としての少子高齢化なのだとも思うが、ＡＩじゃなくてやはり人間がなんとかすべきというのなら、このまま「なにもしない」のを継続するのもいいだろう。なにか別な風景が見えてくるかもしれないし。だけど人間はなにかします。模倣する才能しかない人間は、必ずなにかやりはじめるでしょう。それはそれで黙って見ているしかないものですが。

　私はなぜこんなにコンピュータにこだわったのだろう。最初のイメージはやはり『２００1年宇宙の旅』のＨＡＬ９０００である。あの赤いお目々のＡＩコンピュータ、あれが自宅にも欲しいと思った。ＨＡＬが暴走しはじめ、自分を解体されながら、薄れて行く意識の中で、最後に「デイジー」の歌を唄うシーンは感動的だった。「ＡＩは暴走した時にはじめてＡＩになる」という言葉はこの時に出たものだ。

　人間には「リアルタイム」も「マルチタスク」もできない。「リアルタイム」に生きる人間や「マルチタスク」する人間とはどんなものだろうかと思う。それは一種の超人なのだろうが、「(笑)」なら私にもわかる。それはあらゆる意味と価値観と宗教を相対化し、解き放たれることだろう。つまりＡＩです。いやいや、その場合は「つまりAIです（笑）」とするのが、ほんとうのIMONIMONなのだ。

30年という時間がたったので、私も30歳増えて68歳になった。そろそろ漫画も描かなくなる頃だが、最後は自分で教育したAIで漫画を描いてみたいです。それが『IMONを創る』のエピローグになるだろうと思ったが、あらためて「ICBM」のバンド漫画を見ていたら、これが30年前の漫画だろうか。「リアルタイム」「マルチタスク」「（笑）」のIMON作法恐るべし。ここ何年も、漫画を読んで笑ったことさえないのに、3度ほど吹き出してしまいました。たぶんAIで4コマ漫画を描いたら、こうなるはず。『IMONを創る』はやはり予言の書だったのだろう。

今年の1月にクマガイコウキが亡くなった。『IMONを創る』では用語解説と図版と撮影と作詞作曲とギターとICBMのメンバーをやってくれた私のスタッフで、38年ほどのつきあいがあった。この復刻本を彼に捧げたい。

もう一人捧げたい人がいます。この本を出すために個人出版社まで作ってくれた石原将希さんである。まったくこの本は石原さんと乗代雄介さんがいなければ、再び世に出ることがなかったのは間違いない。お二人に心から感謝いたします。ありがとうございました。

2023年8月　仙台にて

解説

私と『IMONを創る』の二十年

乗代雄介

この復刊の企画が動き出し、便宜的に「解説」という名の文章をお願いされた時に思ったのは、こんな「ぜんぶの解説」みたいな本の「解説」を書いてどうなるのかということだった。

それに私は、『IMONを創る』を長い時間をかけて、本当に一人で読み続けたのだ。「解説」にならないまでも、私の成果をここにまとめて、人に伝えるのはちょっとしゃくである。楽しやがってと思う。

考えてほしいのだが、あなたは楽しない読書をしているだろうか。哲学書でも小説でも暴露本でもなんでもいいが、本当に一人で読み続けた本を一冊でも思い浮かべることができるだろうか？　読書会なんかは開かないでも、入門書から解説書、作家論から作品論まで色々あるし、ネットを見て誰かの感想から論文まで読むことができるようになって久しい。どこでもいいから検索窓にタイトルを打ち込むだけでそれなりの情報が手に入る。あなたには、そういう情報を一つも入れずに読み続けている本があるだろうか？

気になる本であればあるほど理解を深めたくなるのだから、情報をかき集めるのは合理的行為である。ピンからキリまで、その積み重ねが「読むべき本」を指し示してきたとも言える。しかしそれゆえ、誰一人としてまともに言及していない本をくり返し読み考え続けるという読書は、学問の世界はともかく、一般的にはほとんど不可能となった。もちろん、誰一人としてまともに言及していない本は腐るほどあるのだが、その大半は腐るべくして腐るのであって、とても長く付き合っていられるものではない。

私は『IMONを創る』を、本当に一人で読み続けてきた。『IMONを創る』は残念ながら、世間で「読むべき本」とされてはいない。どころか、この本について語る者は、現実はおろかネットにもほぼいなかった。検索しても、Yahoo！ジオシティーズとかさるさる日記に短い紹介を書いている人が二人ほど見つかるとか、そういう状態。おかげで私は、他人の感想や書評や批評や評論を見て、「コイツ何にもわかってねえな」とか「この人は自分よりわかってそうだからご意見を拝借しよう」とか、無意識に人知れずやることを、全部やらずに済んでしまった。それはそれで楽じゃなかったが、一子相伝と勘違いしていられる奇特な読書をすることができた。
私はこれから――「解説」と題しておきながら――私と『IMONを創る』の歴史を語ろうと思う。IMONを創り、普及させることは、つまるところ生き方の問題であったのだから、それを二十年も大真面目に一人で読んできた私の歴史こそが、この本の「解説」になっているはずだ、とそういう理屈である。というか、なっていて欲しいという願望である。

私は八歳の時、東京都練馬区から千葉県松戸市に引っ越してきた。松戸駅近くのビルの一階に「Amusing Media Shop D:Va」という大層な名前の古本屋があった。駅の西口と東口にブックオフができて、近隣の古本屋が続々と閉店する中でしばらく頑張っていたが、今はもうない。本や漫画はもちろんVHSからCDまで、エロも含めてAmusing Mediaを総ざらいした割に広い店で、ほとんど全ての棚の足元に、背表紙を上にした本や漫画が三段くらいぎゅうぎゅうに積み上げられていた。店員はたいてい本の壁に囲まれた奥のレジに座ったままで、気兼ねなく立ち読みができた。

長い間、足繁く通った。放課後、塾の行き帰り、休日、中学以降は学校帰り、近くを通れば必ず入った。『老人と海』とか『異邦人』とか『はつ恋』とか『二十日鼠と人間』とか『クリスマス・キャロル』とか有名海外文学の薄い文庫本はたいていここで立ち読みしたし、今年の四月に亡くなったムツゴロウさんの本もほとんどここで買い揃えたし、弓月光の『おたすけ人走る!!』を読んでいたら鼻血が止まらなくなり、後日、自分の血痕を栞代わりに続きを読んだのもここだ。立ち読みの時間に比べれば使ったお金は微々たるもので申し訳ないが、この店がなかったら私の自己形成は大人しく整然としたものになっていたと思うから感謝している。

その感謝の中でもかなり特別な位置に、高校生の時に『IMONを創る』を購入した記憶がある。そこに辿り着くにも歴史の紆余曲折があるため、私がその著者を知るところから始めなければなるまい。なぜなら『IMONを創る』は、紆余曲折がなければ辿り着かないような本なのだから。

引っ越して来て初めて行った床屋の棚に、『ゴルゴ13』だの『ろくでなしBLUES』だのに交じって、1巻だけが置いてある漫画があった。何気なく手に取り、字も少ないからあっという間に読み終え、何だこれはと思って、順番が来るまでくり返し読んだ。ほどなくして、クラスメイトになったSくんが同じ床屋に通っていることがわかった。転校早々の共通点がうれしくて盛り上がっていると、Sくんがふと何かに気付いたように黙るではないか。あたりを見回し、なんだかいけないことでも話すみたいに声を潜めた。

「あの『ぼのぼの』っていう動物の漫画、読んだ……?」というのはちょっと創作が入っている気もするが、Sくんが「動物の漫画」と言ったのと、小三の私たちがトーンを変えて話をしたのは確かである。『ぼのぼの』のテレビアニメが始まったのはそのすぐ後だ。Sくんとはアニメ『ぼのぼの』の話もよくしたが、それは決してあの時のトーンではなく、実に脳天気なものだった気がする。

私たちは、漫画『ぼのぼの』に「なんだかいけないこと」が書かれているとわかっていたのだろう。それは小三だし、学校の先生とかお父さんやお母さんが考えてなさそうなこと程度の認識かもしれない。もちろん、学校の先生が考えているかいないかなんてわからないし、お父さんやお母さんがそんなこと考えてたらどうする? ということさえ『ぼのぼの』には書いてあったのだが、スクウェア・エニックスの4コママンガ劇場とかに慣れていた私たちには、それを「なんだかいけないこと」だと感じるのが精一杯だった。

その後、露骨にいけないことをしたくなる中学生になった私は、D:Vaの力を借りて、『ぼのぼの』以外のいがらしみきおの漫画を片っ端から読み始めた。こうして振り返ると自然な流れのように見えるが、2000年頃に、中学生が80年代のアイドルもプロレスもエロもろくにわからないまま『ネ暗トピア』を立ち読みしているのは、あまり自然なことではなかったかもしれない。ただ、買って帰って家に置いておくにはあんまりな内容だという分別はあった。

そんなことしていたせいで、本当には話の合う同級生もいないまま高校生になった。部活も入らず、学校が終わるとすぐに帰ってブログや小説を書き、もう自分の人生はコレなんじゃないかなと向こう見ずに決めつつあった中、通い慣れた古本屋のA5判漫画の棚で見つけたのが『IMONを創る』だった。漫画ではなかったが、帯でぼのぼのも「う〜んスゴイ本だなぁ」と言ってるし、迷わず購入した。ここ数年は時々ネットの市場に出て二万とか三万とかの値がついていたりしているが、あの店の値付けのシステムからすると、定価の半額750円だったと思う。

一読した時に衝撃を受けたのは確かだが、何を考えたかの記憶はない。「なんだかよくわからないこと」が書いてあると思ったんじゃないだろうか。さすがに「なんだかいけないこと」が書かれているとは思わなかったはずだ。そうでなければ、二十年も読み返さないだろう。この頃に感動した本や漫画は沢山あったが、私の中で腐っていったものも同じくらい沢山あって、そこにはたいてい、その時々で「なかなかよくわかること」と「なんだかいけないこと」が書いてあった。それらは時を経て、「べつにいけないこともないわかりきったこと」になってしまった。

『IMONを創る』を最初に読んだ時のことで一つ覚えて

いるのは、座右の銘を決めたことだ。ＩＭＯの社訓を元にした「一生やれ、何でもやれ、ほっといてくれ」を、そんなこと聞かれる予定も答える気もないのに、座右の銘にしようと思ったのだ。作家になってからようやく聞かれて、ちゃんと答えた時は感慨深かった。

ところで私は、高校生の頃から書き写しという習慣を持っている。読んだ本の印象に残ったところをキャンパスノートに書くのだが、表紙に②とあるノートの中盤、26ページにわたって『ＩＭＯＮを創る』がびっしり書き写されている。この時、私は何を考えていたのだろう。本との出会いは現実にあったことだから覚えているが、二十年も読んでいる本を最初に読んだ時に考えたことなんて思い出すのは不可能だ。嘘や多分を交えればその「思い出」は形にはなるし、他の本ならそういう捏造も全然やるが、『ＩＭＯＮを創る』でやる気にはなれない。

と、うじうじ考えている私の手元には書き写しノート②があるわけだが、ものは考えようである。ここには、その時の私が感銘を受けた文章しか書かれていない。その時の私の感銘は、その時の私の考え事に影響されているだろう。例えば、『ＩＭＯＮを創る』を読んだあと、私の趣味嗜好は『ＩＭＯＮを創る』に影響されているはずである。私は『ＩＭＯＮを創る』の後、何を読み、何を良しとして書き写したのか。それを史料と考えれば、当時の私の思考に近づけるかも知れない。少なくとも、私の記憶を飾り付けるよりはずっと当てになる。書き写しをやっていてよかった。ほんと、何でもやっておくべきだ。

ページをめくって『ＩＭＯＮを創る』の最後をさがすと、最終回にあたる「第35回」がほぼ全て書き写されている。もう一つ思い出した。私はこれを書き写した時、最後のＩＣＢＭの漫画をコピーして貼りつけようか迷って、面倒で止めたのだった。なんでこれだけ貼りつけようと思ったのかは覚えていないが、この最終回が、単純に漫画として一番よくできているからだろう。いや、今にして見れば、このＳＮＳ社会の予言ぶりと出来映えは、最終回の主張と合わせて考えると恐ろしいぐらいである。ここに来ての絵柄と意思の統一感、自己言及的な風刺、本当にＡＩ漫画の進化と袋小路の兆しを見るようではないか。

さて、私のノートから『ＩＭＯＮを創る』のすぐ後に書き写されていた文章の一部を引用してみる。

「同じ精神を具えた同じ一人の人間でも、子供の時からフランス人やドイツ人のあいだで育てられると、中国人や人食い人種のなかでずっと生活してきたのとは、どんなに違った人間になることか。そしてわたしたちの服装の流行においてまで、十年前に気に入っていて、また十年もしないうちに気に入るかもしれない同じものが、今どれほど突飛でこっけいに見えることか。結局のところ、習慣や実例のほうが、どんな確実な知識よりもわたしたちを納得させているが、それにもかかわらず、少しでも発見しにくい真理については、ただ一人の人がそういう真理を見つけだしたというほうが、国中の人が見つけだしたというより、はるかに真らしいから、賛成の数が多いといっても何ひとつ価値のある証拠にはならない」

デカルト『方法序説』（岩波文庫）である。『IMONを創る』に、デカルトがちょっと出てくるから、一番薄いのから読んでみたのだろうか。きっと『IMONを創る』と似たことが書いてあると思って喜んで書き写したんだろう。

高校生の自分なんて若かろうバカだろうだし、引用がここで終わっていたら紹介することもなかったのだが、どっこい次の一文があることで、私は高校生の自分をちょっと見直す気になった。

「こうしてわたしは、他の人よりもこの人の意見のほうを採るべきだと思われる人を選び出すことができずに、自分で自分を導いていかざるをえないことになっていた」

あれ、と思った。もしかして高校生の私は、座右の銘なんかも勝手にいただきながら、『IMONを創る』を読んでおけば、いがらしみきおについていけば、これでもう大丈夫だ、助かった！　という風には思っていなかったのかもしれない。いやしかしまだわからない。偶然、『方法序説』だっただけかもしれない。それが数ページ続いた次に写されているのは、鈴木大拙の『禅』（ちくま文庫）だった。その中にこんなのもある。

「仏教者は、その問題の出できたった源泉、もしくは根源そのものに到って、そもそもなぜこのことが問われなければならなかったかを突きつめようとする。「実在とは何か」という問いが与えられるならば、かれらは問いをそのまま取り上げないで、ひるがえって質問者自身にまで到らんとする。だからその問いはもはや抽象的なものではなく、人が、生きた人が、登場してくる。その人は生命の躍動する人であり、問いもまた同様である。それはもはや、抽象的、非人間的、あるいは超人的な問いではなく、生々として、質問者その人にじかに結びついている。弟子が「仏性とは、実在とは何か」と問うならば、師は、「お前はだれか」、「お前はどこからその問いを持ってきたのか」と反問して、答えを迫るであろう。あるいは、師はその質問者の名を呼ぶかもしれない。その僧が、「はい、師匠よ」と答えるならば、師はしばし沈黙し、そして問う、「わかったか。」僧はわからないという。「この馬鹿者め。」これが師の裁決であろう。」

二十年前にどんな順番で何を書き写したかなんて覚えているはずがない。だから私は今、かつての自分の選択に驚かされているし、おかげで、この「解説」の予定もだいぶ変わってしまいそうだ。本当なら、読んだり書いたりしていくなかで『IMONを創る』について徐々に理解を深めていく自分の説明をするはずだったのに、高校生の私は『IMONを創る』を、少なくとも今の私くらいにはしっかり読んでいやがるっぽいではないか。

つまり、「よくわからない」なりに、それが「わかる」とはどういうことか考え、著者の「悟り」を体験し、味わいたいと思い、しかしそれは「自分で自分を導いていかざるをえないこと」だと承知している。なかなか見所のある奴だ。

でもそれはやっぱり、『IMONを創る』を読んだからだと思うのだ。

『IMONを創る』は、「我々」に向けて書かれているというのに、その「我々」に背を向けたスタートラインに読者を立たせて後は知らない、立たないヤツはそもそも知らないという本である。このへんのことが伝わらない人は世の中にいくらでもいて、そういう人はかわいそうに誰かに延々だまされてしまう。「我々」ってこうなんだと言っている人間が、本心から自分を「我々」に含めているはずはないのである。

『IMONを創る』に書かれていることは、デカルトが言う真理のようなもので、あきれるほど普遍的であるがゆえに、うんざりするほど個人的なことだ。宗教でいえば根本的にはOSの問題に固執する小乗仏教が最も近く、だから普及活動でありながら自己満足であった。そんな書き方を、いがらしみきお自身は「まるで大声で言いたいことだけ言って、ご町内を駆け抜けるような行為」（「その後のIMON」）と説明している。

それでも、だとしても、いがらしみきおは「我々」と言いながらご町内を駆け抜けてくれたのである。この頃はまだ希望をもっていたのか、すでに皮肉だったのか、理由はわからない。なにはともあれ、私は偶然その声を聞いて、飛び出して追いかけないまでも、立ち上がったのだ。とか言ってすぐへなへなと座ってしまうのが人間なのだが、ふと気になり、あの声が聞こえないかと窓を開けるように本を開けば、また立ち上がることができた。そのくり返しで二十年である。少なくとも、私が本書を読み返して立ち上がらなかったことは一度もない。『IMONを創る』は腐るような本ではなかった。

ここまで書いておいたところで、「「その後のIMON」のあと」が送られてきた。いがらしさんは「私も『IMONを創る』を忘れたことはないです」と書いておられる。

私はこれを読み、感動しながら、本当にえらそうなことに「そうだろうな」と思った。

思い返せば、私がやっていた「ミック・エイヴォリーのアンダーパンツ」というはてなブログは、さるさる日記とYahoo!ジオシティーズ亡き後、ネット上で読めるほぼ唯一の『IMONを創る』への言及であった。

そのブログが2020年、なぜか国書刊行会から本になった時、『IMONを創る』への言及も収録されていることだし、いがらしさんに献本しようということになった。担当編集者だった石原将希さんの提案である。内心やめましょうよと思っていたが、今よりさらに売れない新人作家であった私の、学生時代や素人時代に書いていたブログの本を作るなんて無茶をしてくれる編集者の熱意に水を差す権利はない。承諾して献本後、すぐにいただいたいがらしさんからのお返事にはこうあった。

「『IMONを創る』をここまで読んでくれる方がいるとは思ってもいませんでした」

もちろん感動したのだが、またその時も、本当にえらそうなことに「そうだろうな」と思ったのだった。

それもこれも、私が『I【アイ】』を読んでいたからだ。何度も何度も何度も何度も読んでいたからだ。「『その後のIMON』のあと」では「人間には「リアルタイム」も「マルチタスク」もできない」とあっさり結論されている。その結論は『IMONを創る』から二十年、数々の漫画と思考と生活すなわち生きることを経て『I【アイ】』が書かれたことによって導かれたものだと私は思う。

『I【アイ】』は『IMONを創る』の実践の物語と言ってもいい。IMONの三大原則である「リアルタイム」と「マルチタスク」に決着をつけ、「(笑)」が残るとはどういうことかが描かれている——と私は思っている。

「オレはその時、生まれてはじめてリアルタイムに生きているのを感じた」

第8話「ただ呼吸するだけ」の雅彦の思弁を見て、私はギクッとした。同時に、久しぶりに「なんだかいけないもの」を見たような気になった。これは職業的表現者の端くれとして思うことだが、回想という形で書かれているとはいえ、時代や舞台や登場人物としても異物感のある「リアルタイム」という横文字をここで使う意味は全くない。しかしその「意味」は、あくまでも他人にとっての意味である。『I【アイ】』と同じ担当編集者による『今日を歩く』という漫画の〈あとがき〉で、いがらしみきおはこう書いている。

「『I【アイ】』は、なんというか、私にとっての最高傑作でした。自分でそんなこと言うのか、と言われるかもしれませんが、作者だからこそわかることがあります」

「リアルタイム」という言葉を用いる意味は、「作者だからこそわかること」に属すると私は思う。作者にとって、雅彦の個人的な体験を十全に説明する言葉は『IMONを創る』で突きつめた「リアルタイム」以外にないのである。だから、これを『IMONを創る』読者へのサービスだと受け取ろうはずもなかった。私は、いがらしみきおは本当に、自分のために書いているんだと思った。それで「なんだかいけないもの」を見たように感じたのかもしれない。

「『IMONを創る』をここまで読んでくれる方がいるとは思ってもいませんでした」

「私も『IMONを創る』を忘れたことはないです」

私の中でいがらしみきおは冗談を言っても嘘は言わない

人だが、それでもこの二つの言葉が嘘でないとはっきりわかり「そうだろうな」と思えるのは、誇らしいことだった。「えらそうなことに」というのはそういう意味だ。

なにしろ作者でさえ、『I【アイ】』の読者の中に『IMONを創る』の町内で今も聞き耳を立てているような奴がいるとは思っていなかったのに、他でもない自分がいたのである。私は心から自分をえらいと思った。べつに『IMONを創る』読者は他にもいただろうが、雅彦が山を下りて町で暮らす期間がそのまま『IMONを創る』連載期間にあたるとか図々しく考えながら読んだのは、私ぐらいのものだろう。誰に対してかわからないが、ざまあみろと思った。

『I【アイ】』の登場人物は「この世界を知りたい」と語るが、「この世界を知る」とはつまり、あらゆる遅れなしに自分で体験するということである。その要件が「リアルタイム」と「マルチタスク」なのだ。

音が、光さえもが、最終的には現実に反映させてしまった言葉が決定的に、我々を「リアルタイム」から遠ざける。匂いだけは遅れのない「リアルタイム」に近いものなんじゃないかという考えは、『IMONを創る』連載直後の『のぼるくんたち』でも感動的に描かれたことだ。「マルチタスク」については、言葉によって世界から剥がされ、言葉によって世界を切り分けていく始まりを生きる三歳児を描いた『3歳児くん』が大いに参考になるだろう。こちらの連載は、『IMONを創る』と同時期である。

いがらしみきおは『IMONを創る』で考えたことを、老人によって、三歳児によって、ひたすら考え続けてきたのである。そしてもう一つ、考える上で欠かせないものがある。動物だ。

「ワタシが生き物を素晴らしいなと思うのは、その孤独さにおいてです。孤独でない生き物にはあまり興味ありません。冬の朝、起き抜けのストレッチをしていると、窓の外の電柱のてっぺんで寒風に吹かれながら空を見つづけるカラスがいるんですが、ワタシはそのカラスを密かにリスペクトしているのでした」(『ものみな過去にありて』仙台文庫)

「リアルタイム」と「マルチタスク」によってこの世界を遅れなく同時に体験するものは、それ以外を信じないだろう。遅れてきたものをわざわざ信じる必要がないからだ。よって、人間ほど節操なく言葉を使わない動物は、本来、人間よりずっと孤独である。無論、この孤独が、人間が感傷的な手垢や唾をつけてきたような遅れてきた「孤独」でないのは言うまでもない。

だから私は、『I【アイ】』を読んだ時にこそ、もう二十年会っていないSくんを訪ねて「あの動物の漫画、読んだ……?」と言うべきだったのかもしれない。そして、『ぼのぼの』が抜きがたく「人間」の漫画であることを堂々と語り合うべきだったのだ。もういい大人になった証として。

いがらしみきおは『ぼのぼの』について、「私が「ぼのぼの」を描かなくなった時にぼのぼのたちは死んでしまう」と語っている。それを神様と呼ぶのははばかられるが、もうこの際だからはばからないことにしよう。創作者は、ある世界を描こうとする時にはいつまでも「神様」である。しかし、この世界を描こうとする時にはどこまでも人間である。

これを厳しく区別している創作者は多くはない、いや、ほとんどいない。肩書きとしては小説家になってさらによくわかったことだが、みんな遅れてくる意味にかまけて、ぜんぜん「この世界を知りたい」なんて思っていないようなのだった。なんなら驚くべきことに、「この世界に自分を知ってほしい」と思っているようなのだった。その時、「世界」はほとんど「社会」とか「世の中」とか「人間たち」と同義になっている。この状況はただちにIMONの普及の失敗を意味するのだが、そりゃそうだろう、私しか読んでいないんだから。

「この世界を知りたい」なんて、そもそも人間の欲望ではないのかもしれない。ならば、それを欲望することのできる人間の条件とは何であろう、そりゃ「リアルタイム」と「マルチタスク」であろう。そのために、人間は今まで覚えてきた何をどこまで捨て去る必要があるのか。そんなことが可能なのか。可能であったとして、それは人間なのか。『I【アイ】』というのは、それを確かめるために一生やるし、何でもやるし、ほっといてくれという漫画であった。

『I【アイ】』に出てくる人間たちは笑う。誰にもよくわかる笑いから、よくわからない笑いまで、様々に笑う。私には、作者が『IMONを創る』からずっと求め続けてきた「(笑)」の正体を、一つ一つ石を裏返して、闇を覗きこんで、探しているように見えた。そんな風に見えたのは、『IMONを創る』を本当に一人で読み続けてきた私だけだろう。ざまあみろである。

さて、何はともあれ、『IMONを創る』は世の中に再び流通することになった。

私の二十年のようなことはもう誰の身にも頭にも起こらないだろうし、世の中は三十年前よりもさらにこの本を持て余す状況にあるとしか思えないし、これからますますひどくなる一方という気もする。人間としては、こうして何十年かごとに復刊し、この世界の一隅に『IMONを創る』を絶やすことなく、「う〜んスゴイ本だなぁ」と思う者たちの到来を粘り強く待ちたいものである。

初出

『EYE・COM』アスキー　１９８９年10月15日号（創刊号）～１９９１年6月1日号

いがらしみきお

1955年宮城県中新田町（加美町）に生まれる。24歳で漫画家デビュー。代表作に「あんたが悪いっ」（1983年漫画家協会賞優秀賞）、「ぼのぼの」（1988年講談社漫画賞）、「忍ペンまん丸」（1998年小学館漫画賞）、「I（アイ）」、「羊の木」（2015年文化庁メディア芸術祭漫画部門優秀賞）、「誰でもないところからの眺め」（2016年漫画家協会賞優秀賞）など。現在「ぼのぼの」がフジテレビ系列でアニメ放映中。仙台市在住。

IMON《イモン》を創る

著者 いがらしみきお

2023年12月15日 初版発行

ISBN978-4-911125-01-4

Printed in Japan

JASRAC 出 2308728-301

装釘・本文組版 山本浩貴+h（いぬのせなか座）

編集・発行人 石原将希

発行所 合同会社石原書房
〒181-0005 東京都三鷹市中原1-26-26
info@ishiharashobo.jp

印刷・製本 創栄図書印刷株式会社